Fink, Gottlob

Memoiren

Fink, Gottlob

Memoiren

Inktank publishing, 2018

www.inktank-publishing.com

ISBN/EAN: 9783747795446

All rights reserved

Chateaubriand's
Memoiren.

Deutsch
von
Dr. Gottlob Fink.

Vierter Theil.

~~~~~~~~~

Stuttgart.
Franckh'sche Verlagsbuchhandlung.
1850.

Vorbereitende Entwürfe zu dem Krieg gegen Rußland. — Napoleon's Verlegenheit.

Bonaparte sah keine Feinde mehr, und da er nicht wußte, wo er Reiche herbekommen sollte, hatte er sich in Ermangelung eines Besseren für seinen Bruder das Königreich Holland angeeignet. Im Herzen Napoleon's war jedoch eine heimliche Feindschaft gegen Alexander zurückgeblieben, welche sich von dem Zeitpunkte des Todes des Herzogs von Enghien herschrieb. Er war eifersüchtig auf Rußlands Macht; er wußte, was dieses Reich vermochte und um welchen Preis er die Siege von Friedland und Eylau erkauft hatte. Die Zusammenkünfte in Tilsit und Erfurt, die gezwungenen Waffenstillstände, ein Friede, der sich mit Bonaparte's Charakter nicht vertrug, Freundschaftserklärungen, Händedrücke, Umarmungen, phantastische Pläne zu gemeinsamen Eroberungen, das Alles ließ den Haß bloß in den Hintergrund treten. Es gab auf dem Continent ein Land und Hauptstädte, die Napoleon noch nicht betreten hatte, ein dem französischen Reiche noch fest gegenüberstehendes Reich: die beiden Kolosse mußten sich messen. Bonaparte hatte bei seiner Vergrößerung Frankreichs die Russen angetroffen, wie Trajan die Gothen, als er die Donau überschritt.

Die ihm eigene Ruhe, welche, seit er sich der Religion wieder zugewandt hatte, von einer wahren Frömmigkeit unterstützt wurde,

Chateaubriand's Memoiren. IV.   1

machte Alexander zum Frieden geneigt; er würde ihn nie gebrochen haben, wenn man ihn nicht dazu veranlaßt hätte. Das Jahr 1811 ging ganz unter Zurüstungen hin. Rußland lud das bezwungene Oestreich und das seufzende Preußen ein, sich mit ihm zu verbinden, falls es angegriffen werden sollte; England kam mit seinem Gelde zu Hülfe. Das Beispiel der Spanier hatte die Sympathien der Völker erweckt; schon begann sich der Tugendbund zu bilden, der allmälig das junge Deutschland in sich vereinigte.

Bonaparte unterhandelte, gab Versprechungen; er machte dem König von Preußen Hoffnung auf den Besitz der russisch-deutschen Provinzen; der König von Sachsen und Oestreich schmeichelten sich mit einer Vergrößerung ihrer Staaten durch die Ueberbleibsel Polens; Fürsten des Rheinbundes träumten von ihnen dienlichen Gebietsveränderungen; es gab kein Land, womit Napoleon nicht Frankreich zu vergrößern dachte, obwohl dieses schon über Europa hinausreichte; namentlich gedachte er zu dieser Vergrößerung Spanien zu verwenden.

General Sebastiani sagte zu ihm: „Und Ihr Bruder?"

Napoleon erwiederte: „Was liegt an meinem Bruder! Gibt man ein Königreich wie Spanien hin?"

Der Gebieter verfügte mit Einem Worte über das Königreich, welches Ludwig XIV so viel Opfer gekostet und ihm so viel Unglück gebracht hatte; allein er behielt es nicht so lange. Was aber die Völker anbetrifft, so hat wohl nie ein Mensch ihnen weniger Rechnung getragen und sie mehr verachtet, als Bonaparte. Er warf der Königsmeute, die er mit der Peitsche in der Hand zur Jagd führte, Stücke davon vor.

„Attila," sagt Jornandes, „führte einen Haufen tributpflichtiger Fürsten mit sich, welche mit Furcht und Zittern auf einen Wink des Herrn der Monarchen warteten, um auszuführen, was ihnen geboten würde."

Bevor Napoleon mit seinen Verbündeten, Oestreich und Preußen und mit dem aus Königen und Fürsten bestehenden Rheinbunde, in Rußland einmarschirte, wollte er erst seine beiden Flügel, welche die beiden Enden Europa's berührten, sicher stellen; er suchte zwei Verträge zu schließen, den einen im Süden mit Constantinopel, den andern im Norden mit Stockholm. Diese Verträge kamen nicht zu Stande.

Zur Zeit seines Consulates hatte Napoleon wieder Einverständnisse mit der Pforte angeknüpft; Selim und Bonaparte hatten sich gegenseitig ihre Bildnisse geschenkt und unterhielten eine geheime Correspondenz. Napoleon schrieb seinem Gevatter den 3. April 1807 von Ostende aus:

„Du hast Dich als würdigen Abkömmling der Selim und Soliman gezeigt. Vertraue mir alle Deine Bedürfnisse an; ich bin mächtig genug und Deine Wohlfahrt liegt mir sowohl aus Freundschaft als der Politik wegen hinreichend am Herzen, um Dir Nichts zu verweigern."

Ein allerliebster Erguß der Zärtlichkeit zwischen zwei Sultanen, die, sich schnäbelnd, mit einander plaudern, wie Saint-Simon gesagt hätte.

Als Selim gestürzt war, kommt Napoleon zu dem russischen System zurück und denkt an eine Theilung der Türkei mit Alexander; allein von einer neuen Fluth von Ideen überwältigt, entschließt er sich zu dem Einfall in das moskowitische Reich. Aber erst am 21. März 1812 trägt er Mahmud sein Bündniß an, indem er plötzlich hunderttausend Türken an die Donau verlangt. Für diese Armee bietet er der Pforte die Walachei und Moldau an. Die Russen waren ihm zuvorgekommen; ihr Vertrag stand auf dem Punkte, abgeschlossen zu werden, und ward den 8. Mai 1812 unterzeichnet.

Gleicherweise sah sich Bonaparte im Norden durch die Ereignisse getäuscht. Wie die Türken die Krim bedrohen, so hätten die Schweden einen Einfall in Finnland machen können, nach dieser

1 *

Schlußfolgerung wäre Rußland, mit zwei Kriegen auf dem Halse, in die Unmöglichkeit versetzt gewesen, seine Kräfte gegen Frankreich zu sammeln. Das hieße der Politik ein weites Feld einräumen, wenn die Welt sich heutzutage durch die Mittheilung der Ideen und durch die Eisenbahnen in moralischer wie in physischer Beziehung nicht näher gerückt wäre. Stockholm befolgte seine National-politik und fand sich mit Petersburg ab.

Nachdem Gustav IV 1807 das durch die Franzosen besetzte Pommern und 1808 das durch Rußland überfallene Finnland verloren hatte, war er abgesetzt worden. Ein Biedermann, aber ein Thor, hat Gustav die Zahl der auf Erden irrenden Könige vermehrt und ich habe ihm einen Empfehlungsbrief an die Mönche des heiligen Grabes gegeben; am Grabe Christi muß man sich trösten. Gustav's Oheim wurde an die Stelle seines entthronten Neffen gesetzt.

Bernadotte, welcher das französische Armeecorps in Pommern befehligt, hatte sich die Achtung der Schweden erworben; sie warfen die Augen auf ihn, und Bernadotte ward erwählt, die Lücke auszufüllen, welche durch den Tod des kurz zuvor erwählten Prinzen von Holstein-Augustenburg, Erbprinzen von Schweden, entstanden war. Napoleon sah die Wahl seines ehemaligen Waffengefährten ungern.

Bonaparte's und Bernadotte's Feindschaft datirte sich von lange her; Bernadotte hatte sich dem 18. Brumaire widersetzt und dann durch seine Beredtsamkeit und den Einfluß, den er auf die Gemüther ausübte, zu jenen Zwistigkeiten beigetragen, welche Moreau vor einen Gerichtshof führten. Bonaparte rächte sich nach seiner Weise, indem er seinen Charakter verächtlich zu machen suchte. Nach Moreau's Verurtheilung schenkte er Bernadotte ein dem verurtheilten General weggenommenes Haus in der Straße Anjou, und der Schwager Joseph Bonaparte's wagte in Folge einer damals gäng und gäben Schwäche nicht, diese wenig ehren-

volle Freigebigkeit von der Hand zu weisen. Grosbois ward Ber=
thier gegeben. Nachdem das Schickfal auf folche Weife das Scepter
Karl's XII in die Hände eines Landsmannes Heinrich's IV gelegt
hatte, lief sich Karl Johann dem Ehrgeize Napoleon's nicht; er
hielt es für sicherer, statt Napoleon, den fernen Feind, Alexander,
feinen Nachbar, zum Verbündeten zu haben, erklärte sich neutral,
rieth zum Frieden und bot sich als Vermittler zwischen Rußland
und Frankreich an.

Bonaparte geräth in Wuth und ruft: „Er, der Elende, will
mir Rathschläge ertheilen, will mir Gesetze vorschreiben! Ein Mensch,
der Alles durch meine Güte ist! Welche Undankbarkeit! Ich werde
ihn zu zwingen wissen, meinem Machtspruche Folge zu leisten!"

In Folge dieser Drohungen unterzeichnete Bernadotte den
24. März 1812 den Vertrag von Petersburg.

Man frage nicht, mit welchem Rechte Bonaparte Bernadotte
einen Elenden hieß: denn er, Bonaparte, vergaß, daß er, weder
von höherer Abstammung war, noch einen andern Ursprung als
die Revolution und die Waffen hatte. Diese beleidigende Sprache
zeugte weder von ererbter Hoheit des Ranges, noch von Seelen=
größe. Bernadotte war nicht undankbar, er verdankte der Güte
Napoleon's Nichts.

Der Kaiser hatte sich in einen Monarchen nach altem Schlag
umgewandelt, welcher sich Alles zuschreibt, nur von sich selbst
spricht und zu belohnen oder zu strafen glaubt, wenn er sagt,
er sei zufrieden oder unzufrieden. Viele unter der Krone verlebten
Jahrhunderte, eine lange Reihe von Gräbern in Saint=Denis
würden dergleichen Anmaßungen nicht entschuldigen.

Das Schicksal führte aus den Vereinigten Staaten und dem
Norden Europa's zwei edle Franzosen auf dem nämlichen Schlacht=
feld zusammen, um einen Mann zu bekriegen, gegen den sie sich
zuerst verbunden und der sie dann getrennt hatte. Soldat oder
König, keiner dachte damals, daß es ein Verbrechen sei, den

Unterdrücker der Freiheit zu stürzen. Bernadotte siegte, Moreau unterlag. Die in ihrer Jugend zerstreuten Männer sind kräftige Wanderer; sie gehen rasch einen Weg, den schwächere Männer nur mit langsamen Schritten zurücklegen.

―――――

Der Kaiser unternimmt den Feldzug nach Rußland. — Einwürfe. — Fehler Napoleon's.

Es mangelte Bonaparte nicht an Warnungen, um von dem russischen Kriege abzustehen; der Herzog von Friaul, der Graf von Ségur, der Herzog von Vicenza, die er zu Rath gezogen hatte, setzten diesem Unternehmen eine Menge Einwendungen entgegen.

„Man soll," sagte der Letztere beherzt (Geschichte der großen Armee), „indem man sich des Festlands und selbst der Staaten der Familie seines Verbündeten bemächtigt, diesen Verbündeten nicht der Mißachtung des Continentalsystems anklagen. Wenn die französischen Armeen Europa überziehen, wie darf man den Russen Vorwürfe über die Aufstellung einer Armee machen? Sollte man sich über alle diese deutschen Völker hinauswerfen, deren von uns geschlagene Wunden noch nicht vernarbt sind? Schon erkannten sich die Franzosen nicht mehr inmitten eines Vaterlandes, welches keine natürliche Grenze einschränkte. Wer wird denn das eigentliche Frankreich vertheidigen, wenn es so verlassen ist?" —

„Mein Ruf," entgegnete der Kaiser.

Medea hatte diese Antwort geliefert, Napoleon rief selbst das Trauerspiel auf sich herab.

Er kündigte den Plan an, alle waffenfähige Mannschaft des Kaiserreichs in einem Ban und Arrière=ban auf Kriegsfuß zu setzen. In seinem Gedächtniß verwirrte sich die Zeit mit den

Erinnerungen. Auf den Einwurf, daß noch verschiedene Parteien in dem Kaiserreiche beständen, antwortete er:

„Die Royalisten fürchten mein Verderben mehr, als sie es wünschen. Das Nützlichste und Schwierigste, was ich gethan habe, war, den revolutionären Strom aufzuhalten, der Alles verschlungen hätte. Ihr fürchtet für mein Leben im Kriege? Mich tödten, mich, das ist unmöglich; habe ich denn den Willen des Schicksals schon erfüllt? Ich fühle mich gegen ein Ziel hingetrieben, das ich nicht kenne. Wenn ich es erreicht habe, genügt ein Atom, mich zu vernichten."

Das war wieder Nachahmung: die Vandalen in Afrika und Alarich in Italien behaupteten, nur einem übernatürlichen An= triebe zu folgen: divino jussu perurgeri.

Der unsinnige nnd schimpfliche Streit mit dem Papst ver= mehrte die Gefahren der Stellung Bonaparte's, der Kardinal Fesch beschwor ihn, sich nicht die Feindschaft des Himmels und der Erde zugleich zuzuziehen. Napoleon nahm seinen Oheim bei der Hand, führte ihn an ein Fenster — es war Nacht — und sagte zu ihm:

„Sehen Sie jenen Stern?"

„Nein, Sire."

„Sehen Sie genau hin."

„Sire, ich sehe ihn nicht."

„Wohlan, ich sehe ihn."

„Auch Sie, sagte Bonaparte einst zu Herrn von Caulain= court, „auch Sie sind ein Russe geworden."

„Oft," versichert Herr von Ségur, „sah man ihn (Napoleon) halb liegend auf seinem Sopha, in tiefes Nachdenkend versunken, dann fuhr er plötzlich und mit Ausrufungen in die Höhe, er glaubt, seinen Namen zu hören und fragt: Wer ruft mich?"

Als der Balafré sich seiner Katastrophe näherte stieg er auf die Terrasse des Schlosses von Blois, genannt le Perche aux Bretons; hier sah man ihn unter dem herbstlichen Himmel, vor sich eine weithin sich ausdehnende öde Landschaft, mit großen Schritten und unter wüthenden Geberden hin- und hergehen. In seinen erſprießlichen Bedenklichkeiten äußerte sich dann Bonaparte:

„Nichts um mich her ist für einen so weitgreifenden Krieg gehörig vorbereitet, man muß ihn noch drei Jahre verſchieben.

Er erbot ſich, dem Czar zu erklären, daß er weder mittelbar noch unmittelbar zu der Wiederherstellung eines Königreichs Polen beitragen wolle: das alte und das neue Frankreich haben dieſes treue und unglückliche Land gleicherweiſe im Stich gelaſſen.

Unter allen von Bonaparte begangenen politiſchen Fehlern ist dieſer Verrath einer der größten. Er erklärte nachher, daß er nur aus Furcht, seinem Schwiegervater zu mißfallen, nicht ohne Weiteres zu einer Wiederherstellung geschritten sei. Bonaparte war wohl der Mann, ſich durch Familienrückſichten bestimmen zu laſſen! es ist bloß eine so schwache Entschuldigung, daß man ſie, wenn er ſie vorbringt, gleichſam als eine Verwünschung ſeiner Heirath mit Marie Louiſe betrachten darf. Weit entfernt, dieſe Heirath in gleichem Sinne genommen zu haben, hatte der Kaiser von Rußland ausgerufen:

„So wäre ich denn in meine Wälder eingeſchloſſen.“

Bonaparte war ganz einfach durch die Antipathie, welche er gegen die Freiheit der Völker hegte, verblendet.

Bei dem ersten Einfall der französischen Armee hatte der Prinz Poniatowski polnische Truppen organiſirt; es hatten sich politische Vereine gebildet, Frankreich hielt in unmittelbarer Folge zwei Gesandte in Warschau, den Erzbischof von Malines und Herrn von Bignon. Die Polen, diese Franzosen des Nordens, von Charakter tapfer und leicht wie wir, redeten unsere Sprache, sie liebten uns wie Brüder, sie gaben ihr Leben mit einer Treue für uns hin, in welcher eine tiefe Abneigung gegen die Russen athmete. Frankreich hatte sie einst zu Grunde gerichtet, ihm kam es zu, ihr politisches Leben wieder herzustellen. War man denn diesem Volke, dem Retter der Christenheit, Nichts schuldig? Ich sagte es Alexander in Verona: „Wenn Ew. Majestät Polen nicht wiederherstellt, wird sie genöthigt sein, es auszutilgen." Die Behauptung, daß dieses Königreich durch seine geographische Lage zur Unterdrückung verdammt ist, mißt den Hügeln und Flüssen zu viel Einfluß bei; zwanzig Völker haben, mit der einzigen Schutzwehr ihres Muthes versehen, ihre Unabhängigkeit bewahrt und Italien ist trotz der Vormauer der Alpen von Jedem, der dieselben überschreiten wollte, unterjocht worden. Es wäre billiger, ein anderes Mißgeschick in's Auge zu fassen, das nämlich, daß kriegerische Völker, wenn sie Bewohner weiter Ebenen sind, gleichsam verdammt scheinen, Eroberungskriege zu führen; denn aus den Ebenen sind die verschiedenen Eroberer Europa's hervorgebrochen.

Weit entfernt, Polen zu begünstigen, verlangte man, seine Soldaten sollten die Nationalcocarde annehmen; arm, wie es war, bürdete man ihm die Unterhaltung einer französischen Armee von 80,000 Mann auf; das Großherzogthum Warschau war dem König von Sachsen versprochen. Wäre Polen wieder zu einem Königreiche umgestaltet worden, so hätte der slavische Stamm vom baltischen bis zum schwarzen Meere seine Unabhängigkeit wieder erlangt. Selbst während Napoleon die Polen im Stiche ließ und sich ihrer bloß bediente, verlangten sie, man solle sie den Vortrab bilden lassen; sie rühmten sich, ohne uns allein in Moskau einziehen zu können: ein ungelegener Vorschlag! Der bewaffnete Dichter, Bonaparte, war wieder erschienen; er wollte den Kreml besteigen, um von diesem herab zu singen und ein Decret über die Theater zu unterzeichnen.

Was man auch heutzutage zum Lobe Bonaparte's, dieses großen Demokraten, veröffentlichen mag, sein Haß gegen constitutionelle Regierungen war unüberwindlich und verließ ihn selbst dann nicht, als er die drohenden Wüsten Rußlands betreten hatte. Der Senator Wibicki brachte ihm die Beschlüsse des Reichstags von Warschau nach Wilna.

„An Ihnen ist es," sagte er in seiner gottvergessenen Ueber-

treibung, „an Ihnen, der Sie dem Jahrhundert seine Geschichte
dictiren und in dem die Kraft der Vorsehung wohnt, an Ihnen
ist es, Anstrengungen zu begünstigen, welchen Sie Ihren Beifall
zollen müssen."

Er, Wibicki, kam nämlich, um Napoleon den Großen zu bitten,
er möchte bloß die Worte aussprechen: Das Königreich Polen soll
und das Königreich Polen wird bestehen! Die Polen werden sich
den Befehlen eines Führers unterwerfen, vor welchem die Jahrhunderte nur ein Augenblick sind, der Raum nur ein Punkt ist.

Napoleon antwortete:

Edelleute, Abgeordnete der polnischen Conföderation, ich habe
Eure Vorschläge mit Theilnahme vernommen; Polen, ich werde
denken und handeln, wie Ihr; ich hätte in der Versammlung
zu Warschau gestimmt, wie Ihr. Die Liebe zum Vaterlande ist
die erste Pflicht des gebildeten Menschen.

„In meiner Lage habe ich viele Interessen zu vereinigen und viele Pflichten zu erfüllen. Hätte ich während der ersten, zweiten oder dritten Theilung Polens regiert, so würde
ich meine Völker zu seiner Vertheidigung bewaffnet haben.

„Ich liebe Eure Nation. Sechzehn Jahre hindurch habe ich
Eure Soldaten auf den Feldern Italiens und Spaniens an meiner
Seite gesehen. Eure Handlungen haben meinen Beifall, ich heiße
die Anstrengungen, die Ihr machen wollt, gut, ich werde Alles
thun, was von mir abhängt, um Eure Entschlüsse zu unterstützen.

„Bei meinem ersten Einrücken in Polen habe ich schon die
nämliche Sprache gegen Euch geführt. Nur muß ich hinzufügen,
daß ich dem Kaiser von Oestreich für den ungeschmä-
lerten Besitz seiner Provinzen gebürgt habe und kein
Verfahren oder keine Bewegung gutheißen kann,
welche dahinzielt, den friedlichen Besitz der ihm noch
bleibenden Provinzen zu stören.

„Ich werde diese Ergebenheit Eures Landes, welche Euch der
Theilnahme so würdig macht und Euch so viele Ansprüche auf

meine Achtung und meinen Schutz erwirbt, durch Alles, was die
Verhältnisse mir immer gestatten mögen, zu belohnen wissen.

An's Kreuz geschlagen für die Erlösung der Nationen, ist
Polen dennoch verlassen worden; man hat sein Leiden niederträch=
tig verhöhnt, man hat ihm den Schwamm mit Essig dargereicht,
als es am Kreuze der Freiheit sprach: „Mich dürstet, sitio!"

„Wenn die Freiheit," ruft Mickiewicz, „sich auf den Thron
der Welt setzen wird, so wird sie Gericht halten über die Nationen.
Sie wird zu Frankreich sagen: Ich habe dich gerufen und du hast
mich nicht gehört: gehe daher in die Sklaverei."

„Sollten," sagt der Abbé von Lamennais, „so viele Opfer,
so viele Arbeiten fruchtlos sein? Sollten die heiligen Märtyrer
nur ewige Sklaverei in die Felder des Vaterlandes gesäet haben?
Was hört ihr in diesen Wäldern? Das traurige Rauschen des
Windes. Was seht ihr über diese Ebenen ziehen? Den Zugvogel,
der eine Ruhestätte sucht."

Zusammenkunft in Dresden. — Bonaparte mustert seine Armee
und kommt am Ufer des Niemen an.

Am 9. Mai 1812 ging Napoleon zur Armee ab und begab
sich nach Dresden. In Dresden versammelte er die zerstreuten
Kräfte des Rheinbundes und zum ersten und letzten Male setzte
er diese von ihm fabricirte Maschine in Bewegung.

Mitten unter den aus ihrer Heimath verschlagenen Meister=
werken, welche die Sonne Italiens vermissen, findet eine Zusammen=
kunft des Kaisers Napoleon und der Kaiserin Marie Louise, des
Kaisers und der Kaiserin von Oestreich und einer Schaar von
großen und kleinen Fürsten statt. Diese Fürsten beeifern sich, aus
ihren verschiedenen Höfen die untergeordneten Cirkel des ersten
Hofes zu bilden; sie machen sich das Vasallenthum streitig, der
Eine will Kanzler des Unterlieutenants von Brienne werden, der

Andere sein Almosenier. Die Geschichte Karl's des Großen wird von der Gelehrsamkeit der deutschen Kanzleien ausgebeutet, je höher man stand, desto kriechender benahm man sich. „Eine Frau von Montmorency," sagt Bonaparte in Las Cases, „hätte sich auf die Kniee geworfen, um der Kaiserin die Schuhe zu binden."

Als Bonaparte sich im Palast zu Dresden zu einem glänzenden Gala begab, schritt er mit dem Hut auf dem Kopfe voraus; entblößten Hauptes folgte Franz II, seine Tochter, die Kaiserin Marie Louise begleitend, hintendrein zog in ehrfurchtsvollem Schweigen und buntem Durcheinander der Schwarm der übrigen Fürsten. Die Kaiserin von Oestreich fehlte beim Gefolge, sie schützte Unpäßlichkeit vor und verließ ihre Gemächer nur in der Sänfte, um Napoleon, den sie verabscheute, den Arm nicht geben zu müssen. Der letzte Rest von edlen Gesinnungen hatte sich in das Herz der Frauen zurückgezogen.

Ein einziger König, der König von Preußen, wurde Anfangs entfernt gehalten.

„Was will dieser Fürst von m'r?" rief Bonaparte ungeduldig. „Ist er nicht überlästig genug mit seinen Briefen? Warum will er mich noch mit seiner Gegenwart verfolgen? Ich bedarf seiner nicht."

Harte Worte gegenüber dem Unglück, die am Vorabend des Unglücks ausgesprochen wurden.

Das große Verbrechen Friedrich Wilhelm's bestand in den Augen des Republikaners Bonaparte darin, die Sache der Könige verlassen zu haben. Die Unterhandlungen des Berliner Hofes mit dem Directorium verriethen in diesem Fürsten, wie Bonaparte zu sagen pflegte, eine furchtsame, eigennützige Politik, welche ihre Würde und das allgemeine Interesse der Throne kleinlichen Gebietsvergrößerungen opferte. Wenn er auf der Karte das neue Preußen betrachtete, rief er: „Ist es möglich, daß ich diesem Menschen so viel Land gelassen habe!" Von den drei Commissarien der Verbündeten, welche ihn nach Frejus führten, war der preußische Commissär der einzige, den Bonaparte schlecht empfing und mit dem er Nichts zu thun haben wollte. Man hat die geheime Ursache dieser Abneigung des Kaisers gegen Wilhelm gesucht und sie in diesen und jenen Privatumständen zu finden geglaubt; wenn ich den Tod des Herzogs von Enghien erwähne, glaube ich der Wahrheit am nächsten gekommen zu sein.

Bonaparte wartete in Dresden das Vorrücken seiner Armeecolonnen ab. Marlborough, der in eben dieser Stadt Karl XII. besuchte, nahm auf einer Karte einen Strich wahr, der in Moskau auslief; hieraus entnahm er, daß der Monarch diesen Weg eingeschlagen und sich nicht in den Krieg des Abendlandes mischen werde.

Obgleich Bonaparte den Plan seines Einfalls nicht offen eingestand, konnte er ihn doch nicht verbergen; hiefür brachte er bei den Diplomaten drei Beschwerdegründe vor, nämlich den Ukas vom 31. December 1810, welcher gewisse Einfuhren nach Rußland verbot und durch dieses Verbot das Continentalsystem unwirksam machte; die Protestation Alexander's gegen die Einverleibung des Herzogthums Oldenburg und die Rüstungen Rußlands.

Wäre man nicht an den Mißbrauch der Worte gewöhnt gewesen, so würde man gestaunt haben, als rechtmäßige Kriegserklärung die Zollverordnungen eines unabhängigen Staates und die Verletzungen eines von diesem Staate nicht angenommenen Systems vorgeben zu sehen. Was aber die Einverleibung des Herzogthums Oldenburg und die Rüstungen Rußlands betrifft, so habe ich schon bemerkt, daß der Herzog von Vicenza gewagt hatte, Napoleon die Vermessenheit seiner Vorwürfe vor Augen zu halten. Die Gerechtigkeit ist so heilig, sie scheint zu einem guten Erfolge der Unternehmungen so nothwendig, daß selbst diejenigen, welche sie mit Füßen treten, nur nach ihren Grundsätzen zu handeln behaupten.

Indeſſen wurde der General Lauriſton nach Petersburg und der Graf von Narbonne in's Hauptquartier Alexander's geſchickt: Boten mit verdächtigen Friedensworten und gutem Willen. Der Abbé von Pradt war an den polniſchen Reichstag abgeſandt worden, bei ſeiner Rückkehr von demſelben gab er ſeinem Gebieter den Beinamen Jupiter-Scapin. Der Graf von Narbonne meldete, daß Alexander ohne Bangen und ohne Prahlerei den Krieg einem ſchimpflichen Frieden vorziehe. Der Czar zollte Napoleon immer eine ungekünſtelte Bewunderung, behauptete jedoch, die Sache der Ruſſen ſei eine gerechte und ſein ehrgeiziger Freund habe Unrecht. Dieſe in den moskowitiſchen Bülletins ausgedrückte Wahrheit erhielt das Gepräge des Nationalgeiſtes, indem Bonaparte zum Antichriſt geſtempelt wurde.

Napoleon verläßt Dresden am 22. Mai 1812, zieht durch Poſen und Thorn und ſieht dort, wie die Polen durch ſeine anderen Verbündeten geplündert werden. Er fährt die Weichſel hinab und hält ſich in Danzig, Königsberg und Gumbinnen auf.

Unterwegs muſterte er ſeine verſchiedenen Truppen; mit den alten Soldaten ſpricht er von den Pyramiden, von Marengo, Auſterlitz, Jena, Friedland; mit den jungen Leuten beſchäftigt er ſich, indem er ſich über ihre Bedürfniſſe, ihre Ausrüſtungen, ihren Sold, ihre Hauptleute erkundigt; er ſpielte in dieſem Augenblick den Gütigen.

———

Einfall in Rußland. — Wilna; der polniſche Senator Wibicki; der ruſſiſche Parlamentär Balaſcheff. — Smolensk. — Murat. — Der Sohn Platow's.

Als Bonaparte den Niemen überſchritt, erkannten fünfundachtzig Millionen fünfmalhunderttauſend Seelen ſeine Oberherrſchaft oder die ſeiner Familie an, die Hälfte der chriſtlichen Bevölkerung gehorchte ihm; ſeine Befehle wurden in einem Raum von

19 Grad Breite und 30 Grad Länge vollstreckt. Noch nie hat man ein riesenhafteres Unternehmen gesehen, noch wird man je wieder ein solches sehen.

Am 22. Juni erklärt Napoleon in seinem Hauptquartier in Wilkowiski öffentlich den Krieg:

„Soldaten, der zweite polnische Krieg hat begonnen; der erste endete in Tilsit; Rußland wird durch sein Verhängniß fortgerissen, sein Geschick muß sich erfüllen."

Moskau antwortet dieser noch jungen Stimme durch den Mund seines hundertundzehn Jahre alten Metropolitans:

„Die Stadt Moskau empfängt Alexander, ihren Christus, wie die Arme treuer Söhne eine Mutter, und singt Hosianna! Gepriesen sei, der da kommt!"

Bonaparte wandte sich an das Schicksal, Alexander an die Vorsehung.

In der Nacht des 23. Juni 1812 erblickte Napoleon den Niemen und befahl, drei Brücken darüber zu schlagen. Gegen Abend des folgenden Tages setzen einige Sapeurs in einem Schiffe über den Fluß, finden aber Niemand auf dem andern Ufer. Endlich kommt ein Kosakenoffizier, der eine Patrouille befehligt, auf sie zu und fragt sie, wer sie seien?

„Franzosen."

„Warum kommt Ihr nach Rußland?"

„Um Euch zu bekriegen."

Der Kosak verschwindet im Gehölz; drei Sapeurs feuern gegen den Wald; man beantwortet es nicht; allgemeines Stillschweigen.

Bonaparte lag einen ganzen Tag kraftlos hingestreckt, doch ohne Ruhe; er fühlte, daß ihm Etwas entwich. Die Colonnen unserer Armeen rückten, von der Dunkelheit begünstigt, durch den Wald von Pilwisky vor, wie die Hunnen, die von einer Hindin in Sümpfe geführt wurden. Man sah den Niemen nicht; um ihn zu erkennen, mußte man an seinen Ufern stehen.

Um die Mittagszeit sah man statt moskowitischer Bataillone

ober ter ihren Befreiern entgegen eilenden lithauifchen Bevölkerung bloß nackten Sand und öde Wälder. „Dreihundert Schritte vom Fluſſe entfernt, erblickte man auf dem höchſtgelegenen Punkte das ¹ Zelt des Kaiſers. Rings um daſſelbe waren alle Hügel, Abhänge und Thäler mit Menſchen und Pferden bedeckt. (Ségur.)

Die ſämmtliche Streitmacht, die Napoleon gehorchte, belief ſich auf ſechshundertachtzigtauſend treihundert Mann Fußvolk und hundertſiebenzigtauſend achthundert und fünfzig Pferde. Im Erb= folgekrieg hatte Ludwig XIV ſechshunderttauſend Mann unter Waf= fen, lauter Franzoſen. Die active Infanterie unter dem unmittel= baren Befehl Bonaparte's war in zehn Corps eingetheilt. Dieſe Corps beſtanden aus zwanzigtauſend Italienern, achtzigtauſend Mann vom Rheinbund, dreißigtauſend Polen, dreißigtauſend Oeſtreichern, zwanzigtauſend Preußen und zweihundertſiebenzigtauſend Franzoſen.

Die Armee paſſirte den Niemen, Napoleon ſelbſt überſchreitet die verhängnißvolle Brücke und ſetzt den Fuß auf ruſſiſche Erde. Er hält ſtill und ſieht ſeine Soldaten an ſich vorbei defiliren, dann entzieht er ſich den Blicken und galoppirt auf's Gerathewohl in einen Wald, als ob er zum Rath von Geiſtern auf der Halde gerufen wäre. Er kommt zurück, er horcht, die Armee horchte; man bildet ſich ein, fernen Kanonendonner zu hören, man war voller Freude; es war nur ein Gewitter; die Kämpfe lagen weiter zurück. Bonaparte fand ein Obdach in einem verlaſſenen Kloſter, dem doppelten Aſyl des Friedens.

Man hat erzählt, daß das Pferd unter Napoleon ſtürzte, und man hörte murmeln: „Das iſt eine üble Vorbedeutung; ein Römer ginge zurück." Alte Geſchichte von Scipio, Wilhelm dem Baſtard, Eduard III und Malesherbes, als er vor das Revolutionstribunal ging.

Die Truppen brauchten drei Tage zum Uebergang, ſie ordne= ten ſich und rückten vor. Napoleon beeilte ſich auf dem Marſch; die Zeit rief ihm, wie Boſſuet ſagt, zu: Vorwärts! vorwärts!"

In Wilna empfing Bonaparte den Senator Wibicki vom

Reichstag zu Warschau; auch ein russischer Parlamentär, Balascheff, stellt sich ihm vor; er erklärt, daß man jetzt noch unterhandeln könne, daß Alexander nicht der Angreifer sei und daß die
Franzosen Rußland ohne vorausgegangene Kriegserklärung betreten hätten. Napoleon antwortet, daß Alexander nur ein Parade-
general sei, daß Alexander bloß drei Generäle besitze: Kutuzoff,
um welchen er, Bonaparte, sich nicht kümmere, weil er ein Russe
sei; Beningsen, schon vor sechs Jahren zu alt und jetzt kindisch;
Barclay, den General des Rückzugs. Der Herzog von Vicenza,
welcher glaubte, im Gespräche durch Bonaparte beleidigt worden
zu sein, unterbrach ihn mit erzürnter Stimme und den Worten:

„Ich bin ein guter Franzose, ich habe es bewiesen, und beweise
es gerade dadurch, indem ich wiederhole, daß dieser Krieg unpoli-
tisch und gefährlich ist, daß die Armee Frankreich und den Kaiser
verderben wird."

Bonaparte hatte zu dem russischen Gesandten gesagt: „Glauben Sie, ich kümmere mich Etwas um Eure polnischen Jakobiner?"
Frau von Staël erwähnte dieser letztern Aeußerung; sie war durch
ihre hohen Verbindungen immer wohlunterrichtet und bestätigt
das Vorhandensein eines Briefes, der durch einen Minister Bonaparte's an Herrn von Romanzow geschrieben und in welchem der
Vorschlag gemacht wurde, die Namen Polens und der Polen aus
den europäischen Urkunden zu streichen: ein mehr als hinlänglicher
Beweis der Abneigung Napoleon's gegen seine tapferen Supplicanten.

Bonaparte erkundigte sich in Gegenwart Balascheff's nach
der Zahl der Kirchen Moskau's; nach erfolgter Antwort rief er:
„Wie, so viel Kirchen in einer Zeit, wo man nicht mehr christlich ist.

„Um Vergebung, Sire," erwiederte der Moskowite, „die Russen
und Spanier sind es noch."

Nachdem Balascheff mit unannehmbaren Vorschlägen zurückgeschickt worden war, erlosch der letzte Schein von Frieden. Die
Bülletins sagten: „Da sehen wir also dieses russische Reich, das
von ferne so furchtbar erscheint! Es ist eine Wüste. Alexander

braucht mehr Zeit, um seine Rekruten zu sammeln, als Napoleon, um nach Moskau zu gelangen.

Als Bonaparte Witepsk erreicht, hatte er einen Augenblick den Gedanken, hier stehen zu bleiben. Als er nach einem neuen Rückzuge Barclay's in sein Hauptquartier zurückkehrte, warf er seinen Degen auf die Karten und rief: „Hier bleibe ich stehen! mein Feldzug von 1812 ist beendigt; der von 1813 wird das Uebrige thun.‟

Wohl ihm, wenn er an diesem Entschlusse, den alle seine Generäle ihm riethen, festgehalten hätte! Er hatte sich geschmeichelt, neue Friedensvorschläge zu erhalten; als er Nichts kommen sah, langweilte es ihn; er stand nur zwanzig Tagmärsche von Moskau entfernt.

„Moskau, die heilige Stadt!‟ wiederholte er. Sein Blick funkelte, seine Miene wurde wild; der Befehl zum Aufbruch wird gegeben. Man macht ihm Vorstellungen, er verachtet sie; Daru, den er befragt, antwortet ihm, „daß er weder den Zweck noch die Nothwendigkeit eines solchen Krieges einsehe.‟ Der Kaiser erwiederte ihm: „Hält man mich für einen Wahnsinnigen, meint man, ich führe bloß aus Liebhaberei Krieg?‟ Hatte man nicht ihn, den Kaiser selbst, sagen hören, der spanische und der russische Krieg seien zwei an Frankreich fressende Geschwüre? Allein um Frieden zu schließen, bedurfte es zweier Parteien und man empfing nicht einen einzigen Brief von Alexander.

Und diese Geschwüre, von wem rührten sie her? Solche Inconsequenzen gehen unbeachtet hin und verwandeln sich selbst im Nothfall in Beweise einer treuherzigen Aufrichtigkeit Napoleon's.

Bonaparte glaubte sich herabzuwürdigen, wenn er bei einem Fehler, den er erkannte, innehielt. Seine Soldaten beklagen sich, ihn nur noch in den Augenblicken des Kampfes zu sehen, und zwar bloß, um sie in den Tod zu führen, nie aber, um sie neu zu beleben; doch er ist taub für diese Klagen. Bei der Nachricht von dem Frieden zwischen den Russen und den Türken zeigt er

sich betroffen; sie hält ihn aber nicht ab und er stürzt sich nach
Smolensk.

Die Proclamationen der Russen sagten: Er (Napoleon) kommt,
den Verrath im Herzen und die Redlichkeit auf den Lippen; er
kommt, um uns mit seinen Sklavenlegionen zu fesseln. Laßt uns
das Kreuz in unseren Herzen und die Waffen in unseren Händen
tragen; laßt uns diesem Löwen die Zähne ausreißen; zerschmet=
tern wir den Tyrannen, der die Erde verheert."

Auf den Höhen von Smolensk findet Napoleon die russische
Armee wieder, die aus hundert und zwanzig tausend Mann bestand.
„Ich habe sie!" ruft er. Am 17. bei Tagesanbruch verfolgt Bel=
liard eine Bande Kosaken und wirft sie in den Dnieper; bei einer
Wendung erblickt man die feindliche Armee auf der Straße nach
Moskau; sie zog sich zurück. Der Traum Bonaparte's entwischt
ihm abermals. Murat, welcher zu der unnützen Verfolgung nur
zu viel beigetragen hatte, wünschte in seiner Verzweiflung zu ster=
ben. Er weigerte sich, eine unserer Batterien, die durch das Feuer
der noch nicht geräumten Citadelle von Smolensk zerschmettert
worden war, zu verlassen.

„Zieht Euch Alle zurück; laßt mich allein hier!" rief er.
Nun fand ein furchtbarer Sturm gegen diese Citadelle statt; auf
den amphitheatralisch sich erhebenden Höhen aufgestellt, schaute
unsere Armee dem unter ihr tobenden Kampfe zu, und wenn sie
die Stürmenden sich durch das Feuer und den Kartätschenhagel
stürzen sah, klatschte sie in die Hände, wie sie es beim Anblick
der Ruinen Thebens gethan hatte.

In der Nacht zieht eine Feuersbrunst die Blicke auf sich.
Ein Untergebener Davoust's erklimmt die Mauern, kommt durch
den Rauch hindurch in der Citadelle an; der Ton einiger entfern=
ten Stimmen gelangt an sein Ohr; die Pistole in der Hand wen=
det er sich nach dieser Seite und fällt zu seinem großen Erstaunen
in die Hände einer befreundeten Patrouille. Die Russen hatten die
Stadt verlassen und Poniatowsky's Polen sie besetzt.

2*

Durch sein außergewöhnliches Costüm und den Charakter seiner Tapferkeit, welche der ihrigen glich, erregte Murat die Bewunderung der Kosaken. Eines Tages, als er auf ihre Banden einen wüthenden Angriff machte, sprengt er auf sie zu, schilt sie und commandirt ihnen; die Kosaken verstehen ihn nicht, errathen aber, was er meint, kehren um und gehorchen dem Befehle des feindlichen Generals.

Als wir in Paris den Hetman Platow sahen, kannten wir sein väterliches Herzeleid nicht. Im Jahr 1812 hatte er einen Sohn, schön wie der Orient; dieser Sohn ritt einen prächtigen Schimmel aus der Ukraine; der siebenzehnjährige Krieger kämpfte mit der Unerschrockenheit des Alters, welches blüht und hofft; ein polnischer Uhlane tödtete ihn. Die Kosaken küssen dem auf ein Bärenfell ausgestreckten Todten ehrerbietig die Hand. Sie beten Trauergebete, beerdigen ihn auf einem mit Fichten bedeckten Hügel; dann defiliren sie, ihre Pferde an der Hand führend und die Spitze ihrer Lanze gegen die Erde gekehrt, am Grabe vorbei. Man glaubte die von dem Geschichtschreiber der Gothen beschriebenen Leichenfeierlichkeiten oder die prätorianischen Cohorten zu sehen, wie sie ihre Ruthenbündel vor der Asche des Germanicus umkehrten, versi fasces.

„Der Wind schüttelt die Schneeflocken zur Erde, die der Frühling des Nordens in seinen Haaren trägt." (Sämunds Edda.)

Rückzug der Russen. — Der Borysthenes. — Bedrängniß Bonaparte's. — Kutusoff ersetzt Barclay im Oberbefehl der russischen Armee. — Schlacht bei der Moskowa oder bei Borodino. — Bülletin. — Anblick des Schlachtfeldes.

Bonaparte schrieb von Smolensk aus nach Frankreich, daß er Herr der russischen Salinen sei und daß sein Schatzmeister auf achtzig Millionen mehr zählen könne.

Rußland floh gegen den Pol zu; die Gutsherren verließen ihre hölzernen Schlösser und flüchteten sich mit ihren Familien, ihren Leibeigenen und ihrem Vieh. Der Dnieper oder vormalige Borysthenes, dessen Gewässer einst von Wladimir für heilig erklärt worden waren, war überschritten. Dieser Fluß hatte den civilisirten Völkern Einwanderungen der Barbaren geschickt; jetzt mußte er die Einwanderungen civilisirter Völker dulden. Seine Wildheit unter einem griechischen Namen verbergend, erinnerte er sich nicht einmal mehr der ersten Wanderungen der Slaven; er fuhr fort, ungekannt durch seine Wälder hinzufließen und, statt der Kinder Odin's, Shwals und Parfümerien für die Frauen von Petersburg und Warschau in seinen Barken zu tragen. Seine Geschichte für die Welt beginnt erst im Osten der Gebirge, wo die Altäre Alexander's sind.

Von Smolensk konnte man ebenso gut eine Armee nach St. Petersburg als nach Moskau führen. Smolensk hätte den Sieger ermahnen sollen, hier anzuhalten; er hatte einen Augenblick Lust dazu. „Entmuthigt, sprach der Kaiser von dem Plane, in Smolensk stehen zu bleiben," sagt Herr Fain.

In den Feldlazarethen begann es bereits an Allem zu mangeln. Der General Gourgaud erzählt, daß der General Larriboissière genöthigt war, das Werg von seinen Kanonen abzunehmen, um die Verwundeten zu verbinden. Allein Bonaparte ward fortgerissen; er fand seine Lust daran, an beiden Enden Europa's die zwei Morgenröthen zu betrachten, welche seine Armeen in brennenden Ebenen und auf Eisfeldern beleuchteten.

In dem engen Kreise seines Ritterthums lief Roland der Angelika nach, die Eroberer ersten Ranges verfolgen eine höhere Herrscherin: für sie gibt es keine Ruhe, bevor sie jene mit Thürmen gekrönte Gottheit, die Gattin der Zeit, die Tochter des Himmels und Mutter der Götter, in ihre Arme gedrückt haben. Von sich selbst ganz erfüllt, bezog Bonaparte Alles auf seine Person; Napoleon hatte sich Napoleon's bemächtigt, es war Nichts mehr

in ihm, als er. Bis dahin hatte er nur berühmte Orte durch=
zogen, jetzt schritt er auf einer Straße ohne Namen hin, welcher
entlang Peter der Große kaum einen oberflächlichen Entwurf von
den künftigen Städten eines Reiches, das noch kein Jahrhundert
zählte, gemacht hatte. Wenn die Beispiele zur Lehre dienten, so
hätte die Erinnerung an Karl XII, der durch Smolensk zog, um
Moskau zu suchen, Bonaparte beunruhigen müssen.

Bei Kolobrino fand ein mörderisches Gefecht statt; die Lei=
chen der Franzosen hatte man in größter Eile begraben, so daß
Napoleon den Umfang seines Verlustes nicht beurtheilen konnte.

Zu Dorogobouj Begegnung eines Russen mit einem auf die
Brust hinabreichenden Barte von blendender Weiße, der zu alt,
um seiner Familie zu folgen, allein bei seinem Herd zurückgeblie=
ben war; er hatte zu Ende der Herrschaft Peter's des Großen
Wunder mit angesehen und war jetzt mit stillschweigender Ent=
rüstung Zeuge der Verheerung seines Landes.

Eine Reihe angebotener und verweigerter Schlachten führte
die Franzosen auf das Feld von der Moskowa. Bei jedem Bivouak
berathschlagte der Kaiser mit seinen Generälen und hörte, auf
Tannenzweigen sitzend oder mit einer russischen Kugel spielend,
die er hin und herstieß, ihrem Streite zu.

Barclay, ein Pastor aus Liefland und später General, war
der Urheber dieses Rückzugssystems, das dem Herbste Zeit ließ,
über den Feind hereinzubrechen; eine Hofintrigue stürzte ihn. Der
alte Kutuzoff, welcher bei Austerlitz geschlagen wurde, weil man
seinen Rath, den Kampf bis zu der Ankunft des Prinzen Karl
aufzuschieben, nicht befolgt hatte, trat an die Stelle Barclay's.
Die Russen sahen in Kutuzoff einen General ihrer Nation, einen
Zögling Suwaroff's, den Besieger des Großveziers im Jahr 1811
und den Stifter des für Rußland damals so nothwendigen Frie=
dens mit der Pforte. Mitlerweile zeigt sich ein moskowitischer
Officier bei den Vorposten Davoust's; er war nur mit unbestimmten

Vorschlägen beauftragt, seine wirkliche Mission schien im Beob=
achten und Ausspähen zu bestehen; man zeigte ihm Alles. Die
sorglose und unerschrockene französische Neugier fragte ihn, welchen
Ort man zwischen Biazma und Moskau fände: „Pultawa," ant=
wortete er.

Auf den Höhen von Borodino angekommen, sieht Bonaparte
endlich die russische Armee gelagert und furchtbar verschanzt. Sie
zählte hundertzwanzigtausend Mann und sechshundert Kanonen;
von Seite der Franzosen gleiche Streitmacht. Der Marschall
Davoust, welcher den linken Flügel der Russen recognoscirt hatte,
macht Napoleon den Vorschlag, den Feind zu umgehen. „Das
würde mir zu viel Zeit rauben," antwortete der Kaiser. Davoust
besteht darauf; er macht sich anheischig, dieses Manöver vor sechs
Uhr Morgens ausgeführt zu haben; Napoleon unterbricht ihn
barsch mit den Worten: „Ach, Sie sind immer dafür, den Feind
zu umgehen."

Man hatte im moskowitischen Lager eine große Bewegung
bemerkt; die Truppen standen unter Waffen; von den Popen und
Archimandriten umgeben, während die Sinnbilder der Religion
und ein aus den Ruinen von Smolensk gerettetes Heiligenbild
ihm vorangetragen werden, redet Kutuzoff seinen Soldaten vom
Himmel und vom Vaterlande und nennt Napoleon den Weltdespoten.

Mitten unter den Kriegsliedern und den mit Schmerzenstönen
gemischten Triumphchören im französischen Lager hört man auch
hier eine christliche Stimme; sie unterscheidet sich von allen andern;
es ist der heilige Hymnus, der allein unter der Wölbung des Tem=
pels emporsteigt. Der Soldat, dessen ruhige und doch bewegte
Stimme zuletzt wiederhallt, ist der Aide=de=camp des Marschalls,
welcher die Cavallerie der Garde befehligte. Dieser Aide=de=camp
hat sich bei allen Schlachten des russischen Feldzugs betheiligt;
von Napoleon spricht er wie seine größten Bewunderer, anerkennt
aber auch seine Schwächen; lügenhafte Erzählungen weist er
zurück und erklärt, daß die begangenen Fehler von dem Hochmuth

des Führers und der Gottesvergessenheit seiner Feldherren her=
rührten.

„In dem russischen Lager," sagte der Oberstlieutenant von
Baudus, „feierte man diesen Vorabend eines Tages, welcher für
so viele Tapfere der letzte sein sollte." . . . .

. . . .
„Das durch die Frömmigkeit des Feindes meinen Augen ge=
botene Schauspiel, so wie die Spötteleien, die es bei einer nur zu
großen Anzahl von Offizieren in unseren Reihen hervorrief, er=
innerte mich, daß selbst der größte unserer Könige, Karl der Große,
sich angetrieben fühlte, die gefährlichste seiner Unternehmungen
mit religiösen Ceremonien zu beginnen . . . .
Ach ohne Zweifel befand sich unter diesen verirrten Christen eine
große Zahl, die in ihrer Treuherzigkeit das Gebet noch für heilig
hielten; denn wenn auch die Russen an der Moskowa besiegt wur=
den, so bewies doch einige Monate später unsere gänzliche Ver=
nichtung, deren sie sich in keiner Weise rühmen können, da sie
das offenkundige Werk der Vorsehung war, daß ihr Flehen ein
nur zu geneigtes Gehör gefunden hatte."

Aber wo war der Czar? Er hatte so eben der flüchtigen Frau
von Staël bescheiden bekannt, daß er bedaure, kein großer
Feldherr zu sein. In diesem Augenblick erschien in unsern
Bivouaks Herr von Beausset, Palastoffizier. Die friedlichen Ge=
hölze von Saint=Cloud verlassend und den schrecklichen Spuren
unserer Armee folgend, kam er am Vorabend des Leichenbegäng=
nisses bei der Moskowa an; er brachte das Portrait des Königs
von Rom, das Marie Louise dem Kaiser sandte. Herr Fain und
Herr von Ségur schildern die Gefühle, von denen Bonaparte bei
diesem Anblick ergriffen wurde; nach der Aussage des General
Gourgaud rief Bonaparte, nachdem er das Bildniß betrachtet hatte:
„Entfernt ihn, er sieht zu früh ein Schlachtfeld."

Der Tag, welcher dem Sturme voranging, war ungemein
ruhig. „Diese Art von Klugheit," sagt Herr von Baudus, „welche

man anwendet, um so grausame Tollheiten vorzubereiten hat etwas
Erniedrigendes für die menschliche Vernunft, wenn man in dem
Alter, das ich erreicht habe, mit kaltem Blute daran denkt; denn in
meiner Jugend fand ich das sehr schön."

Gegen Abend des 6. dictirte Bonaparte folgende Proclamation,
die jedoch der Mehrzahl der Soldaten erst nach dem Siege be=
kannt wurde:

Soldaten, die so ersehnte Schlacht steht nun vor der Thüre.
Jetzt hängt der Sieg von Euch ab, er ist uns nothwendig und
wird uns Ueberfluß und eine baldige Rückkehr in's Vaterland
bringen. Benehmet Euch wie bei Austerlitz, Friedland, Witepsk
und Smolensk, und möge die späteste Nachwelt von Eurer Tapfer=
keit an diesem Tage reden, möge man von Euch sagen: Er war
bei jener Schlacht unter den Mauern Moskau's."

Bonaparte brachte die Nacht in großer Angst zu; bald glaubte
er, die Feinde zögen sich zurück, bald fürchtete er die Entblößung
seiner Soldaten und die Mattigkeit seiner Offiziere. Er wußte,
daß man in seiner Umgebung sagte: "Zu welchem Zwecke hat man
uns 800 Meilen zurücklegen lassen, wenn wir nur Morastwasser,
Hungersnoth und Nachtlager auf Aschenhaufen finden sollen?
Jedes Jahr wird der Krieg bedeutender; neue Eroberungen zwin=
gen uns, neue Feinde zu suchen. Bald wird ihm Europa nicht
mehr genügen; er wird Asien noch haben müssen."

In der That hatte Bonaparte den Lauf der Flüsse, die sich
in die Wolga stürzen, nicht gleichgültig betrachtet; für Babylon
geboren, hatte er es schon auf einem andern Wege gesucht. Auf=
gehalten bei Jaffa, dem westlichen Eingang Asiens, aufgehalten
bei Moskau, an dem nördlichen Thore desselben Asiens, starb er
in den Meeren, welche jenen Welttheil bespülen, wo der Mensch
erstand und die Sonne aufzustehen scheint.

Mitten in der Nacht ließ Napoleon einen seiner Aides=de=
camp rufen, dieser traf ihn, das Haupt in beide Hände gestützt.

„Was ist der Krieg?" sagte er. „Ein barbarisches Handwerk,

deſſen ganze Kunſt darin beſteht, auf einem gewiſſen Punkte der Stärkſte zu ſein."

Er beklagt ſich über die Unbeſtändigkeit des Glückes; er be= fiehlt, die Stellung des Feindes zu recognosciren; man meldet ihm, daß die Feuer noch ebenſo ſtark und in gleicher Anzahl leuch= ten; er beruhigt ſich. Um fünf Uhr Morgens läßt ihn Ney um den Befehl zum Angriff bitten; Bonaparte tritt aus ſeinem Zelte und ruft: „Laßt uns die Thore von Moskau öffnen." Es wird Tag; Napoleon ruft, auf den ſich röthenden Oſten zeigend: „Das iſt die Sonne von Auſterlitz!"

———

Mojaisk, den 12. September 1812.

Auszug aus dem achtzehnten Bülletin der großen Armee.

. . . .

„Am 6. recognoscirte der Kaiſer um zwei Uhr Morgens die feindlichen Vorpoſten; man brachte den Tag damit zu, ſich ge= hörig zu orientiren. Der Feind hatte eine ſehr compacte Stellung.

Dieſe Stellung ſchien eine ſchöne und ſtarke. Es war leicht, den Feind durch ein Manöver zum Aufgeben derſel= ben zu nöthigen; allein das hätte die Dinge wieder in den vorigen Stand gebracht.

. . . .

Am 7. um 6 Uhr Morgens, begann der General Graf Sor= bier, welcher die rechte Batterie mit der Reſerve der Garde=Artillerie beſetzt hatte, das Feuer.

Um halb ſieben Uhr wird der General Compans verwundet. Um ſieben Uhr iſt das Pferd des Fürſten von Eckmühl getödtet...

Um ſieben Uhr ſetzt ſich der Marſchall Herzog von Elchingen in Bewegung und wendet ſich unter dem Schutze von ſechzig Kanonen, die der General Foucher Abends zuvor gegen das Centrum tes Feindes aufstellen ließ, gegen eben dieses Centrum. Tausend Kanonen speien von der einen wie von der andern Seite den Tod.

Um acht Uhr ist der Feind aus seinen Stellungen gewichen, sind seine Redouten genommen und krönt unsere Artillerie ihre Brustwehren . . . .
. . . .

Dem Feinde bleiben noch seine Redouten auf dem rechten Flügel; der General Graf Morand marschirt auf sie los und nimmt sie, kann sich jedoch, von allen Seiten angegriffen, um neun Uhr Morgens dort nicht länger halten. Ermuthigt durch diesen Erfolg, läßt der Feind seine Reserve und seine letzten Truppen vorrücken, um das Glück noch einmal zu versuchen. Die russische Kaisergarde nimmt ebenfalls Theil daran. Er greift unser Centrum an, an welches sich unser rechter Flügel angelehnt hat. Man fürchtet einen Augenblick, er werde das abgebrannte Dorf wieder nehmen; die Division Friant verfügt sich hin; achtzig französische Kanonen halten Anfangs die feindlichen Colonnen, die zwei Stunden lang compact unter dem Kartätschenhagel stehen, weder vorzurücken wagen, noch weichen wollen, und die Hoffnung auf den Sieg aufgeben, auf und vernichten sie nachher. Der König von Neapel macht der Ungewißheit ein Ende; er läßt das vierte Cavalleriecorps laden, das in die Lücken eindringt, welche das Geschoß unserer Kanonen in den dicht geschlossenen Massen der Russen und den Schwadronen ihrer Kürassire eingerissen hat, und der Feind stiebt auf allen Seiten in wilder Unordnung auseinander...
. . . .

Es ist zwei Uhr Nachmittags, alle Hoffnung verläßt den Feind; die Schlacht ist beendigt, nur die Kanonade dauert noch fort; er schlägt sich noch, um sich das Leben und den Rückzug, nicht aber den Sieg zu erkämpfen.

Unser Totalverlust kann sich auf zehntausend Mann, der des Feindes auf vierzig= oder fünfzigtausend Mann belaufen. Noch nie hat man ein solches Schlachtfeld gesehen. Auf je sechs Leichen

kamen ein Franzose und fünf Ruffen. Vierzig Generäle find ge=
töbtet, verwunbet ober gefangen worben; ber General Bagration
ift verwunbet.

Wir haben ben Divifionsgeneral Graf Montbrun verloren,
ber burch einen Kanonenfchuß getöbtet wurbe, und eine Stunde
nachher ben General Graf Caulaincourt, ber an bie Stelle bes
Getöbteten beorbert warb, gleichfalls burch einen Kanonenfchuß.

Die Brigabegeneräle Compère, Plauzonne, Marion, Huart find
tobt, fieben bis acht Generäle verwundet, boch bie Mehrzahl nur
leicht. Der Fürft von Eckmühl hat keinen Schaben genommen.
Die franzöfifchen Truppen haben fich mit Ruhm bebeckt und ihre
große Ueberlegenheit über bie ruffifchen bewiefen.

Das ift in kurzen Worten bie Skizze von ber Schlacht an
ber Moskowa, bie zwei Stunden hinter Mojaisk und fünfundzwan=
zig Stunden vor Moskau geliefert wurbe.

Der Kaifer kam nie in Gefahr; weber bie Garbe zu Fuß,
noch bie zu Pferd hat einen Mann verloren. Der Sieg war
nie ungewiß. Wenn ber aus feinen Stellungen getriebene Feind
biefe nicht wieber zu nehmen gefucht hätte, fo wäre unfer Verluft
ftärker gewefen, als ber feine; allein er hat feine Armee zerftört,
indem er fie von acht Uhr Morgens bis zwei Uhr Nachmittags
bem Feuer unferer Batterien ausgefetzt ließ und hartnäckig das Ver=
lorene wieber zu erobern fuchte. Das ift bie Urfache feines uner=
meßlichen Verluftes."

Diefes kalte Bülletin, bas eine Menge wichtiger Umftände
verfchweigt, gibt entfernt keine Idee von ber Schlacht an ber Mos=
kowa und befonders von dem gräßlichen Gemetzel bei ber großen
Reboute; achtzigtaufend Mann wurden kampfunfähig gemacht,
breißigtaufenb bavon gehörten Frankreich an. August von la Roche=
jacquelein, bem das Geficht burch einen Säbelhieb gefpalten wurbe,
gerieth in bie Gefangenfchaft ber Moskowiten; er erinnerte an
andere Kämpfe und an eine andere Fahne. Als Bonaparte das
faft ganz aufgeriebene einunbfechzigfte Regiment mufterte, fragte

er den Obersten desselben: „Oberst, wo haben Sie eines Ihrer Bataillone?" — „Sire, es ist in der Redoute." Die Russen behaupteten und behaupten immer noch, die Schlacht gewonnen zu haben; sie wollen auf den Höhen von Borodino zum Andenken ihrer Todten eine Triumphsäule errichten.

„Der Bericht des Herrn von Ségur mag ergänzen, was in dem Büsletin Bonaparte's mangelt:

Der Kaiser," sagt er, „durchritt das Schlachtfeld. Nie bot ein solches einen so schauerlichen Anblick dar. Alles trug dazu bei: ein trüber Himmel, ein kalter Regen, ein heftiger Wind, Wohnungen, die in Asche lagen, eine aufgewühlte, mit Ruinen und Trümmern bedeckte Ebene; am Horizonte das traurige dunkle Grün der Bäume des Nordens; überall Soldaten, die unter den Leichen umherirrten, um sich selbst in den Tornistern ihrer todten Kameraden Lebensmittel zu suchen; furchtbare Wunden, denn die russischen Kugeln sind größer als die unsrigen; stille Bivouaks, keine Gesänge, kein Geplauder mehr: ein dumpfes, finsteres Schweigen.

Um die Adler herum sah man den Rest der Offiziere und Unteroffiziere und einige Soldaten versammelt, und zwar kaum so viel, als zur Bewachung der Fahne nothwendig waren. Ihre Kleider waren in der Hitze des Kampfes zerrissen worden, von Pulver geschwärzt und mit Blut bedeckt, und doch ließen sich in diesen Fetzen, diesem Elend, diesem Unglück eine stolze Miene wahrnehmen und sogar beim Erscheinen des Kaisers einige, zwar seltene und herausgeforderte, Siegesrufe vernehmen; denn in dieser Armee, die zu gleicher Zeit zur Auflösung und Begeisterung fähig war, urtheilte Jeder über die Lage Aller . . . .

. . . .
„Der Kaiser konnte seinen Sieg nur nach der Zahl der Todten anschlagen. Der Boden war mit auf den Redouten ausgestreckten Franzosen so übersäet, daß die Redouten mehr diesen, als den noch aufrecht Gebliebenen anzugehören und mehr getödtete als lebendige Sieger da zu sein schienen.

Unter der Menge von Leichen, über welche man schreiten mußte, um Napoleon zu folgen, trat der Fuß eines Pferdes einen Verwundeten und entriß ihm ein letztes Lebens- und Schmerzeszeichen. Der Kaiser, der bis dahin stumm geblieben war, wie sein Sieg, und der sich beim Anblick so vieler Opfer beklommen fühlte, machte endlich seinen Empfindungen in Ausrufen der Entrüstung Luft und erleichterte sein Herz durch vielseitige Sorgfalt, die er diesen Unglücklichen angedeihen ließ. Dann hieß er die ihn begleitenden Offiziere sich zerstreuen, um den Verwundeten, welche man von allen Seiten rufen hörte, Beistand zu leisten.

„Man fand ihrer besonders viele in Schluchten, in welche die meisten der Unsern gestürzt worden waren und wohin sich auch Mehrere geschleppt hatten, um besser vor dem Feinde und dem Sturme geschützt zu sein. Die Einen sprachen stöhnend den Namen ihres Vaterlandes oder ihrer Mutter aus; das waren die Jüngsten. Die Aeltesten erwarteten den Tod entweder mit kalter, gleichgültiger oder mit bitterer Miene, ohne sich zu einer Bitte oder Klage herabzulassen; Andere verlangten, man möchte sie auf der Stelle tödten; man eilte jedoch rasch an solchen Unglücklichen vorbei, gegen die man weder das nutzlose Erbarmen haben konnte, ihnen Beistand zu leisten, noch das grausame Erbarmen haben wollte, ihnen den Todesstoß zu geben.“

So berichtet Herr von Ségur. Schmach über die Siege, welche nicht in der Vertheidigung des Vaterlandes erfochten wurden, sondern bloß der Eitelkeit eines Eroberers fröhnen!

Die aus fünfundzwanzigtausend Mann Kerntruppen bestehende Garde ward an der Moskowa nicht in den Kampf verflochten; Bonaparte verweigerte es unter verschiedenen Vorwänden. Gegen seine Gewohnheit hielt er sich entfernt vom Feuer und konnte den Manövern nicht mit eigenen Augen folgen. Er saß entweder auf einer schon eingenommenen Redoute oder ging in ihrer Nähe auf und nieder. Als man ihn von dem Tode seiner Generäle benachrichtigte, machte er eine Geberde der Ergebung. Man nahm diese Gleichgültigkeit mit Staunen wahr, und Ney rief:

„Was thut er hinter der Armee? Dort nimmt er nur das Mißgeschick und nicht die Erfolge wahr. Da er nicht mehr persönlich Krieg führt, da er nicht mehr General ist und allenthalben den Kaiser spielen will, so soll er in die Tuilerien zurückkehren und uns an seiner Stelle Generäle sein lassen."

Murat gestand, daß er Napoleon's Genie an diesem großen Tage nicht mehr erkannt habe.

Maßlose Bewunderer haben Napoleon's Theilnahmlosigkeit den mehrfachen Schmerzen zugeschrieben, von denen er damals, wie sie versichern, befallen war; sie behaupten, er sei alle Augenblicke genöthigt gewesen, vom Pferde zu steigen, und sei oft, den Kopf an eine Kanone gelehnt, unbeweglich geblieben. Das mag sein; eine vorübergehende Unpäßlichkeit konnte in diesem Augenblick zur Lähmung seiner Energie beitragen; wenn man aber bedenkt, daß er diese Energie in dem sächsischen Feldzuge und in seinem berühmten französischen Feldzuge wieder fand, so muß man nach einer andern Ursache seiner Unthätigkeit bei Borodino suchen. Wie! Sie gestehen in Ihrem Bülletin, daß es leicht war, den Feind durch ein Manöver zum Aufgeben seiner schönen Stellung zu nöthigen; aber daß dieses die Dinge in den vorigen Stand zurück versetzt hätte; und Sie, die Sie Geistesthätigkeit genug besitzen, um so viele Tausende unserer Soldaten zum Tode zu verdammen. Sie besitzen nicht Körperkraft genug, um Ihrer Garde zu befehlen, ihnen wenigstens zu Hülfe zu eilen? Es läßt sich dieses nicht anders als durch die Natur des Mannes selbst erklären; das Mißgeschick brach herein und er erstarrte bei der ersten Berührung desselben. Napoleon's Größe war nicht von jener Art, die dem Unglück angehört; nur im Glück besaß er seine vollen Fähigkeiten; für das Unglück war er nicht geschaffen.

Vorrücken der Franzosen. — Rostopschin. — Bonaparte auf dem
Berge des Heils. — Anblick von Moskau. — Einzug Na=
poleon's im Kreml. — Der Brand von Moskau. — Bona=
parte erreicht mit Mühe Petrowski. — Rostopschin's Inschrift.
— Aufenthalt auf den Ruinen von Moskau. — Bonaparte's
Beschäftigungen.

Zwischen der Moskowa und Moskau lieferte Murat vor Mo=
jaisk ein Gefecht. Man marschirte in die Stadt ein, in welcher
man zehntausend Todte und Sterbende fand; die Todten warf man
zu den Fenstern hinaus, um die Lebendigen beherbergen zu können.
Die Russen zogen sich in guter Ordnung gegen Moskau zurück.

Am Abend des 13. Septembers hatte Kutuzoff einen Kriegs=
rath versammelt; die sämmtlichen Generäle erklärten, daß Mos=
kau nicht das Vaterland sei. Buturlin, der nämliche Offi=
zier, den Alexander in's Lager des Herrn Herzogs von Angoulême
in Spanien schickte, gibt in seiner Geschichte des russischen
Feldzugs — und Barclay in seinen Rechtfertigungsmemoi=
ren die Beweggründe an, welche das Gutachten des Rathes be=
stimmten. Kutuzoff schlug dem König von Neapel einen Waffen=
stillstand vor, während die russischen Soldaten durch die alte
Hauptstadt der Czaren marschirten. Der Waffenstillstand ward
angenommen, denn die Franzosen wollten die Stadt erhalten;
Murat allein folgte der kaiserlichen Arrièregarde auf den Fersen
und unsere Grenadiere traten in die Fußstapfen der sich zurück=
ziehenden russischen Grenadiere. Napoleon war noch weit von
dem Siege, den er schon in den Händen zu haben glaubte. Hin=
ter Kutuzoff stand Rostopschin.

Der Graf Rostopschin war Gouverneur von Moskau. Die
Rache versprach vom Himmel herabzusteigen; ein ungeheurer, mit
großen Kosten verfertigter Luftballon sollte über der französischen
Armee schweben, den Kaiser unter Tausenden herauswählen und

fich in einem Eifen= und Feuerregen auf fein Haupt niederlaffen. Beim Verfuche brachen die Flügel des Luftfchiffes und man mußte auf die Bombe aus den Wolken verzichten; doch das Material zum Feuerwerk blieb Roftopfchin. Während man fich nach einem Bülletin Kutuzoff's in dem übrigen Theile des Reiches noch mit dem Siege fchmeichelte, war die Nachricht von dem Unglück bei Borodino fchon nach Moskau gelangt. Roftopfchin hatte verfchiedene Proclamationen in gereimter Profa erlaffen; er fagte:

„Auf, Moskowiten, meine Freunde, auch wir wollen marfchiren! Wir werden hunderttaufend Mann verfammeln, das Bild der heiligen Jungfrau und hundertfünfzig Kanonen mit uns führen und Allem ein Ende machen."

Er rieth den Bewohnern, fich einfach mit Miftgabeln zu bewaffnen, da ein Franzofe nicht mehr als eine Garbe wöge.

Man weiß, daß Roftopfchin jede Theilnahme am Brand von Moskau von fich abgelehnt hat; ebenfo weiß man, daß Alexander fich über diefen Punkt nie erklärt hat. Wollte Roftopfchin den Vorwürfen des Adels und der Kaufmannfchaft, deren Vermögen dadurch zu Grunde gerichtet wurde, entgehen? Fürchtete Alexander von der Akademie ein Barbar geheißen zu werden? Diefes Jahrhundert ift fo jämmerlich, Bonaparte hatte alle Größen deffelben fo ganz aufgekauft, daß, wenn etwas Edles gefchah, Jeder die Urheberfchaft leugnete und die Verantwortlichkeit dafür von fich ablehnte.

Der Brand von Moskau wird ein heldenmüthiger Entfchluß bleiben, welcher die Unabhängigkeit eines Volkes rettete und zu der Befreiung mehrerer anderer beitrug. Numantia hat feine Rechte auf die Bewunderung der Menfchen nicht verloren. Was liegt daran, ob Moskau verbrannt worden ift? War es nicht fchon fiebenmal abgebrannt? Steht es heutzutage nicht wieder herrlich und verjüngt da, obwohl Napoleon in feinem einundzwanzigften Bülletin prophezeit hatte, der Brand diefer Hauptftadt werde Rußland um hundert Jahre zurückbringen? „Selbft das Unglück von Moskau," fagt die bewunderungswürdige

Frau von Staël, diente zur Wiedergeburt des Reiches; diese religiöse Stadt sank hin wie ein Märtyrer, dessen vergossenes Blut
den ihn überlebenden Brüdern neue Kräfte verleiht." (Zehn Jahre
der Verbannung.)

Wie stünde es mit den Nationen, wenn Bonaparte vom Kreml
herab die Welt mit seinem Despotismus wie mit einem Leichentuch bedeckt hätte? Die Rechte des Menschengeschlechtes gehen Allem
vor. Wäre die Erde eine Kugel, die in die Luft gesprengt werden könnte, so würde ich nicht zögern, Feuer darauf zu legen,
sobald es sich um die Befreiung meines Landes handelte. Immerhin muß ein Franzose die ersten Interessen der menschlichen Freiheit in's Auge fassen, wenn er sich entschließen kann, mit umflortem Haupte und Thränen in den Augen einen Beschluß zu erzählen, der so vielen Franzosen unheilbringend werden sollte.

Man hat den Grafen Rostopschin, einen wissenschaftlich gebildeten und geistreichen Mann, in Paris gesehen; in seinen Schriften verbirgt sich der Gedanke unter einer gewissen spaßhaften
Manier; eine Art polizirter Barbar, ironischer Poet, selbst in seiner
Verdorbenheit edler Neigungen fähig, verachtet er die Völker
und die Könige zugleich. Lassen doch die gothischen Kirchen bei
aller ihrer Größe auch groteske Decorationen zu.

In Moskau hatte die Räumung begonnen. Die Straße nach
Kasan war mit Flüchtigen zu Fuß und zu Wagen, die entweder
allein oder von Dienern begleitet waren, bedeckt. Eine Vorbedeutung hatte für einen Augenblick die Gemüther neu belebt; ein
Geier hatte sich in den Ketten, welche das Kreuz an der Hauptkirche hielten, verstrickt; Rom hätte, wie Moskau, in diesen Anzeichen die Gefangenschaft Napoleon's gesehen.

Bei der Annäherung der langen Züge russischer Verwundeter,
welche sich an den Thoren zeigten, schwand alle Hoffnung. Kutuzoff
hatte Rostopschin geschmeichelt, die Stadt mit einundneunzigtausend
Mann, die ihm blieben, zu vertheidigen; man hat so eben gesehen,

daß der Kriegsrath ihm befahl, sich zurückzuziehen. Rostopschin blieb allein.

Die Nacht senkt sich herab; Boten klopfen geheimnißvoll an die Thüren und künden an, daß man auswandern muß und daß Ninive verurtheilt ist. In den öffentlichen Gebäuden, den Bazars, den Läden und in Privathäusern werden brennbare Stoffe aufgeschichtet, die Feuerspritzen dagegen fortgeschafft. Dann befiehlt Rostopschin, die Gefängnisse zu öffnen; aus der Mitte eines ekelhaften Trupps läßt man einen Russen und einen Franzosen hervortreten, der Russe, welcher einer Sekte deutscher Illuminaten angehört, ist des Versuches angeklagt, sein Vaterland an den Feind auszuliefern und die Proclamation der Franzosen übersetzt zu haben; sein Vater eilt herbei; der Gouverneur gestattet ihm einen Augenblick, um seinen Sohn zu segnen: „Ich, einen Verräther segnen!" rief der alte Moskowite, und er verfluchte ihn. Der Gefangene wird an das Volk ausgeliefert und todtgeschlagen.

„Du," sagte Rostopschin zu dem Franzosen, „Du mußtest die Ankunft Deiner Landsleute wünschen; sei frei. Geh, sage den Deinen, daß Rußland nur einen einzigen Verräther gehabt und daß er bestraft ist."

Die andern freigelassenen Verbrecher erhalten mit ihrer Begnadigung den Befehl, den Brand zu fördern, wenn der Augenblick dazu gekommen sein würde. Rostopschin ist der Letzte, der Moskau verläßt, wie ein Schiffscapitän nach Seemannsbrauch das Bord seines Schiffes zuletzt verläßt.

Napoleon hatte zu Pferde seinen Vortrab eingeholt. Noch blieb eine Anhöhe zu überschreiten; diese stieß an Moskau, wie Montmartre an Paris. Sie hieß der Berg des Heils, weil die Russen bei der Ansicht der heiligen Stadt dort beteten, wie die Pilger, wenn sie Jerusalem erblicken. Moskau mit seinen vergoldeten Kuppeln, wie die slavischen Dichter sagen, schimmerte herrlich im Tageslichte mit seinen zweihundert fünfundneunzig Kirchen, seinen fünfzehnhundert Palästen, seinen gelb, grün und

3 *

rosenroth bemalten und mit Schnitzwerk verzierten Häusern; es mangelten ihm nur die Cypressen und der Bosporus. Zu dieser mit polirten oder bemalten Eisen bedeckten Masse gehörte auch der Kreml. Mitten unter eleganten aus Ziegelsteinen oder Marmor erbauten Villas floß die Moskowa durch Parke, welche mit Tannen, den Palmbäumen dieses Himmels, geschmückt waren; Venedig erhob sich in den Tagen seiner Herrlichkeit nicht glänzender aus den Wellen des adriatischen Meeres.

Am 14. September um zwei Uhr Nachmittags erblickte Bonaparte in einem mit den Diamanten des Pols schimmernden Sonnenschein seine neue Eroberung. Wie eine europäische Prinzessin an die Grenzen ihres Reiches, so schien Moskau, mit allen Reichthümern Asiens geschmückt, hieher geführt, um sich mit Napoleon zu vermählen.

Der Ruf: „Moskau! Moskau!" ertönt von unseren Soldaten; sie klatschen wieder in die Hände. In den Zeiten des alten Ruhmes riefen sie in Glück oder Unglück: Es lebe der König!

„Es war ein schöner Augenblick," sagt der Oberstlieutenant von Baudus, „als sich vor meinen Blicken plötzlich das Panorama dieser ungeheuren Stadt entrollte. Nie werde ich die Rührung vergessen, welche sich in den Reihen der polnischen Division kundgab; sie überraschte mich um so mehr, als sie sich in einer Bewegung Luft machte, die von einem religiösen Gedanken durchhaucht war. Beim Anblick von Moskau warfen sich diese Regimenter wie Ein Mann auf die Kniee und dankten dem Gotte der Armeen, sie durch den Sieg in die Hauptstadt ihres erbittertsten Feindes geführt zu haben."

Das Jubelgeschrei hört auf; stumm zieht man in die Stadt hinab; keine Deputation kommt aus den Thoren, um in einem silbernen Becken die Schlüssel zu überreichen. Alles Leben stockte in der großen Stadt. Moskau schwankte schweigend vor dem Fremden. Drei Tage später war es verschwunden: die Cirkassierin des Nordens, die schöne Braut, hatte sich auf den Scheiterhaufen gelegt.

Als die Stadt noch stand, rief Napoleon, auf sie zu marschi-
rend: „Da ist sie also, diese berühmte Stadt!" und er überblickte
das verlassene Moskau, das der in den Lamentationen be-
weinten Stadt glich. Schon haben Eugen und Poniatowski die
Mauern erklommen; einige unserer Offiziere dringen in die Stadt
ein; sie kehren zurück und bringen Napoleon die Nachricht: „Moskau ist veröbet!"

„Moskau veröbet? Das ist unwahrscheinlich! Man führe mir
die Bojaren vor!"

Keine Bojaren; Niemand ist zurückgeblieben, als arme Leute,
die sich verbergen. Verlassene Straßen, verschlossene Fenster; kein
Rauch entsteigt den Kaminen, aus welchen sich bald Ströme davon emporwälzen werden. Nicht das leiseste Geräusch. Bonaparte
zuckt die Achseln.

Murat, der bis zum Kreml vorgerückt ist, wird dort vom Geheul der zur Befreiung ihres Vaterlandes freigelassenen Gefangenen empfangen, man ist genöthigt, die Thore mit Kanonen ein-
zuschießen.

Napoleon hatte sich an die Barriere von Dorogomilow verfügt; er stieg in einem der ersten Häuser der Vorstadt ab, machte
dann einen Ritt längs der Moskowa hin, traf aber Niemand an.
Er kehrte in seine Wohnung zurück, ernannte den Marschall
Mortier zum Gouverneur von Moskau, den General Durosnel
zum Platzcommandanten und Herrn von Lesseps zum Vorstand
der Administration in der Eigenschaft eines Intendanten.

Die kaiserliche Garde und die Truppen waren en grande tenue,
um vor einem abwesenden Volke zu erscheinen. Bonaparte vernahm bald mit Gewißheit, daß die Stadt von irgend einem Ereigniß bedroht sei. Um zwei Uhr Morgens benachrichtigt man
ihn, daß eine Feuersbrunst ausbreche. Der Sieger verläßt die
Vorstadt von Dorogomilow und sucht im Kreml Schutz; es war
am Morgen des 15. Beim Eintritt in den Palast Peter's des
Großen empfand er einen Augenblick Freude; in seinem befriedigten

Stolze schrieb er beim Wiederscheine des in Brand gerathen=
den Bazars einige Worte an Alexander, wie einst Alexander ihm
auf dem Schlachtfelde von Austerlitz ein Billet schrieb.

Im Bazar sah man lange Reihen festverschlossener Kaufläden.
Man vermag Anfangs die Feuersbrunst zu dämpfen; allein in
der zweiten Nacht bricht sie auf allen Seiten aus; Kugeln, durch
Feuerwerke geschleudert, zerplatzen und fallen in Flammengarben
auf die Paläste und Kirchen. Ein gewaltiger Nordwind treibt
Funken und Loderasche auf den Kreml, der ein Pulvermagazin
enthielt; ein Artilleriepark war sogar unter den Fenstern Bona=
parte's geblieben. Unsere Soldaten werden durch die vulkanischen
Ströme von einem Stadtviertel zum andern getrieben. Die Fackel
in der Hand, eilen Gorgonen und Medusen an die noch ungerö=
theten Straßenecken dieser Hölle; andere schüren das Feuer mit
Lanzen von getheertem Holz. Bonaparte stürzt sich in den Sälen
des neuen Pergamus an die Fenster und ruft: „Welch ungeheurer
Entschluß! Welche Menschen! Das sind Scythen!“

Es verbreitet sich das Gerücht, daß der Kreml unterminirt
sei; die Höflinge fühlen sich beklommen, die Krieger zeigen sich re=
signirt. Der Mund der verschiedenen Feuerschlünde wird immer
größer, sie nähern, sie berühren sich; der Thurm des Arsenals
brennt wie eine hohe Kerze auf einem glühenden Hochaltar. Der
Kreml ist nur noch eine schwarze Insel, an der sich die Wellen
eines Flammenmeers brechen, den Feuerschein abspiegelnd, ist der
Himmel von einer beweglichen Helle wie von einem Nordlicht
durchzogen.

Die dritte Nacht brach an; kaum vermochte man in dem er=
stickenden Dampfe noch zu athmen; zweimal wurden Brandfackeln
in das von Napoleon bewohnte Gebäude geworfen. Wie fliehen?
Ein Flammenwall versperrt die Thore der Citadelle. Nach elfri=
gem Suchen entdeckt man eine Ausfallthüre, die an die Moskowa
führte. Der Kaiser stiehlt sich mit seiner Garde durch dieses Ret=
tungspförtchen. Rings um ihn bersten Gewölbe unter Krachen,

senken sich und stürzen die Thürme der Stadt, von welchen Ströme flüssigen Metalls herabfließen. Mauern, Balken, Dächer sinken krachend, zischend, rollend in die Tiefe eines Phlegetons und wirbeln Millionen Goldähren aus den glühenden Wellen desselben auf. Bonaparte entkommt nur auf den erkalteten Kohlen eines schon eingeäscherten Stadtviertels; er erreicht Petrowsky, die Villa des Czars.

Der General Gourgaub beschuldigt in seiner Kritik des Werkes des Herrn von Ségur den Ordonnanzoffizier des Kaisers eines Irrthums, und wirklich wird durch die Erzählung des Herrn von Baudus, Aide-de-camp des Marschalls Bessières, der Napoleon selbst als Führer diente, bewiesen, daß dieser nicht durch eine Ausfallthüre, sondern durch das Hauptthor des Kreml entkam. Vom Ufer St. Helena aus sah Napoleon noch einmal die Stadt der Scythen brennen: „Nie," sagte er, der Poesie zum Trotz, „nie vermögen die Vorstellungen des Brandes von Troja die Wirklichkeit desjenigen von Moskau zu erreichen.".

Als Napoleon sich später diese Katastrophe in's Gedächtniß zurückrief, schrieb er: „Mein böser Geist erschien mir und kündete mir mein Ende an, das ich auf der Insel Elba fand."

Kutuzoff hatte sich Anfangs östlich gewendet, dann lenkte er gegen Süden. Seinem Nachtmarsch leuchtete der ferne Brand von Moskau, woher ein schauerliches Gesumme erscholl; man hätte glauben können, die Glocke, die man ihres ungeheuren Gewichtes wegen nie aufzuhängen vermocht hatte, sei durch Zauberkraft in einen der brennenden Thürme hinaufgebracht worden, um das Sterbegeläute anzuschlagen. Kutuzoff erreichte Woronowo, eine Besitzung der Grafen Rostopschin; kaum hatte er die prachtvolle Wohnung erblickt, so sinkt auch sie in den Schlund eines Flammenmeeres. An der eisernen Thür einer Kirche las man folgende Inschrift:

„Acht Jahre hindurch habe ich diesen Landsitz verschönert und

hier im Schooße meiner Familie glücklich gelebt; die Bewohner
dieses Gutes, siebenzehnhundertzwanzig an der Zahl, verlassen es
bei Eurer Annäherung und ich lege Feuer an mein Haus, damit
es durch Eure Gegenwart nicht befleckt werde. Franzosen, ich habe
Euch meine beiden Häuser in Moskau mit einem Mobiliar von
einer halben Million Rubel überlassen. Hier werdet Ihr nur
Asche finden.

                                        Rostopschin.“

Bonaparte hatte im ersten Augenblick das Feuer und die
Scythen wie ein seiner Einbildungskraft befreundetes Schauspiel
bewundert; allein das Unheil, das diese Katastrophe über ihn
brachte, ließ seine Bewunderung bald erkalten und brachte ihn
wieder zu seinen schimpflichen und bitteren Beurtheilungen. Rostop=
schin's Zettel, den er nach Frankreich schickt, fügt er bei: „Es
scheint, Rostopschin sei verrückt; die Russen betrachten ihn als eine
Art von Marat.“ Wer die Größe Anderer nicht versteht, wird
sie auch für sich nicht verstehen, wenn die Zeit der Opfer erscheint.

Alexander hatte sein Mißgeschick ohne Niedergeschlagenheit
vernommen. „Sollten wir zurückschrecken“, schrieb er in seinen
Circularinstructionen, „wenn Europa durch seine auf uns gehefte=
ten Blicke uns ermuthigt? Geben wir ihm ein Beispiel; begrüßen
wir die Hand, die uns erwählt, um in der Sache der Tugend und
Freiheit die erste der Nationen zu werden.“ Diesem folgte eine
Anrufung des Allerhöchsten.

Ein Styl, in welchem sich die Worte Gott, Tugend und Frei=
heit vorfinden, ist mächtig; er gefällt den Menschen, beruhigt und
tröstet sie; wie weit überlegen ist er jenen erzwungenen, trauriger=
weise aus heidnischen Redensarten entlehnten und nach türkischer
Manier den Verhängnißglauben athmenden Phrasen: er war,
sie sind gewesen, das Verhängniß reißt sie fort! Eine
unfruchtbare und immer leere Phraseologie, selbst dann, wenn sie
auf die größten Handlungen gestützt ist!

Napoleon, der in der Nacht des 15. Septembers Moskau

verlaſſen hatte, betrat es am 18. wieder. Bei ſeiner Rückkehr traf er Kochſtätten, die auf Koth angezündet waren, und deren Feuer mit Möbeln von Mahagoni und vergoldetem Getäfel genährt wurde. Rings um dieſe im Freien befindlichen Heerde ſah man geſchwärzte, kothige Soldaten in Fetzen, die auf ſeidenen Kanapees lagen oder in ſammtenen Lehnſtühlen ſaßen, im Kothe unter ihren Füßen Cachemireſhwals, Pelzwerk aus Sibirien, perſiſche Goldſtoffe als Teppiche hatten und aus ſilbernen Platten einen ſchwarzen Teig oder geröſtetes und mit Blut vermiſchtes Pferdefleiſch aßen.

Eine regelloſe Plünderung hatte begonnen, man brachte Ordnung in dieſelbe; das Jägerrecht kam der Reihe nach an jedes Regiment. Bauern, die aus ihren elenden Hütten verjagt worden waren, Koſacken, feindliche Deſerteure ſtreiften in der Nähe der Franzoſen umher und nährten ſich mit dem, was unſere Corporalſchaften abgenagt hatten. Alles, was man tragen konnte, nahm man mit; doch überladen mit Beute, warf man ſie bald weg, wenn man ſich erinnerte, daß man ſechshundert Stunden von ſeinem Dache entfernt ſei.

Die Streifzüge, die man unternahm, um Lebensmittel aufzutreiben, veranlaßten pathetiſche Scenen. Eine franzöſiſche Corporalſchaft brachte eine Kuh zurück; da trat eine Frau vor, welche von einem Manne begleitet war, der in ſeinen Armen ein Kind von etlichen Monaten trug; ſie deuteten auf die ihnen weggenommene Kuh. Die Mutter zerriß die elenden Kleidungsſtücke, die ihren Buſen bedeckten, um zu zeigen, daß ſie keine Milch mehr habe; der Vater machte eine Bewegung, als wollte er den Kopf des Kindes an einem Steine zerſchmettern. Der Offizier ließ ihnen die Kuh zurückgeben und fügte hinzu: „Der Eindruck, welchen dieſe Scene auf meine Soldaten machte, war ſo heftig, daß geraume Zeit in den Reihen nicht ein Wort geſprochen wurde.“

Bonaparte hatte ſeinen Traum abgeändert; er erklärte, nach Petersburg marſchiren zu wollen; ſchon zeichnete er ſich den Weg auf ſeinen Karten vor und ſetzte die Trefflichkeit ſeines neuen

Planes und die Gewißheit, in die zweite Hauptstadt des Reiches einzuziehen, auseinander. „Was soll er weiter auf Ruinen thun? Genügt es seiner Ruhmsucht nicht, den Kreml bestiegen zu haben?"

Mit solchen neuen Hirngespinnsten trug sich Napoleon; der Mann war dem Wahnsinn nahe, allein seine Träume waren noch die eines ungeheuren Geistes.

„Wir stehen nur fünfzehn Tagmärsche von Petersburg", sagt Herr Fain, „Napoleon hat im Sinn, sich auf diese Hauptstadt zu werfen." Statt fünfzehn Tagmärschen sollte man damals und unter solchen Umständen zwei Monate sagen. Der General Gourgaud fügt hinzu, daß alle Nachrichten, die man aus Petersburg erhalte, die Furcht anzeigten, die man vor Napoleons Bewegung hatte. Gewiß ist, daß man in Petersburg nicht an dem Siege des Kaisers zweifelte, wenn er sich einfänden sollte; allein man bereitete sich vor, ihm ein zweites Gerippe von einer Stadt zu hinterlassen, und der Rückzug nach Archangel war angeordnet. Eine Nation, deren letzte Veste der Pol ist, vermag man nicht zu unterwerfen. Ueberdieß hätten die englischen Flotten, die im Frühjahre in's baltische Meer eingelaufen wären, die Einnahme von Petersburg auf eine bloße Zerstörung zurückgeführt.

Während aber die zügellose Einbildungskraft Bonaparte's mit dem Gedanken einer Reise nach Petersburg spielte, beschäftigte er sich ernstlich mit dem entgegengesetzten Gedanken; sein Glaube an seine Hoffnung war nicht von der Art, daß er ihm allen gesunden Verstand benahm. Sein Hauptproject war, einen in Moskau unterzeichneten Frieden nach Paris zu bringen. Dadurch hätte er sich der Gefahren des Rückzugs entledigt, eine staunenswerthe Eroberung vollführt, und wäre mit dem Olivenzweig in der Hand in die Tuilerien zurückgekehrt. Nach dem ersten Billet, das er an Alexander bei seiner Ankunft im Kreml geschrieben, hatte er keine Gelegenheit vernachlässigt, seine Anerbietungen zu erneuern. Bei einer freundschaftlichen Unterredung mit einem

ruſſiſchen Generaloffizier, Herrn von Toutelmine, Unterdirector des
Findelhauſes in Moskau, das in dem Brande wunderbar verſchont
geblieben war, hatte er Worte fallen laſſen, die für einen Vergleich günſtig zu deuten waren. Durch Herrn Jacowlef, den Bruder des vormaligen ruſſiſchen Miniſters in Stuttgart, ſchrieb er
direct an Alexander, und Herr Jacowlef verpflichtete ſich, den Brief
eigenhändig und nicht durch eine Mittelperſon dem Kaiſer zuzu-
ſtellen. Endlich wurde der General Lauriſton an Kutuzoff abgeſandt und dieſer verſprach, Alles für eine friedliche Ausgleichung
zu thun, verweigerte jedoch dem General Lauriſton ein ſicheres
Geleite nach Petersburg.

Napoleon ſchwebte immer in der Ueberzeugung, daß er noch
fortwährend, wie in Tilſit und Erfurt, eine Herrſchaft über
Alexander ausübe, und doch ſchrieb Alexander am 21. October an
den Fürſten Michel Larkanowitz: „Ich habe mit äußerſtem Miß-
vergnügen vernommen, daß der General Beningſen eine Zuſam-
menkunft mit dem König von Neapel hatte . . . .
. . . . Alle Beſchlüſſe und
Befehle, die von mir an Sie ergangen ſind, müſſen Sie überzeugen, daß mein Entſchluß unerſchütterlich iſt, daß in dieſem Augenblick kein Vorſchlag des Feindes mich vermögen kann, den Krieg
zu beendigen und dadurch die heilige Pflicht, das Vaterland zu
rächen, zu verletzen."

Die ruſſiſchen Generäle mißbrauchten die Eigenliebe und Einfalt Murat's, des Commandanten der Avantgarde; immer entzückt über die eifrige Dienſtfertigkeit der Koſacken, entlehnte er von
ſeinen Offizieren Kleinodien, um ſeine Höflinge vom Don damit
zu beſchenken; allein weit entfernt, den Frieden zu wünſchen, be-
ſorgten ihn die ruſſiſchen Generäle. Trotz Alexander's Entſchluß
kannten ſie die Schwäche ihres Kaiſers und fürchteten die Ver-
führungskunſt des unſern. Um Rache üben zu können, brauchte
man nur noch einen Monat Zeit zu gewinnen und die erſten

Fröste abzuwarten; die moskowitische Christenheit flehte den Him=
mel an, sein Unwetter zu beschleunigen.

General Wilson war in der Eigenschaft eines englischen Com=
missärs bei der russischen Armee angekommen; er hatte sich in
Egypten schon auf Bonaparte's Weg gefunden, Fabvier war von
unserer Armee im Süden zu der im Norden zurückgekehrt. Der
Engländer trieb Kutuzoff zum Angriff, und man wußte, daß die
von Fabvier gebrachten Nachrichten keine guten waren. Von
beiden Enden Europa's aus reichten sich die beiden einzigen Völ=
ker, welche für ihre Freiheit kämpften, über dem Haupte des Sie=
gers in Moskau die Hand. Alexander's Antwort blieb aus, die
Estafetten aus Frankreich säumten sich, Napoleon's Unruhe wuchs;
die Bauern warnten unsere Soldaten und sagten: „Ihr kennt un=
ser Klima nicht, in einem Monate fallen Euch die Nägel vor
Kälte von den Fingern." Milton, dessen großer Name Alles ver=
größert, drückt sich in seinem Moscovien ebenso naiv aus: „Es
ist in diesem Lande so kalt, daß der Saft der in's Feuer geworfe=
nen Aeste als Eis an dem entgegengesetzten Ende des brennenden
herauskommt."

Bonaparte, welcher fühlte, daß ein rückgängiger Schritt den
Zauber brechen und den Schrecken seines Namens zu nichte machen
würde, konnte sich nicht zum Weichen entschließen; trotz der War=
nung vor der bevorstehenden Gefahr blieb er, von Minute zu
Minute Antworten aus Petersburg erwartend; er, der mit so
schimpflichem Hohn befohlen hatte, seufzte nach einigen barmherzi=
gen Worten von dem Besiegten. Er beschäftigt sich im Kreml
mit einem Reglement für die französische Komödie; er verwendet
drei Abende zur Vollendung dieses majestätischen Werkes; er be=
spricht mit seinen Aides=de=camp das Verdienst einiger neuen, aus
Paris gekommenen Verse; seine Umgebung bewunderte den Gleich=
muth des großen Mannes, während noch Verwundete aus den
letzten Schlachten unter furchtbaren Schmerzen hinstarben und er
durch diese Verspätung um einige Tage die hunderttausend Mann,

die ihm blieben, dem Tode weihte. Die knechtische Dummheit des
Jahrhunderts will diese jämmerliche Ziererei für die Aeußerung
eines unermeßlichen Geistes ausgeben.

Bonaparte besah sich die Gebäulichkeiten des Kreml. Er stieg
die Treppe, auf welcher Peter der Große die Strelitzen erwürgen
ließ, hinab und hinauf; er durchschritt den Festsaal, in welchem
Peter sich die Gefangenen vorführen ließ und zwischen jedem Glas
voll ein Haupt abschlug, indem er seinen Tischgenossen, Fürsten
und Gesandten, den Vorschlag machte, sich auf gleiche Weise zu
belustigen. Damals wurden Männer gerädert und Frauen leben=
dig begraben; man henkte zweitausend Strelitzen, deren Körper an
die Mauern angespießt wurden.

Statt eine Theaterordnung abzufassen, hätte Bonaparte besser
gethan, an den Erhaltungssenat den Brief zu schreiben, welchen
Peter vom Ufer des Pruth an den Senat in Moskau schrieb:
„Ich benachrichtige Euch, daß ich, durch falsche Rathschläge irre
geführt und ohne meine Schuld, mich hier in meinem Lager durch
eine viermal stärkere Armee, als die meine, eingeschlossen befinde.
Wenn ich gefangen werde, so dürft Ihr mich nicht mehr als
Euren Czar und Herrn betrachten, noch irgend einem Befehle,
der Euch von meiner Seite gebracht werden könnie, Rechnung
tragen, selbst wenn Ihr meine eigene Handschrift darin erkennen
würdet. Sollte ich umkommen, so wählt zu meinem Nachfolger
den Würdigsten unter Euch."

Ein an Cambacérés gerichtetes Billet Napoleon's enthielt un=
verständliche Befehle; man berathschlagte darüber, und obwohl die
Unterschrift des Billets einen aus einem alten Namen verlänger=
ten Namen trug, wurde die Handschrift als die Bonaparte's
anerkannt und man beschloß, die unverständlichen Befehle auszu=
führen.

Der Kreml schloß einen doppelten Thron für zwei Brüder
ein; Napoleon theilte den seinen nicht. In den Sälen sah man
noch die durch eine Kanonenkugel zerschmetterte Tragbahre, auf

welcher sich Karl XII. verwundet aus der Schlacht von Pultawa tragen ließ. Erinnerte sich wohl Bonaparte, in welchem hochherzige Gefühle immer den Sieg davon trugen, beim Besuche der Czarengrüfte, daß man sie an Festtagen mit prachtvollen Leichentüchern bedeckte, und wenn ein Unterthan sich eine Gnade erbitten wollte, er seine Bittschrift, die nur der Czar allein wegnehmen durfte, auf eines der Gräber legte?

Diese durch den Tod der Gewalt überreichten Bittschriften waren nicht nach Napoleon's Geschmack; andere Sorgen beschäftigten ihn; theils in absichtlicher Selbsttäuschung, theils seinem Naturell gemäß, wollte er, wie damals, als er Egypten verließ, Komödianten von Paris nach Moskau kommen lassen, und versicherte, es werde ein italienischer Sänger anlangen. Er plünderte die Kirchen des Kremls, schichtete in seinen Gabelwägen geweihte Zierrathen und Heiligenbilder mit den von den Mohamedanern eroberten Halbmonden und Roßschweifen auf. Vom Thurme des großen Iwan nahm er das ungeheure Kreuz weg; sein Plan war, es auf dem Dom der Invaliden aufzupflanzen; es hätte ein Seitenstück zu den Meisterwerken des Vaticans gebildet, womit er den Louvre ausgeschmückt hatte. Während der Wegnahme dieses Kreuzes umflatterten es eine Menge Krähen unter heftigem Geschrei: „Was wollen diese Vögel mit mir?" sagte Bonaparte.

Der unheilvolle Zeitpunkt nahte heran. Daru erhob Einsprache gegen verschiedene Pläne, welche Bonaparte auseinandersetzte.

„Was soll man denn anfangen?" rief der Kaiser.

„Hier bleiben; aus Moskau ein großes verschanztes Feld machen, den Winter darin zubringen; die Pferde, welche man nicht wird erhalten können, einpökeln lassen; das Frühjahr abwarten; unsere Verstärkungen und das bewaffnete Litthauen werden uns befreien und die Eroberung vollenden."

„Das ist der Rath eines Löwen", entgegnet Napoleon; „aber was würde Paris sagen? Frankreich würde sich nicht an meine Abwesenheit gewöhnen."

„Was sagt man von mir in Athen?" fragte Alexander der Große.
Er versinkt wieder in Unschlüssigkeit; soll er aufbrechen, soll
er da bleiben? Er weiß es nicht. Manche Berathungen werden
gepflogen. Endlich bestimmt ihn plötzlich ein am 18. October in
Winkowo geliefertes Gefecht, mit seiner Armee die Trümmer von
Moskau zu verlassen und noch an demselben Tage macht er sich
ohne Zurüstungen, ohne Geräusch und ohne den Kopf umzuwenden
auf einer der beiden Straßen von Kaluga auf den Weg, da er
die directe Straße von Smolensk vermeiden wollte.

Fünfunddreißig Tage lang hatte er sich vergessen, wie jene
furchtbaren Drachen Afrika's, welche einschlafen, nachdem sie sich
gefüttert haben. Allem Anschein nach bedurfte es dieser Tage,
um das Geschick eines solchen Menschen umzugestalten. Während
dieser Zeit begann sein Schicksalsstern zu sinken. Endlich erwacht
er, zwischen den Winter und eine abgebrannte Hauptstadt einge=
gezwängt; er schlüpft aus dem Schutte hinaus; es war zu spät;
hunderttausend Mann waren zum Tod verurtheilt. Marschall
Mortier, welcher die Arrière=garde befehligt, hat die Weisung, bei
seinem Abzuge den Kreml in die Luft zu sprengen.

(Paris, Note vom J. 1841.)

Die Staatspapiere über diesen Feldzug, welche nach dem Tode
Alexander's in dessen Cabinet gefunden wurden, sind in Petersburg
im Drucke erschienen. Diese Documente, welche fünf bis sechs
Bände bilden, werden viel Licht auf die so merkwürdigen Ereig=
nisse eines Theils unserer Geschichte werfen. Man wird gut thun,
die Erzählungen des Feindes mit Vorsicht zu lesen und doch mit
weniger Mißtrauen, als die offiziellen Documente Bonaparte's.
Man kann sich unmöglich einen Begriff machen, in welchem Grade
dieser die Wirklichkeit entstellte und sie unfaßlich machte; seine
eigenen Siege verwandelten sich in seiner Einbildungskraft in
Romane. Am Ende jeder seiner phantastischen Berichte blieb im=
mer die eine Wahrheit aufgestellt, daß Napoleon aus diesem oder
jenem Grunde Herr der Welt sei.

Rückzug.

Bonaparte, der sich täuschte oder die Andern täuschen wollte, schrieb den 18. October an den Herzog von Bassano einen Brief, den Herr Fain mittheilt:

„Gegen die ersten Wochen des November," meldete er, „werde ich meine Truppen in das Viereck zurückgeführt haben, das zwischen Smolensk; Mohilow, Minsk und Witepsk ist. Ich entschließe mich zu dieser Bewegung, weil Moskau kein militärischer Punkt mehr ist; beim Beginn des nächsten Feldzugs werde ich einen günstigeren suchen. Die Operationen werden dann gegen Petersburg und Kiow gerichtet sein."

Elende Großsprecherei, wenn es sich nur um die vorübergehende Hülfe einer Lüge handelte; der Gedanke an Eroberung konnte jedoch bei Bonaparte trotz seiner evidenten Unmöglichkeit immerhin ein aufrichtiger sein.

Man marschirte Malojaroslawetz zu; vermöge der Schwierigkeiten, welche bei den schlecht bespannten Bagage- und Artilleriewägen entstanden, war man am dritten Tage erst zehn Stunden von Moskau entfernt. Man beabsichtigte, Kutuzoff zu überholen, und die Avantgarde des Prinzen Eugen ließ ihn wirklich in Fominskoi hinter sich. Zu Anfang des Rückzuges waren noch hunderttausend Mann übrig geblieben. Die Cavallerie war mit Ausnahme von dreitausend fünfhundert Pferden der Garde beinahe auf Null herabgesunken. Nachdem unsere Truppen am 21. die neue Straße von Kaluga erreicht hatten, marschirten sie am 22. in Borowsk ein und am 23. besetzte die Division Delzons Malojaroslawetz. Napoleon war erfreut; er glaubte dem Unglück entronnen zu sein.

Am 23. October um halb zwei Uhr Morgens erzitterte die Erde; hundert dreiundachtzig Centner Pulver, welche in die Gewölbe des Kremls geschafft worden waren, zerrissen den Palast der Czaren. Mortier, welcher den Kreml in die Luft sprengte, war für Fieschi's Höllenmaschine aufbehalten. Welche Welten liegen zwischen diesen beiden sowohl in Bezug auf die Zeit als auf die Menschen verschiedenen Explosionen!

Das Schweigen, welches diesem dumpfen Rollen folgte, ward bald durch eine starke Kanonade in der Richtung von Malojaroslawetz unterbrochen; so sehr Napoleon bei seinem Einmarsch in Rußland diesen Ton zu hören gewünscht hatte, so sehr fürchtete er ihn jetzt bei seinem Rückzuge. Ein Aide-de-camp des Vicekönigs bringt die Nachricht von einem allgemeinen Angriff der Russen; Nachts langten die Generäle Compans und Gerard mit Hülfstruppen bei dem Prinzen Eugen an. Auf beiden Seiten kamen Viele um; es gelang dem Feinde, seine Reiterei auf die Straße von Kaluga zu werfen und den noch freien Weg, den man einzuschlagen gedacht hatte, zu versperren. Es blieb kein anderes Hülfsmittel, als wieder auf die Straße von Mojaisk einzulenken und auf unsern alten Unglückswegen nach Smolensk zurückzukehren. Man konnte das, die Vögel des Himmels hatten noch nicht vollends aufgefressen, was wir gesäet hatten, um uns wieder zurecht zu finden.

Napoleon brachte diese Nacht in Gorodnia in einem armen Hause zu, wo nicht einmal die den verschiedenen Generälen beigegebenen Offiziere ein Obdach fanden. Sie versammelten sich unter Bonaparte's Fenster, das weder Läden noch Vorhänge hatte; das Zimmer war durch ein einziges Licht erhellt. Während die Offiziere draußen in der Dunkelheit standen, saß Napoleon in der armseligen Stube, den Kopf auf beide Hände gestützt. Murat, Berthier und Bessières standen schweigsam und unbeweglich zu seiner Seite. Er ertheilte keinen Befehl und stieg am Morgen des 25. zu Pferde, um die Stellung der russischen Armee zu recognosciren.

Kaum befand er sich im Freien, so wälzte sich ein Schwarm von Kosacken daher. Diese lebendige Lawine hatte die Luja überschritten und sich, längs dem Saum der Gehölze hinziehend, den Blicken entzogen. Jedermann griff zum Degen, selbst der Kaiser.

Wären diese Marodeurs kühner gewesen, sie hätten Napoleon gefangennehmen können.

In dem eingeäscherten Malojaroslawetz waren die Straßen durch halb gebratene, zerhauene, von den Rädern der über sie weggefahrenen Artillerie durchschnittene und verstümmelte Körper versperrt. Um die Bewegung nach Kaluga zu fortzusetzen, hätte man eine zweite Schlacht liefern müssen; der Kaiser hielt es nicht für gerathen. Es hat sich in dieser Beziehung zwischen den Anhängern Bonaparte's und den Freunden der Marschälle ein Streit entsponnen. Wer gab den Rath, die von den Franzosen zuerst befolgte Straße wieder einzuschlagen? Augenscheinlich Napoleon; es kostete ihn wenig, ein großes Todesurtheil auszuspechen; er war daran gewöhnt.

Am 26. nach Borowsk zurückgekommen, stellte man am folgenden Tage bei Wercia dem Chef unserer Armeen den General Winzingerode und seinen Aide-be-camp, den Grafen Nariskin, vor; sie hatten sich erwischen lassen, indem sie sich zu früh nach Moskau wagten. Bonaparte gerieth in Wuth und rief, außer sich: „Man erschieße diesen General! Er ist ein Deserteur aus dem Königreich Württemberg und gehört dem Rheinbunde an." Dann ergießt er sich in Schmähungen gegen den russischen Adel und endigt mit den Worten: „Ich werde nach Petersburg gehen und diese Stadt in die Newa werfen." Und plötzlich befiehlt er, ein Schloß abzubrennen, das man auf einer Anhöhe gewahrte; der verwundete Löwe fiel schäumend über Alles her, was ihn umgab.

Mitten unter seinen tollen Zornausbrüchen gehorchte er nichtsdestoweniger seiner doppelten Natur, als er Mortier den Befehl ertheilte, den Kreml zu zerstören; er schrieb an den Herzog von Treviso Phrasen voller Empfindelei; in der Voraussetzung, daß der Inhalt seiner Sendschreiben bekannt werde, schärfte er ihm mit einer ganz väterlichen Sorgfalt ein, die Hospitäler zu schonen; „denn so," fügte er hinzu, „bin ich in Saint-Jean-d'Acre verfahren." In Palästina aber ließ er die türkischen Gefangenen

erschießen und ohne Desgenettes Widersetzung hätte er seine Kran=
ken vergiftet! Berthier und Murat retteten den Fürsten Winzin=
gerode.

Kutuzoff verfolgte uns jedoch nur lässig. Wenn Wilson den
russischen General zum Handeln drängte, antwortete dieser: „Laßt
den Schnee kommen."

Am 29. October erreicht man wieder die unseligen Hügel an
der Moskowa; ein Schrei des Schmerzes und der Ueberraschung
entfährt unserer Armee. Große Schlachtbänke mit vierzigtausend
verschiedenartig aufgezehrten Leichen lagen hier vor uns. Reihen=
weis liegende Gerippe schienen noch die militärische Disciplin zu
handhaben. Skelette, welche da und dort über die zusammen=
geschossenen Brustwehren hinaus lagen, ließen auf Befehlshaber
schließen und beherrschten das Handgemenge der Todten. Ueberall
zerbrochene Waffen, durchstoßene Tremmeln, Fetzen von Kürassen
und Uniformen, zerrissene Standarten und dazwischen Stämme
von Bäumen, welche durch die Kugeln einige Schuh vom Boden
zerschmettert worden waren; das war die große Schanze an der
Moskowa.

Im Schooße dieser regungslosen Zerstörung erblickt man Etwas,
das sich bewegt; ein beider Beine beraubter französischer Soldat
brach sich Bahn auf Kirchhöfen, die ihre Eingeweide ausgespieen
zu haben schienen. Der Körper eines durch eine Haubitze auf=
geschlitzten Pferdes hatte diesem Soldaten als Schilderhaus ge=
dient; er lebte darin, indem er sich zugleich mit seiner aus Fleisch
bestehenden Wohnung nährte; das verfaulte Fleisch der im Be=
reiche seiner Hand liegenden Todten diente ihm statt Charpie, um
seine Wunden zu verbinden, und als Schwamm, um seine Knochen
einzuwickeln.

Der furchtbare Gewissensbiß des Ruhms schleppte sich Napo=
leon entgegen; Napoleon erwartete ihn nicht.

Ein tiefes Schweigen herrschte unter den von Kälte, Hunger
und dem Feinde verfolgten Soldaten; es bemächtigte sich ihrer

4*

der Gedanke, daß sie bald den Gefährten, deren Ueberreste sie hier erblickten, gleich sein würden. Man hörte in diesem Reliquien= lager nur das aufgeregte Athemholen und den Ton des unwill= kürlichen Schauders der auf dem Rückzug befindlichen Bataillone.

In einiger Entfernung von da fand man die in einen Ho= spital umgewandelte Abtei von Kotloskoi; hier fehlte es an Allem, und doch war noch Leben genug vorhanden, um den Tod zu fühlen. Bonaparte wärmte sich an einem Feuer, das aus dem Holze seiner beschädigten Wägen angezündet werden mußte. Als die Armee ihren Marsch fortsetzte, standen die Sterbenden auf, schleppten sich an die Schwelle ihres letzten Asyls und sogar auf die Straße und reichten den sie verlassenden Kameraden die kraftlosen Hände; sie schienen sie zugleich zu bannen und vor Gottes Gericht zu laden.

Jeden Augenblick ertönte die Entladung der Munitionskasten, die man im Stich lassen mußte. Die Proviantmeister warfen die Kranken in die Gräben. Russische Gefangene, von in französischen Diensten stehenden Fremden escortirt, wurden durch ihre Wachen niedergemacht; sie wurden Alle auf dieselbe Weise getödtet, ihr Hirn lag neben ihrem Kopfe verspritzt.

Bonaparte hatte Europa mit sich geführt; in seiner Armee wurden alle Sprachen geredet, sah man alle Kokarden, alle Fah= nen. Der zum Kampfe gezwungene Italiener hatte sich gleich einem Franzosen geschlagen; der Spanier hat den Ruf seines Muthes gewahrt; Neapel und Andalusien wurden bloß wie ein süßer Traum von ihnen beseufzt. Man hat gesagt, Bonaparte sei nur durch das ganze Europa besiegt worden, und das ist rich= tig; allein man vergißt, daß Bonaparte nur mit Hülfe Europa's, seines gezwungenen oder freiwilligen Verbündeten, gesiegt hatte.

Rußland allein setzte dem von Napoleon geleiteten Europa Widerstand entgegen; alleinstehend und durch Napoleon vertheidigt, fiel Frankreich unter dem sich gegen ihn kehrenden Europa; man muß jedoch berücksichtigen, daß Rußland durch sein Klima ver= theidigt ward und Europa nur mit Widerwillen unter seinem

Gebieter marschirte. Frankreich dagegen war weder durch sein Klima noch durch seine decimirte Bevölkerung geschützt; es besaß nur seinen Muth und die Erinnerung an seinen Ruhm.

Gleichgültig gegen das Elend seiner Soldaten, kümmerte sich Bonaparte nur um seine Interessen; wenn er campirte, so drehte sich seine Unterhaltung um Minister, die, wie er sich äußerte, von den Engländern erkauft und die Urheber dieses Krieges waren; denn er wollte sich nicht eingestehen, daß dieser Krieg einzig von ihm herrühre. Der Herzog von Vicenza, welcher ein Unglück durch sein edles Benehmen durchaus wieder gut machen wollte, konnte bei den Schmeicheleien im Bivouak nicht länger an sich halten und rief: „Welche furchtbare Grausamkeit! Das ist also die Civilisation, die wir nach Rußland bringen!" Nach Bonaparte's unglaubwürdigen Aussagen machte er eine Geberde des Zorns und der Verneinung und entfernte sich. Der Mann, den der ge= ringste Widerspruch in Wuth versetzte, duldete die Grobheiten Cau= laincourt's und büßte dadurch für den Brief, den nach Ettenheim zu bringen er ihn einst beauftragt hatte. Wenn man etwas Ver= werfliches begangen hat, so stellt uns der Himmel als Strafe Zeugen zur Seite; vergeblich ließen die ehemaligen Tyrannen sie verschwinden; zur Hölle gefahren, kehrten diese Körper in der Ge= stalt von Furien wieder zurück.

Nachdem Napoleon Gjatsk durchzogen, rückte er gegen Wiasma vor und ließ auch dieses hinter sich, als er dort den Feind, den er anzutreffen gefürchtet, nicht gefunden hatte. Er gelangt am 3. No= vember nach Slawskowo; hier vernahm er, daß sich hinter ihm in Wiasma ein Kampf entsponnen habe. Dieser Kampf gegen die Truppen von Miloradowitsch ward verderblich für uns; unsere Soldaten, unsere verwundeten Offiziere thaten Wunder von Tapferkeit und warfen sich mit dem Arm in der Schlinge und verbundenem Kopfe auf die feindlichen Kanonen.

Diese Reihe von Gefechten an den nämlichen Orten, diese frischen Todesstätten auf alten Todesstätten, diese verdoppelten

Schlachten hätten die unseligen Felder zweimal unsterblich gemacht, wenn das Vergessene nicht rasch unsern Staub einhüllte. Wer denkt an jene in Rußland zurückgelassenen Bauern? Sind diese Landleute zufrieden, bei der großen Schlacht unter den Mauern von Moskau gewesen zu sein? Vielleicht bin ich der Einzige, der sich an Herbstabenden, wenn mein Auge dem Zuge der Vögel des Nordens am Himmel hin folgt, mich erinnere, daß sie das Grab unserer Landsleute gesehen haben. Industrielle Gesellschaften haben sich mit ihren Oefen und Kesseln in diese Wüste begeben; die Knochen sind in Druckerschwärze verwandelt worden; der Firniß hat den nämlichen Preis, sei er aus Hunden oder Menschen verfertigt, und er ist nicht glänzender, sei er aus Dunkelheit oder Ruhm gezogen. So achten wir die Todten heutzutage! Das ist der heilige Ritus der neuen Religion! Diis Manibus. Ihr glücklichen Gefährten Karl's XII, ihr seid von solchen gottesschänderischen Hyänen unangetastet geblieben. Im Winter weilt das Hermelin auf dem jungfräulichen Schnee, der eure Gräber deckt, und im Sommer blüht auf ihnen das Moos von Pultawa.

Am 6. November (1812) fiel der Thermometer auf 18 Grad unter Null; Alles verschwindet unter der einzigen Farbe, dem Weiß. Die Soldaten ohne Fußbekleidung fühlen, wie ihre Füße erfrieren; ihren veilchenblauen, erstarrten Fingern entgleitet die Muskete, deren Berührung heftig schmerzt; ihre Haare sträuben sich vor Reif, ihre Bärte durch den gefrierenden Athem, ihre schlechten Kleider werden zur Eiskruste. Sie fallen, der Schnee bedeckt sie; sie bilden auf dem Boden kleine Grabhügel mit ihren Furchen. Man weiß nicht mehr, nach welcher Richtung hin die Flüsse fließen; man ist genöthigt, das Eis einzuschlagen, um sie zu erkennen. Die verschiedenen Corps machen auf dem ungeheuren Schneefelde Bataillonsfeuer, um sich anzurufen und zu erkennen, wie gefährdete Schiffe Nothschüsse lösen. Hie und da erheben sich die in regungslosen Krystall verwandelten Tannen gleich Kronleuchtern, um bei diesen Leichenfeierlichkeiten zu prangen. Raben und ganze Meuten weißer, herrenloser Hunde folgten in einiger Entfernung diesem Rückzuge von Leichnamen.

Es war hart, nach Tagemärschen nirgends einen verproviantirten Ort zu finden und noch die Vorsichtsmaßregeln eines gesunden, reichlich versehenen Kriegsheers befolgen zu müssen, Schildwachen auszustellen, Posten zu besetzen und Feldwachen auszusenden. In den sechszehnstündigen Nächten wußte man, von den Windstößen des Nordens gepeitscht, nicht, wohin sich setzen, noch wohin sich legen; die mit allem ihrem Alabaster gefüllten Bäume wollten sich nicht entzünden; man brachte es kaum dazu, ein wenig Schnee zu schmelzen, um einen Löffel voll Roggenmehl damit anzurühren. Man hatte sich nicht so bald auf der nackten Erde zur Ruhe gesetzt, so ertönte das Geheul der Kosacken durch die Wälder, donnerte die fliegende Artillerie des Feindes und wurde das Fasten unserer Soldaten wie das Festmahl von Königen, wenn sie sich zu Tische setzen, begrüßt; die Kanonen rollten ihre eisernen Brode mitten unter die hungrigen Tischgenossen. In der Morgendämmerung, welcher kein Morgenroth folgte, hörte man den Schlag einer mit Reif überzogenen Trommel oder den heisern Ton einer Trompete; Nichts konnte trauriger sein, als diese klägliche Tagwache, welche Krieger, die sie nicht mehr weckte, unter die Waffen rief. Der anbrechende Tag beleuchtete Kreise von erstarrten und todten Infanteristen, die erloschene Holzstöße umlagerten.

Die Ueberlebenden brachen auf und rückten gegen unbekannte Horizonte vor, welche, immer zurückweichend, mit jedem Schritte im Nebel verschwanden. Unter einem drückenden Himmel, der von den Stürmen der Nacht gleichsam ermattet war, durchzogen unsere gelichteten Reihen eine Steppe nach der andern, einen Wald nach dem andern, in welchem der Ocean seinen Schaum an den zerzausten Aesten der Birken zurückgelassen zu haben schien. Man traf in diesen Wäldern nicht einmal jenen traurigen kleinen Wintervogel, der, wie ich, in den entlaubten Gebüschen singt. Wenn dieser Vergleich mir plötzlich meine alten Tage vor Augen führt, so erinnern mich Eure Leiden, o meine Kameraden (die Soldaten sind Brüder), auch an meine Jugendjahre, wo ich, vor Euch retirirend, so elend und so verlassen die Haide der Ardennen durchzog.

Die großen russischen Armeen verfolgten die unseren, die in mehrere Divisionen und diese wieder in Colonnen abgetheilt waren; Prinz Eugen befehligte den Vortrab, Napoleon das Centrum, der Marschall Ney den Nachtrab. Durch verschiedene Hindernisse und Gefechte aufgehalten, behielten diese Corps nicht ihre genaue Distanz bei; bald überholte eines das andere, bald marschirten sie in horizontaler Linie, sehr oft, ohne sich zu sehen und, aus Mangel an Cavallerie, mit einander in Verbindung zu stehen. Courier auf kleinen Pferden, deren Mähnen bis an den Boden reichten, gestatteten unsern durch diese Schneebremsen abgematteten Soldaten weder bei Tag noch bei Nacht Ruhe. Die Landschaft hatte sich verändert; da, wo man früher einen Bach gesehen hatte, fand man jetzt einen Strom, den Eisketten an dem steilen Rande seiner Schlucht aufhielten.

„In einer einzigen Nacht", sagt Bonaparte in seinen „Papieren von St. Helena", „verlor man dreißigtausend Pferde; man war genöthigt, fast die ganze Artillerie im Stiche zu lassen, die damals noch fünfhundert Feuerschlünde stark war; man konnte weder Munition noch Vorräthe mehr mitnehmen. Aus Mangel an Pferden konnten wir weder Recognoscirungen vornehmen noch eine Avantgarde von Cavallerie aussenden, um den Weg auszukundschaften. Die Soldaten verloren den Muth und den Verstand und geriethen in Bestürzung. Der geringste Umstand beunruhigte sie. Vier bis fünf Mann waren hinreichend, um Schrecken in einem ganzen Bataillon zu verbreiten. Statt beisammen zu bleiben, irrten sie vereinzelt umher, um Feuer zu suchen. Die, welche man als Vortrab aussandte, verließen ihre Posten und suchten ein Mittel, sich in Häusern zu wärmen. Sie zerstreuten sich nach allen Seiten, entfernten sich von ihren Corps' und wurden dadurch leicht eine Beute des Feindes. Andere legten sich auf den Boden, schliefen ein, etwas Blut drang aus ihren Naslöchern und sie starben schlafend. Tausende von Soldaten kamen um. Die Polen retteten einige ihrer Pferde und Etwas von ihrer Artillerie; allein die Franzosen und die Soldaten der andern Nationen waren nicht die gleichen Menschen. Besonders die Reiterei hat viel gelitten. Ich glaube nicht, daß auf vierzigtausend Mann dreitausend entkommen sind."

Und Sie, die Sie das unter der schönen Sonne einer andern Hemisphäre erzählten, waren Sie bloß Zeuge von so vielem Jammer?

An demselben Tage, dem 6. November, wo der Thermometer so tief fiel, kam gleich einem verirrten Käuzlein die erste Staffette, die man seit langer Zeit gesehen hatte, aus Frankreich; sie brachte die schlimme Nachricht von der Verschwörung Mallet's. Diese Verschwörung besaß Etwas von dem Wunderbaren von Napoleon's Gestirn. Was bei dem Berichte des Generals Gourgaud am meisten Eindruck auf den Kaiser machte, war der nur zu klare Beweis, daß die monarchischen Grundsätze in ihrer Anwendung auf seine Monarchie so geringe Wurzeln geschlagen hatten, daß bei der Nachricht vom Tode des Kaisers große Staatsbeamte vergaßen, daß, wenn auch der Souverain todt, ein Anderer als Nachfolger da sei.

Bonaparte erzählte in St. Helena (Memorial von Las Casas), daß er zu seinem in den Tuilerien versammelten Hofe gesagt hatte, indem er von Mallet's Verschwörung sprach: „Wohlan, meine Herren, Sie behaupteten, Ihre Revolution beendigt zu haben; Sie glaubten mich todt; aber der König von Rom, Ihre Eide, Ihre Grundsätze, Ihre Doctrinen? Sie machen mich für die Zukunft beben!" Bonaparte urtheilte logisch; es handelte sich um seine Dynastie; würde er diesen Schluß eben so gerecht gefunden haben, wenn es sich um den Stamm des heiligen Ludwig gehandelt hätte?

Bonaparte erfuhr das in Paris Vorgefallene inmitten einer Wüste, unter den Trümmern einer beinahe zerstörten Armee, deren Blut der Schnee trank; die auf die Stärke gegründeten Rechte Napoleon's wurden in Rußland mit seiner Stärke vernichtet, während ein einziger Mann hingereicht hatte, sie in der Hauptstadt in Zweifel zu stellen. Außerhalb der Religion, der Gerechtigkeit und Freiheit gibt es keine Rechte.

Fast in demselben Augenblicke, wo Bonaparte den Vorgang in Paris vernahm, erhielt er einen Brief vom Marschall Ney. Dieser Brief theilte ihm mit, daß die besten Soldaten sich fragten, weßhalb sie allein kämpfen sollten, um die Flucht der Andern zu schützen; weßhalb der Adler nicht mehr beschütze, sondern tödte; warum man bataillonsweise unterliegen müsse, da man doch Nichts mehr thun könne, als fliehen?"

Als Ney's Aide-de-camp sich in betrübende Einzelnheiten einlassen wollte, unterbrach ihn Bonaparte mit den Worten: „Oberst, ich frage Sie nicht nach diesen Nebenumständen."

Dieser russische Feldzug war eine wahre Narrheit, die alle Civil- und Militärautoritäten des Reichs getadelt hatten. Die Triumphe und das Unglück, an welche der Rückweg erinnerte, erbitterten oder entmuthigten die Soldaten; in diesem Hin- und Herwege konnte Napoleon auch das Bild der beiden Abschnitte seines Lebens erblicken.

Smolensk. — Fortsetzung des Rückzugs.

Am 9. November hatte man endlich Smolensk erreicht. Ein Befehl Bonaparte's hatte Jedermann den Eintritt in die Stadt verboten, bevor die Posten von der kaiserlichen Garde besetzt wären. Die außerhalb der Stadt stehenden Soldaten gefrieren am Fuße der Mauern an; die im Innern befindlichen Soldaten halten sich eingeschlossen. Die Luft wiederhallt von ben Verwünschungen ber ausgeschlossenen Verzweifelnden, die mit schmutzigen Kosackenröcken, verstickten Caputröcken, zersetzten Mänteln und Uniformen, Bett= ober Pferbebecken bekleidet sind, den Kopf mit Mützen von zusam= mengerollten Sacktüchern, mit Tschako's ohne Boden, mit verbogenen und zerbrochenen Helmen bebeckt haben, welches Alles blutig ober beschneit und von Kugeln durchlöchert ober burch Säbelhiebe zer= hackt ist. Mit blassem, verzerrtem Gesichte, büsteren und funkelnden Augen starrten sie zähnekrirschend an die Wälle hinauf und hatten bas Aussehen jener verstümmelten Gefangenen, welche unter Ludwig bem Dicken in ihrer rechten Hand ihre abgeschnittene Linke trugen; man hätte sie für wüthende Masken ober dem Narrenhaus ent= sprungene Kranke halten können.

Die alte und bie junge Garbe langten an; sie betraten ben auf unserm ersten Durchzuge eingeäscherten Platz. Geschrei erhebt sich gegen die bevorzugte Truppe: „Soll bie Armee stets nur haben, was diese übrig läßt?" Die hungrigen Schaaren laufen tumul= tuarisch in die Magazine; man meint einen Aufstand von Ge= spenstern zu sehen. Sie werden zurückgebrängt, man schlägt sich; die Getöbteten bleiben auf den Straßen, Frauen, Kinder, Ster= bende auf Karren liegen. Die Luft war durch eine Menge alter in Fäulniß übergegangener Leichen verpestet; Soldaten wurden von Blöbsinn ober Tollheit befallen; einige, deren Haare sich ge= sträubt und zusammengedreht hatten, lästerten ober brachen in ein bummes Gelächter aus und fielen bann tobt nieder. Bonaparte läßt seinen Zorn an einem armen unvermögenden Lieferanten aus, bem man nicht einen seiner Aufträge ausgeführt hatte.

Mit der Armee, welche von hunderttausend Mann auf dreißig= tausend zusammengeschmolzen war, zog eine Rotte von fünfzig= tausend Nachzüglern; man besaß nur noch achtzehnhundert Mann Reiterei. Napoleon übertrug bas Commando derselben Herrn von Latour= Maubourg. Diesem Offizire, welcher die Kürassiere zum Sturm der großen Schanze von Borodino führte, wurde ber Kopf von Säbelhieben fürchterlich zugerichtet; später verlor er bei Dresden ein Bein. Als er seinen Bedienten weinen sah, sagte er: „Was klagst Du? Du hast jetzt künftig nur einen Stiefel zu wichsen." Dieser dem Unglück treugebliebene General wurde der Gouverneur Heinrich's V während der ersten Jahre der Verbannung des jungen Prinzen; wenn ich an ihm vorbeigehe, so ziehe ich meinen Hut vor ihm ab, als ginge ich an der Ehre vorbei.

Man war gezwungen, sich bis zum 14. in Smolensk aufzuhalten. Napoleon befahl dem Marschall Ney, mit Davoust Verabredung zu treffen und den Platz durch Flatterminen zu zerstören; er selbst begab sich nach Krasnoi und besetzte es am 15., nachdem diese Station zuvor von den Russen geplündert worden war. Die Moskowiten verengerten ihren Kreis; die große Armee, genannt die moldauische, befand sich in der Nähe; sie traf Anstalten, uns vollends einzuschließen und in die Beresina zu werfen.

Der Rest unserer Bataillone verminderte sich von Tag zu Tag. Von unserer elenden Lage unterrichtet, rührte sich Kutuzoff kaum.

„Verlassen Sie nur auf einen Augenblick Ihr Hauptquartier", rief Wilson, „begeben Sie sich auf die Höhen und Sie werden sehen, daß Napoleon's letzter Augenblick gekommen ist. Rußland fordert dieses Schlachtopfer; Sie brauchen nur einen Schlag zu thun, eine Ladung genügt; in zwei Stunden wird die Gestalt Europa's umgewandelt sein."

Das war richtig; doch wäre hauptsächlich nur Bonaparte getroffen gewesen und Gott wollte Frankreich die Schwere seiner Hand fühlen lassen.

Kutuzoff antwortete: „Ich lasse meine Soldaten alle drei Tage ruhen; ich würde mich schämen und sogleich stehen bleiben, wenn es ihnen nur einen Augenblick an Brod fehlen sollte. Ich escortire die französische Armee als meine Gefangene; ich züchtige sie, sobald sie stehen bleiben oder sich von der Hauptstraße entfernen will. Das Ziel von Napoleon's Laufbahn ist unwiderruflich bezeichnet; das Meteor wird in Gegenwart aller russischen Armeen in den Sümpfen der Beresina erlöschen. Ich werde Ihnen den geschwächten, entwaffneten, sterbenden Napoleon überliefert haben; das ist genug für meinen Ruhm."

Bonaparte hatte von dem alten Kutuzoff mit jener beleidigenden Geringschäßung gesprochen, mit der er so freigebig war; der alte Kutuzoff gab ihm seinerseits Verachtung für Verachtung zurück.

Kutuzoff's Armee war ungeduldiger als ihr Anführer, die Kosacken selbst riefen: „Wird man diese Skelette wieder ihren Gräbern entsteigen lassen?"

Inzwischen sah man das vierte Corps nicht anlangen, welches am 15. Smolensk hätte verlassen und am 16. in Krasnoi zu Napoleon stoßen sollen; die Communicationen waren abgeschnitten; Prinz Eugen, welcher den Nachtrab führte, versuchte vergeblich, sie wieder herzustellen; Alles, was er thun konnte, war, die Russen zu umgehen und unter Krasnoi seine Verschmelzung mit der Garde zu bewerkstelligen; allein die Marschälle Ney und Davoust erschienen noch immer nicht.

Jetzt fand Napoleon plötzlich sein Genie wieder; mit einem Stocke in der Hand verläßt er am 17. Krasnoi an der Spiße seiner auf dreizehntausend Mann zusammengeschmolzenen Garde, um zahllosen Feinden die Stirne zu bieten, den Weg nach Smolensk frei zu machen und den beiden Marschällen eine Bahn zu brechen. Er verdarb diese Handlung nur durch die Wiederholung eines zu seiner Maske wenig passenden Wortes: „Ich habe mich genug als Kaiser gezeigt, es ist Zeit, daß ich mich als General zeige." Als Heinrich IV zur Belagerung von Amiens abging, hatte er gesagt: „Ich habe mich genug als König von Frankreich gezeigt, es ist Zeit, daß ich mich als König von Navarra zeige."

Die umliegenden Höhen, an deren Fuße Napoleon hinmarschirte, beluden sich mit Artillerie und konnten ihn jeden Augenblick zermalmen; er wirft einen Blick auf sie und sagt: „Eine

Schwadron meiner Jäger soll sich ihrer bemächtigen!" Die Russen
hätten sich nur herabzuwälzen gebraucht, schon ihre Masse würde
ihn erdrückt haben; allein beim Anblick dieses großen Mannes
und der Trümmer der in ein viereckiges Bataillon geschlossenen
Garde, blieben sie unbeweglich und wie bezaubert; sein Blick hielt
hunderttausend Mann auf den Hügeln fest.

Kutuzoff ward wegen dieses Treffens bei Krasnoi in Peters=
burg mit dem Beinamen Smolensky beehrt; wahrscheinlich weil
er unter dem Stocke Bonaparte's nicht an der Rettung des Staates
verzweifelt hatte.

Uebergang über die Beresina.

Nach dieser vergeblichen Anstrengung setzte Napoleon am 19.
über den Dnieper und campirte dann in Orcha; dort verbrannte
er die Papiere, welche er mitgenommen hatte, um während der
langweiligen Winterszeit seine Lebensbeschreibung abzufassen, wenn
Moskau stehen geblieben wäre und ihm erlaubt hätte, seinen
Wohnsitz dort aufzuschlagen. Er hatte sich genöthigt gesehen, das
ungeheure Kreuz des heiligen Iwan in den See von Semlewo zu
werfen, wo es von den Kosacken wieder aufgefunden und auf den
Thurm des großen Iwan zurückgebracht wurde.

In Orcha hatte man große Besorgnisse; trotz Napoleon's Ver=
such, den Marschall Ney dem Feinde wieder abzujagen, fehlte er
noch immer. In Baranni erhielt man endlich Nachrichten von
ihm; es war Eugen gelungen, zu ihm zu stoßen. Der General
Gourgaud erzählt die Freude, die Napoleon darüber empfand, ob=
wohl die Bülletins und die Berichte der Freunde des Kaisers sich
fortwährend mit eifersüchtiger Zurückhaltung über alle Thatsachen
aussprechen, die sich nicht unmittelbar auf ihn beziehen.

Die Freude der Armee verstummte jedoch schnell, man traf

Gefahren auf Gefahren. Bonaparte begab sich von Kokhanow nach Tolozelm, als ein Aide-de-camp ihn von dem Verlust des Brückenkopfes von Borisow benachrichtigte, welcher dem General Dombrowski durch die moldauische Armee weggenommen worden war. Ihrerseits in Borisow durch den Herzog von Reggio überfallen, zog sich die moldauische Armee hinter die Beresina zurück, nachdem sie die Brücke zerstört hatte. Tschitschakoff befand sich demzufolge uns gegenüber am jenseitigen Ufer des Flusses.

Der General Corbineau, welcher eine Brigade unserer leichten Reiterei befehligte, hatte mittelst der Weisung eines Bauern unterhalb Borisow die Furt von Veselowo entdeckt. Auf diese Nachricht hin ließ Napoleon am Abend des 24. von Bobre, d'Eblé und Chasseloup mit den Pontonieren und Sapeurs aufbrechen; sie langten bei Stubianka an der bezeichneten Furt der Beresina an.

Zwei Brücken sind geschlagen, eine Armee von vierzigtausend Russen campirte am jenseitigen Ufer. Wie groß war das Erstaunen der Franzosen, als sie bei Tagesanbruch das Ufer verödet und den Nachtrab der Division von Tschaplitz in vollem Rückzug begriffen fanden! Sie trauten ihren Augen nicht. Eine einzige Kugel, das Feuer aus der Pfeife eines Kosacken wäre hinreichend gewesen, um die schwachen Pontons d'Eblé's zu zertrümmern oder zu verbrennen. Man eilt, Bonaparte davon zu benachrichtigen; er steht schleunig auf, begibt sich hinaus, sieht und ruft: „Ich habe den Admiral zum Besten gehalten!“

Diese Aeußerung war natürlich; die Russen ließen die Entwicklung nicht zur Reife kommen und begingen einen Fehler, der den Krieg um drei Jahre verlängern sollte; ihr Anführer jedoch war nicht zum Besten gehalten worden. Der Admiral Tschitschakoff hatte Alles wahrgenommen und einfach seinen Charakter hiebei bethätigt; obwohl geschickt und feurig, liebte er seine Bequemlichkeit; er fürchtete die Kälte, blieb beim Ofen und dachte, er habe immer noch Zeit, die Franzosen zu vertilgen, wenn er sich gehörig gewärmt haben würde; kurz, er überließ sich seinem Temperament.

Heutzutage in London lebend, nachdem er sein Vermögen im Stich
ließ und Rußland entsagte, hat Tschitschakoff dem Quarterly
Revier merkwürdige Einzelnheiten über den Feldzug von 1812
geliefert; er sucht sich zu entschuldigen, seine Landsleute antworten
ihm; es ist ein Streit zwischen Russen. Ach, wenn auch Bona=
parte durch die Erbauung seiner zwei Brücken und den unbegreif=
lichen Rückzug der Division Tschaplitz gerettet war, so waren es
die Franzosen nicht; zwei andere russische Armeen ballten sich an
dem Ufer des Flusses zusammen, den zu verlassen Napoleon sich
rüstete. Hier muß Einer, der nicht dabei war, schweigen und die
Augenzeugen reden lassen.

„Die Hingebung der von d'Eblé geleiteten Pontoniere," sagt
Chambray, „wird so lange im Andenken leben, als der Ueber=
gang über die Beresina. Obwohl geschwächt durch die Leiden, die
sie seit so langer Zeit erduldeten, obwohl erwärmender Liqueure
und aller kräftigen Nahrung entbehrend, sah man sie der Kälte,
welche sehr strenge geworden war, trotzen und oft bis fast an die
Brust in's Wasser stehen; das hieß einem beinahe gewissen Tode
entgegengehen, allein die Armee schaute auf sie; sie opferten sich
für die Rettung derselben."

„Unter den Franzosen herrschte Unordnung," sagt Herr von
Ségur, „und es hatte an Material zu den beiden Brücken gefehlt;
in der Nacht vom 26. auf den 27. war die Wagenbrücke zweimal
gebrochen und der Uebergang dadurch um sieben Stunden ver=
spätet worden; am 27. gegen vier Uhr Abends brach sie zum
dritten Mal. Andererseits hatten die in den umliegenden Wäl=
dern und Dörfern zerstreuten Nachzügler die erste Nacht nicht be=
nützt und fanden sich am 27. bei Tagesanbruch alle auf einmal
ein, um die Brücken zu passiren."

„Das war besonders der Fall, als die Garde, nach welcher
sie sich richteten, sich in Bewegung setzte. Ihr Aufbruch war gleich=
sam ein Signal; sie eilten von allen Seiten herbei und schaarten
sich am Ufer. Einen Augenblick sah man eine dichte, gewaltige

und verworrene Maffe von Menfchen, Pferden und Wagen den schmalen Zugang zu den Brücken belagern. Die Vorderften, von den Nachfolgenden vorwärts und durch die Garden oder Ponto= niere zurückgeftoßen oder durch den Fluß aufgehalten, wurden zer= brückt, unter den Füßen zertreten oder in das Eis geftürzt, welches die Berefina mit fich führte. Bald ertönte in diefem ungeheuren, furchtbaren Gewühl ein dumpfes Gemurmel, bald ein entfetzliches Gefchrei, untermifcht mit Geftöhne und fchrecklichen Verwünfchun= gen . . . . Die Unordnung war fo groß, daß man, als fich gegen zwei Uhr auch der Kaifer einfand, Gewalt anwenden mußte, um ihm einen Weg zu bahnen. Ein Grenadiercorps der Garde und Latour = Maubourg verzichteten aus Mitleid, fich durch diefe Un= glücklichen Bahn zu brechen . . . .
. . . .

„Die ungeheure an dem Ufer aufgefchichtete Menge von Men= fchen, Pferden und Wagen im fchrecklichften Durcheinander ver= anlaßten eine bejammernswerthe Verfperrung des Weges. Gegen Mittag fielen die erften feindlichen Kugeln in diefes Chaos; fie waren das Signal zu einer allgemeinen Verzweiflung . . . .
„Viele von denen, welche fich zuerft aus diefer Maffe Ver= zweifelnder herausgeftürzt, hatten die Brücke verfehlt und wollten an ihren Seiten wieder heraufklimmen; allein die Mehrzahl der= felben wurde in den Fluß zurückgeftoßen. Mitten in den Eis= fchollen erblickte man Frauen mit ihren Kindern in den Armen, die fie immer höher emporftreckten, je mehr fie felbft fanken; fchon überfluthet, hielten ihre erftarrten Arme fie immer noch über den Wellen.
„Mitten in diefer fürchterlichen Unordnung brach die Brücke der Artillerie. Die auf dem schmalen Weg befindliche Colonne wollte vergeblich umkehren. Der hinter ihr kommende Menfchen= fchwall, der von dem Unglück Nichts wußte und das Gefchrei der Vorderften nicht beachtete, drängte vorwärts und warf Alles in den Abgrund, in den auch er geftürzt wurde.

Chateaubriand's Memoiren. IV.   5

„Jetzt wandte sich Alles der andern Brücke zu. Eine Menge großer Munitionswagen, schwerer Wagen und Artilleriestücke strö= men von allen Seiten herbei. Von ihren Führern geleitet, an dem steilen, unebenen Abhang rasch hinab und mitten in den Menschenknäuel hineinrollend, zermalmen sie die Unglücklichen, die von ihnen überfahren werden, prallen dann an einander, stürzen die Mehrzahl um und reißen in ihrem Falle die Umstehenden mit sich. Ganze Reihen Menschen werden in der Betäubung auf diese Hinder= nisse hingestoßen, verwickeln sich darin, fallen und werden von andern Haufen Unglücklicher, die sich ohne Unterbrechung folgen, zertreten.

„So wälzten sich Wogen auf Wogen solcher Bejammernswerther; man hörte nur Schmerz= und Wuthgeschrei. Die in diesem furchtba= ren Gedränge zertretenen und erdrückten Menschen wehrten sich unter den Füßen ihrer Gefährten, an welche sie sich mit ihren Nägeln und Zähnen anklammerten. Diese stießen sie erbarmungslos wie Feinde zurück. In diesem schauerlichen Lärm, den ein wüthender Orkan von Geschützfeuer, das Pfeifen des Sturmes und das der Kugeln, die Entladung der Haubitzen, Geschrei, Gestöhn und fürch= terliche Flüche verursachten, hörte diese zügellose Menge nicht die Klagen der Opfer, die sie verschlang."

Die andern Zeugen stimmen mit den Erzählungen des Herrn von Ségur überein; zum Beweis und um sie gegen einander zu ver= gleichen, will ich nur noch die Stelle aus den Memoiren Vau= doncourt's anführen.

„Die ziemlich große Ebene, welche sich vor Veselowo befindet, bietet am Abend ein Schauspiel, dessen Grausen schwer zu schil= dern ist. Sie ist mit Wagen und Karren bedeckt, deren Mehr= zahl über einander gestürzt und zerschmettert liegen. Sie ist mit Leichen übersäet, die nicht dem Soldatenstande angehören und unter welchen man nur zu viele Frauen und Kinder sieht, die sich der Armee bis Moskau nachgeschleppt hatten oder aus dieser Stadt entflohen, um ihren Landsleuten zu folgen, und die der Tod auf verschiedene Weise ereilt hatte. Das Loos dieser Unglücklichen

inmitten der beiden Armeen war, unter den Rädern der Wagen oder
unter den Füßen der Pferde zermalmt, von den Kugeln der bei=
den Parteien getroffen zu werden, zu ertrinken, indem sie mit den
Truppen die Brücken passiren wollten, oder von den feindlichen
Soldaten ausgezogen und nackt in den Schnee geworfen zu wer=
den, wo die Kälte bald ihren Leiden ein Ende machte."

Wie beklagt Bonaparte eine solche Katastrophe, dieses schmerz=
liche Ereigniß, eines der größten der Geschichte, Unfälle, welche
die der Armee des Kambyses übersteigen? Welch einen Schrei
entreißen sie seiner Seele? Die vier Worte seines Bülletins: „Im
Verlauf des 26. und 27. passirte die Armee die Bere=
sina." Man sah, auf welche Weise! Napoleon ward nicht ein=
mal durch den Anblick der Frauen gerührt, welche in ihren Armen
ihre Säuglinge über den Wellen emporhoben. Der andere große
Mann, welcher von Frankreich aus die Welt regiert hat, Karl
der Große, dem Anscheine nach. ein roher Barbar, besang und
beweinte — denn er war auch Poet — das in dem Ebro ertrun=
kene Kind, welches auf dem Eise gespielt hatte:

Trux puer adstricto glacie dum ludit in Hebre.

Der Herzog von Belluno war beauftragt, den Uebergang zu
schützen. Er hatte den General Partouneaux hinter sich gelassen,
welcher genöthigt war, zu capituliren. Der von Neuem verwun=
dete Herzog von Reggio wurde in seinem Commando durch den
Marschall Ney ersetzt. Man durchzog die Moräste der Gaina;
die kleinste Vorsicht der Russen hätte die Wege unbrauchbar ge=
macht. Am 3. December fand man in Malodeczno alle seit drei
Wochen aufgehaltenen Stafetten. Hier ging Napoleon mit sich
zu Rathe, ob er die Fahne verlassen solle. „Kann ich an der
Spitze der unordentlichen Flucht einer Armee bleiben?" sagte er.
In Smorgoni drangen der König von Neapel und der Prinz
Eugen in ihn, nach Frankreich zurückzukehren. Der Herzog von
Istria führte das Wort; bei den ersten Worten geräth Napoleon

5 *

in Wuth und ruft: „Nur mein tödtlichster Feind kann mir den Vorschlag machen, die Armee in der Lage, in welcher sie sich befindet, zu verlassen." Er machte eine Bewegung, als wolle er sich mit dem bloßen Degen in der Hand auf den Marschall werfen.

Am Abend ließ er den Herzog von Istria zu sich rufen und sagte: „Da Ihr Alle es wollt, so muß ich wohl abreisen." Die Scene war angeordnet, der Plan zur Abreise zeigte sich bereits fertig, sobald sie gespielt war. Herr Fain versichert wirklich, daß der Kaiser sich auf dem Marsche, der ihn am 4. von Malo= beczno nach Bicliza zurückgebracht, entschlossen hatte, die Armee zu verlassen. Das war die Komödie, in welcher der ungeheure Schauspieler sein tragisches Drama auflöste.

In Smorgoni schrieb der Kaiser sein neunundzwanzigstes Bülletin. Am 5. December bestieg er mit Herrn von Caulain= court einen Schlitten; es war zehn Uhr Nachts. Unter dem Namen des Gefährten seiner Flucht durchreiste er Deutschland. Nach seinem Verschwinden ging Alles unter; wenn bei einem Sturme ein Granitkoloß sich in dem Sande der Thebaide vergräbt, so bleibt kein Schatten in der Einöde. Einige Soldaten, an denen nur die Köpfe noch lebendig blieben, aßen sich zuletzt unter den aus Fichtenästen erbauten Schuppen gegenseitig auf. Uebel, welche sich nicht vergrößern zu können scheinen, vervollständigen sich; der Winter, der für dieses Klima bisher nur ein Herbst gewesen war, bricht erst jetzt herein. Die Russen hatten nicht mehr den Muth, in Eisregionen auf die Schatten zu schießen, welche Napoleon als Vagabunden zurückließ.

In Wilna traf man nur Juden an, welche die Kranken, die sie Anfangs aus Habsucht bei sich aufgenommen hatten, dem Feinde vor die Füße warfen. Eine letzte unordentliche Flucht vernichtete den Rest der Franzosen auf der Höhe von Ponary noch vollends. Endlich erreicht man den Niemen; von den drei Brücken, über welche unsere Truppen gezogen waren, war keine mehr vorhanden, eine einzige Brücke, das Werk des Feindes, ragte über das gefrorene Waffer empor. Von den fünfmalhunderttausend Mann, von der zahllosen Artillerie, welche im Monat August über den Fluß gesetzt hatten, fah man nur noch tausend Mann regulärer Fußtruppen, einige Kanonen und dreißigtausend mit Wunden bedeckte Jammergestalten durch Kowno ziehen. Keine Musik, keine Siegeslieder mehr; mit veilchenblauen Gesichtern, beeisten, starren Wimpern, welche die Augen zum Offenstehen zwangen, marschirte die Rotte schweigend über die Brücke oder kroch von Eisschollen zu Eisschollen an das polnische Ufer. In Wohnungen angelangt, welche durch Defen erwärmt waren, gaben die Unglücklichen den Geist auf; ihr Leben schmolz mit dem Schnee, in den sie gehüllt waren. Der General Gourgaud behauptet, daß hundertsiebenundzwanzigtausend Mann den Niemen wieder überschritten; selbst bei dieser Berechnung ergäbe sich immerhin ein Verlust von dreimalhundert dreizehntausend Mann in einem viermonatlichen Feldzuge.

In Gumbinnen angelangt, versammelte Murat seine Offiziere und sagte zu ihnen: „Es ist nicht länger möglich, einem Wahnsinnigen zu dienen; bei seiner Sache ist kein Heil mehr zu finden; kein Fürst von Europa achtet mehr auf seine Worte noch seine Verträge." Von da begab er sich nach Posen und verschwand am 16. Januar 1813. Dreiundzwanzig Tage nachher verließ der Fürst von Schwarzenberg die Armee; sie stand nun unter dem Befehl des Prinzen Eugen. Von Friedrich Wilhelm Anfangs auf offensible Weise getadelt und bald darauf mit ihm ausgesöhnt, zog sich auch der General York sammt den Preußen zurück; der europäische Abfall begann.

Urtheil über den russischen Feldzug. — Letztes Bülletin der großen Armee. — Rückkehr Bonaparte's nach Paris. — Ansprache an den Senat.

Auf diesem ganzen Feldzuge waren die Generäle Bonaparte's und insbesondere der Marschall Ney diesem überlegen. Die

Entschuldigungen, welche man für Bonaparte's Flucht vorgebracht hat, sind unzuläſſig; der Beweis iſt da, daß ſeine Abreiſe, welche Alles retten ſollte, Nichts rettete. Weit entfernt, die Unfälle wieder gut zu machen, vermehrte dieſes Verlaſſen dieſelben und beſchleunigte die Auflöſung des Rheinbundes.

Das neunundzwanzigſte und letzte Bülletin der großen Armee, vom 3. December 1812 aus Molodetſchino datirt und am 18. in Paris angelangt, kam nur zwei Tage vor Napoleon an. Es verſetzte Frankreich in Beſtürzung, obwohl es weit entfernt iſt, ſich mit der an ihm gelobten Offenherzigkeit auszudrücken; es ſind ſchlagende Widerſprüche darin wahrzunehmen, denen es nicht gelingt, eine Wahrheit zu verdecken, die überall durchblickt. Wie man ſchon oben geſehen hat, ſprach ſich Napoleon auf St. Helena mit mehr Ehrlichkeit aus; ſeine Enthüllungen konnten ein von ſeinem Haupte gefallenes Diadem nicht mehr gefährden. Dennoch müſſen wir den Verheerer noch einen Augenblick anhören:

„Dieſe Armee," ſagte er in dem Bülletin vom 3. December 1812, am 6. November noch ſo ſchön, war am 14. eine ganz andere. Faſt ohne Reiterei, ohne Artillerie, ohne Fuhrwerke, konnten wir nicht auf eine Viertelſtunde weit recognosciren . . .

„Die Menſchen, welche die Natur nicht hinlänglich geſtählt hat, um ſich über alle Wechſelfälle des Schickſals zu erheben, zeigten ſich erſchüttert, verloren ihren Frohſinn, ihren guten Muth und träumten nur von Unglück und Unfällen; die, welche ſie ſtärker geſchaffen hat, behielten ihre Heiterkeit und ihre gewöhnlichen Manieren bei und ſahen in den verſchiedenartigen Schwierigkeiten, die zu überwinden waren, einen neuen Ruhm.

„Bei allen dieſen Bewegungen marſchirte der Kaiſer immer in Mitte ſeiner Garde, indem die Reiterei durch den Marſchall Herzog von Iſtria und die Infanterie durch den Herzog von Danzig befehligt war. Se. Majeſtät war zufrieden mit dem guten Geiſte, den ſeine Garde gezeigt hat. Er war immer bereit, ſich überall hin zu verfügen, wo die Umſtände ſeine Gegenwart erforderten.

„Der Fürst von Neuchatel, der Groß-Marschall, der Groß-Stallmeister und sämmtliche Aides-de-camp und Offiziere des kaiserlichen Hauses haben Se. Majestät immer begleitet.

„Unsere Cavallerie war so unberitten gemacht worden, daß man die Offiziere, welchen noch ein Pferd blieb, versammeln mußte, um vier Compagnien, jede von hundertfünfzig Mann, daraus zu bilden. Die Generäle verrichteten Capitänsdienste und die Obersten Unteroffiziersdienste dabei. Diese heilige Schwadron unter dem Commando des Generals Grouchy und den Befehlen des Königs von Neapel verlor den Kaiser bei allen seinen Bewegungen nicht aus den Augen. Das Befinden Sr. Majestät könnte nicht besser sein."

Welch ein Ergebniß von so vielen Siegen! Bonaparte hatte zu den Directoren gesagt: „Was habt Ihr mit hunderttausend Franzosen angefangen, die Alle Ruhmesgefährten von mir waren? Sie sind todt!" Frankreich konnte zu Bonaparte sagen: „Was habt Ihr auf einem einzigen Marsche mit den fünfmalhunderttausend Soldaten vom Niemen angefangen, die Alle meine Kinder oder Verbündeten waren? Sie sind todt!"

Nach dem Verlust dieser hunderttausend von Napoleon betrauerten republikanischen Soldaten ward wenigstens das Vaterland gerettet; aber die letzten Resultate des russischen Feldzugs haben den Einfall in Frankreich und den Verlust Alles dessen herbeigeführt, was unser Ruhm und unsere Opfer in zwanzig Jahren aufgehäuft hatten.

Bonaparte wurde unabläſſig durch ein heiliges Bataillon bewacht, das ihn bei allen seinen Bewegungen nicht aus den Augen verlor; eine Entschädigung für die dreimalhunderttausend hingeschlachteten Leben; aber warum hatte die Natur sie nicht hinlänglich gestählt? Sie hätten ihre gewöhnlichen Manieren beibehalten. Verdiente dieses gemeine Kanonenfutter, daß seine Bewegungen so sorgfältig überwacht wurden, wie die Sr. Majestät?

Das Bülletin schloß wie mehrere andere mit den Worten: „Das Befinden Sr. Majestät könnte nicht besser sein." Ihr sämmtlichen Familien, trocknet Eure Thränen; Napoleon befindet sich wohl!

Unter diesem Berichte las man folgende officielle Anmerkung in den Journalen: „Es ist dieß ein historisches Document ersten Ranges; Xenophon und Cäsar haben auf solche Weise, der Eine den Rückzug der Zehntausend, der Andere seine Commentarien geschrieben."

Welcher Wahnsinn einer akademischen Vergleichung! Aber lassen wir auch die wohlwollende literarische Vergleichung bei Seite, so durfte man doch zufrieden sein, weil der furchtbare von Napoleon heraufbeschworene Jammer ihm Gelegenheit gebracht hatte, seine Talente als Schriftsteller zu zeigen! Nero hat Rom angezündet und dabei den Brand von Troja besungen. Wir hatten es bis zu dem grausamen Spotte einer Schmeichelei gebracht, welche Xenophon und Cäsar ihren Gräbern entsteigen läßt, um die ewige Trauer Frankreichs zu verhöhnen.

Der Erhaltungssenat eilt herbei: „Der Senat," sagt Lacepède, „beeilt sich, am Fuße des Thrones Ihrer K. K. Majestät seine Huldigung und die Glückwünsche über die glückliche Ankunft Ew. Majestät in Mitte Ihrer Völker darzubringen. Der Senat, als erster Rath des Kaisers, dessen Autorität nur besteht, wenn der Monarch sie aufruft und in Thätigkeit setzt, ist zur Erhaltung dieser Monarchie und der Erblichkeit Ihres Thrones als unserer vierten Dynastie aufgestellt. Frankreich und die Nachwelt werden ihn unter allen Umständen dieser heiligen Pflicht treu finden, und seine Glieder stets bereit sein, ihr Leben für die Vertheidigung dieses Palladiums der Sicherheit und nationalen Wohlfahrt einzusetzen.

Die Mitglieder des Senates haben dieß glänzend bewiesen, als sie die Absetzung Napoleon's decretirten!

Der Kaiser antwortete: „Senatoren, Eure Worte sind mir

sehr angenehm. **Der Ruhm und die Macht Frankreichs**
liegen mir sehr am Herzen; doch zuerst streben wir **nach Allem**,
was der innern Ruhe Dauer gewähren kann . . . nach der **Erhaltung dieses Thrones**, mit dem fortan die Geschicke des
Vaterlandes verknüpft sind . . . Ich habe die Vorsehung um eine
gewisse Zahl von Jahren gebeten . . . Ich habe überdacht,
was in den verschiedenen Epochen gethan wurde; ich werde es
weiter überdenken."

Der Geschichtschreiber der Reptilien ist, während er Napoleon
zu dem öffentlichen Wohlergehen zu gratuliren wagt, doch über
seinen Muth erschrocken; er fürchtet sich, zu sein; er sagt wohl-
weislich, die Autorität des Senates bestehe nur, wenn der
Monarch sie aufrufe und in Thätigkeit setze. Man hatte von
der Unabhängigkeit des Senates Alles zu fürchten!

Indem sich Bonaparte auf St. Helena entschuldigt, sagt er:
„Haben die Russen mich vernichtet? Nein, falsche Berichte, erbärm-
liche Intriguen, Verrath, Dummheit, kurz eine Menge Dinge,
die man vielleicht einst erfahren wird und welche die beiden groben
Fehler, die man mir mit Recht, sowohl in der Diplomatie als im
Kriegsfache, zuschreibt, verringern oder rechtfertigen werden."

Fehler, welche nur den Verlust einer Schlacht oder einer Provinz nach sich ziehen, gestatten Entschuldigungen in geheimnißvollen Worten, deren Erklärung man der Zukunft anheimstellt;
allein Fehler, welche den Umsturz der ganzen Gesellschaft zur Folge
haben und die Unabhängigkeit eines Volkes unter ein Joch beugen,
werden durch die Ausflüchte des Stolzes nicht getilgt,

Nach so vielen Unfällen und Heldenthaten ist es hart, am
Ende nur noch in den Worten des Senates zwischen Abscheu und
Verachtung wählen zu können.

Durchgesehen am 22. Februar 1845.

**Frankreichs Mißgeschicke. — Erzwungene Freuden. — Aufenthalt
in meinem Thale. — Erwachen der Legitimität.**

Als Bonaparte bald nach seinem Bülletin ebenfalls anlangte,
warb die Bestürzung allgemein.

„Das Reich," sagt Herr von Ségur, „besaß nur noch Kinder
und Männer, welche durch Alter oder Krieg kampfuntüchtig ge=
worden, und fast keine waffenfähige Mannschaft mehr! Wo waren
sie? Die Thränen der Frauen, das Wehklagen der Mütter sagten
es hinlänglich! Ueber den Boden gebückt, der ohne ihren Fleiß
unbebaut bliebe, verfluchen sie den Krieg in ihm."

Nach der Zurückkunft von der Beresina mußte man nichts=
bestoweniger auf Befehl hin tanzen; man erfährt das aus den
„Erinnerungen, als Belege zur Geschichte" der Königin
Hortensia. Man war gezwungen, mit dem Tod im Herzen und
im Innern seine Verwandten oder Freunde beweinend, auf den
Ball zu gehen. Das war die Schande, zu welcher der Despotis=
mus Frankreich verdammt hatte; man sah in den Salons, was
man in den Straßen antrifft, Kreaturen, welche sich Zerstreuung
verschaffen, indem sie ihr Elend besingen, um die Vorübergehen=
den zu belustigen.

Ich lebte seit drei Jahren zurückgezogen in Aunay; auf meinem
mit Fichten bewachsenen Hügel hatten meine Augen im Jahr 1811
den Kometen verfolgt, welcher Nachts am bewaldeten Horizonte
hinzog; er war schön und düster und schleppte wie eine Königin
seinen langen Schleier nach sich. Wen suchte der verirrte Fremd=
ling auf unserm Weltall? Gegen wen lenkte er seine Schritte in
der Einöde des Himmels?

Während eines kurzen Aufenthaltes in Paris in der Straße
der Saint=Pères im Hotel Lavalette wohnend, weckte mich am
23. October 1812 Madame Lavalette, meine taube Wirthin, indem

fie mit ihrem langen Hörrohr verfehen mir zurief: „Mein Herr, mein Herr, Bonaparte ift todt! der General Mallet hat Hulin getödtet. Alle Behörden find verändert. Die Revolution ift ausgebrochen."

Bonaparte war fo beliebt, daß Paris mit Ausnahme der poffierlich betroffenen Behörden einige Augenblicke voller Freude war. Ein Hauch hatte beinahe das Kaiferreich umgeftürzt. Um Mitternacht dem Gefängniß entfprungen, war ein Soldat bei Tagesanbruch Herr der Welt; ein Traum war nahe daran, eine furchtbare Wirklichkeit wegzuraffen. Die Gemäßigtften fagten: „Wenn Napoleon nicht todt ift, fo wird er durch feine Fehler und Unfälle gebeffert zurückkehren; er wird Frieden mit Europa fchließen und der Reft von unferen Kindern wird gerettet fein." Zwei Stunden nach feiner Frau trat Herr Lavalette bei mir ein, um mir die Verhaftung Mallet's mitzutheilen; er verbarg mir nicht (das war feine gewöhnliche Phrafe), daß Alles zu Ende fei. Es wurde im nämlichen Augenblicke Tag und Nacht. Wie Bonaparte diefe Nachricht auf einem Schneefelde bei Smolensk empfing, habe ich fchon erzählt.

Der Senatsbefchluß vom 12. Januar 1813 ftellte dem zurückgekehrten Napoleon zweimalhundert fünfzigtaufend Mann zur Verfügung; das unerfchöpfliche Frankreich fah aus dem Blute feiner Wunden neue Soldaten hervorquellen. Da vernahm man eine feit langer Zeit vergeffene Stimme; einige alte franzöfifche Ohren glaubten ihren Ton zu erkennen: es war die Stimme Ludwig's XVIII, die fich aus feinem Exile erhob. Der Bruder Ludwig's XVI fündete Grundfätze an, die einft eine conftitutionelle Charte fanctioniren follte; erfte Hoffnungen auf Freiheit, die uns von unferen alten Königen gegeben wurden.

In Warfchau eingezogen, richtet Alexander eine Proclamation an Europa:

. . . .

„Wenn der Norden das erhabene Beifpiel nachahmt, welches

die Castilianer bieten, so ist die Trauerzeit der Welt zu Ende. Auf dem Punkte, die Beute eines Ungeheuers zu werden, wird Europa seine Unabhängigkeit und Ruhe zugleich wieder erhalten. Möchte endlich dieser blutige Koloß, welcher die Welt mit seiner verbrecherischen Ewigkeit bedrohte, nur eine lange Erinnerung voller Schrecken und Mitleid sein!"

Dieses Ungeheuer, dieser blutige Koloß, welcher den Continent mit seiner verbrecherischen Ewigkeit bedrohte, war durch das Unglück so wenig belehrt worden, daß er, kaum den Kosacken entronnen, sich auf einen Greis warf, den er in Gefangenschaft hielt.

Der Papst in Fontainebleau.

Wir haben die Fortschaffung des Papstes aus Rom, seinen Aufenthalt in Savonne und nachher seine Gefangenschaft in Fontainebleau schon angeführt. In dem heiligen Collegium war Uneinigkeit entstanden; die Kardinäle wollten, der heilige Vater solle nur in Bezug auf das Geistige Widerstand leisten, und sie hatten Befehl, keine anderen als schwarze Strümpfe zu tragen; einige wurden in die Provinzen in Verbannung geschickt, mehrere Häupter der französischen Geistlichkeit in Vincennes eingesperrt; andere Kardinäle stimmten für die vollständige Unterwerfung des Papstes und behielten ihre rothen Strümpfe bei. Es war eine zweite Vorstellung der Wachskerzen von Lichtmeß.

Als der Papst in Fontainebleau einige Ruhe vor der beständigen, überlästigen Gegenwart der rothen Kardinäle bekam, spazierte er oft allein in den Gallerien Franz I; er fand dort Spuren der Künste, welche ihn an die heilige Stadt erinnerten, und von seinen Fenstern aus sah er die Fichten, die Ludwig XVI den düsteren Gemächern gegenüber gepflanzt hatte, in welchen Monaldeschi ermordet worden war. Von dieser Einöde aus konnte er, wie Jesus, die Königreiche der Erde verachten. Der halbtobte Siebenziger, den Bonaparte selbst noch quälte, unterzeichnete mechanisch jenes Concordat von 1813, gegen das er bald nach der Ankunft der Karbinäle Pacca und Consalvi protestirte.

Als Pacca den Gefangenen wieder aufsuchte, mit dem er aus Rom abgereist war, stellte er sich vor, eine große Menschenmenge rings um das königliche Gefängniß zu finden; er traf jedoch in den Höfen nur selten einen Diener an und oben an der in Hufeisenform erbauten Treppe bloß eine einzige Schildwache aufgestellt. Die Fenster und Thüren des Palastes waren verschlossen; in dem ersten Vorzimmer zu den Gemächern befand sich der Karbinal Doria, in den andern Sälen hielten sich einige französische Bischöfe auf. Pacca wurde bei Sr. Heiligkeit eingeführt; er fand den Greis stehend, unbeweglich, blaß, gebogen, abgemagert und mit eingesunkenen Augen.

Der Karbinal sagte zu ihm, daß er seine Reise beschleunigt habe, um sich zu seinen Füßen zu werfen; der Papst antwortete ihm: „Diese Karbinäle haben uns mit an den Tisch gezogen und uns zum Unterzeichnen verleitet." Bestürzt über die Einsamkeit dieser Wohnung, das Schweigen der Augen, die Niedergeschlagenheit der Gesichter und den tiefen Kummer, der auf der Stirne des Papstes zu lesen war, zog sich Pacca in das für ihn bereitete Zimmer zurück.

„Zu Seiner Heiligkeit zurückgekehrt," äußert er sich, „fand ich ihn in einem bemitleidenswerthen Zustande, der für sein Leben fürchten ließ. Er war vernichtet und voll trostloser Betrübniß, als er von dem Geschehenen sprach; dieser quälende Gedanke raubte ihm den Schlaf und gestattete ihm nicht, mehr Nahrung zu sich zu nehmen, als nöthig war, um sich das Leben zu fristen. — Das wird mich noch dahin bringen, daß ich als Wahnsinniger sterbe, wie Clemens XIV, sagte er."

In dem Geheimniß dieser unbewohnten Gallerien, wo die Stimme des heiligen Ludwig, Franz I, Heinrich's IV und

Ludwig's XIV sich nicht mehr vernehmen ließ, brachte der heilige Vater mehrere Tage mit Abfassung des Conceptes und der Copie des Briefes zu, der dem Kaiser zugestellt werden sollte. Der Kardinal Pacca trug das gefährliche Papier immer in seinem Rocke verborgen, sobald der Papst wieder einige Linien hinzugefügt hatte. Nachdem die Arbeit beendigt war, stellte der Papst am 24. Mai 1813 den Brief dem Oberst Lagorce zu und beauftragte ihn, denselben dem Kaiser zu bringen. Zu gleicher Zeit ließ er die verschiedenen Karbinäle, die sich bei ihm befanden, eine Allocution lesen; er erklärt darin das Breve, das er in der Savonne erlassen hat, und das Concordat vom 25. Januar für nichtig. „Gelobt sei der Herr," heißt es in der Allocution, „der seine Barmherzigkeit nicht von uns gewendet hat! Er hat uns gnädiglich durch eine heilsame Demüthigung beschämen wollen. Demüthigen wir uns daher zum Heil unserer Seele; ihm sei von Ewigkeit zu Ewigkeit Preis, Ehre und Anbetung!

„Im Palast zu Fontainebleau, am 24. März 1813."

Nie ging eine schönere Verordnung aus diesem Palast hervor. Nachdem das Gewissen des Papstes sich erleichtert hatte, wurde das Antlitz des Märtyrers heiter; sein Lächeln und sein Mund fanden ihre Anmuth und seine Augen den Schlaf wieder.

Napoleon drohte Anfangs, einigen der Pfaffen in Fontainebleau die Köpfe abschneiden zu lassen. Er hatte im Sinn, sich zum Oberhaupt der Staatsreligion zu erklären, fiel dann aber wieder in sein Naturell zurück und gab sich den Anschein, von dem Briefe des Papstes Nichts gewußt zu haben. Sein Glück war jedoch im Abnehmen. Aus einem armen Mönchsorden hervorgegangen und durch sein Unglück wieder in den Schooß der Menge zurückgetrieben, schien der Papst die große Rolle eines Völkertribuns übernommen und das Signal zur Entsetzung des Bedrückers der öffentlichen Freiheiten gegeben zu haben.

Abfälle. — Lagrange's und Delille's Tod.

Das Mißgeschick veranlaßt Verräthereien, rechtfertigt sie aber nicht; im März 1813 schließt Preußen in Kalisch mit Rußland ein Bündniß. Am 3. März macht Schweden mit dem Cabinet von Saint-James einen Vertrag; es verpflichtet sich, dreißigtausend Mann zu stellen. Hamburg wird von den Franzosen geräumt, Berlin von den Kosacken besetzt, Dresden von den Russen und Preußen eingenommen.

Der Abfall des Rheinbundes bereitet sich vor. Oestreich tritt dem Bündniß Rußlands und Preußens bei. In Italien, wohin sich der Prinz Eugen verfügt hat, bricht der Krieg wieder los.

In Spanien vernichtet die englische Armee Joseph bei Wittoria; die aus Kirchen und Palästen entwendeten Gemälde fallen in den Ebro; ich hatte sie in Madrid und im Escurial gesehen, ich sah sie nochmals, als man sie in Paris wieder herstellte; die Wellen und Napoleon waren über diese Murillo's und diese Raphael's hingebraust, velut umbra. Immer vorrückend, schlägt Wellington den Marschall Soult in Roncevaux; unsere großen Erinnerungen bildeten den Hintergrund der Scenen unserer neuen Geschicke.

Am 14. Februar erklärte Bonaparte bei der Eröffnung des gesetzgebenden Körpers, daß er stets den Frieden gewollt habe und dieser der Welt nothwendig sei. Uebrigens fand sich im Munde dessen, der uns seine Unterthanen nannte, keine Sympathie für die Schmerzen Frankreichs; Bonaparte bürdete uns Leiden auf, wie einen ihm schuldigen Tribut.

Am 3. April fügt der Erhaltungssenat den schon verheißenen Streitern noch 180,000 Mann bei, als außerordentliche Aushebung unter den gesetzlichen Aushebungen. Der 10. April kostet Lagrange das Leben; der Abbé Delille starb einige Tage nachher. Wenn im Himmel der Adel der Gesinnungen den Sieg über die

Erhabenheit des Gedankens davonträgt, so wird der Sänger des Erbarmens näher am Throne Gottes stehen, als der Verfasser der Theorie der analytischen Functionen.

Bonaparte hatte am 15. April Paris verlassen.

––––––

Die Schlachten von Lützen, Bautzen und Dresden. — Mißgeschicke in Spanien.

Die im Jahre 1812 begonnenen Empörungen hatten sich vorerst nur bis nach Sachsen erstreckt. Napoleon kommt dort an. Die Ehre des alten zu Grunde gegangenen Kriegsheeres wird zweimalhunderttausend Conscribirten übertragen, welche sich wie die Grenadiere von Marengo schlagen.

Am 2. Mai wird die Schlacht von Lützen gewonnen. In diesen neuen Kämpfen wendet Bonaparte fast nur noch die Artillerie an. In Dresden eingezogen, sagt er zu den Bewohnern: „Es ist mir nicht unbekannt, welchem Jubel Ihr Euch überlassen habt, als der Kaiser Alexander und der König von Preußen Eure Mauern betraten. Wir sehen auf dem Pflaster noch die verdorrten Ueberreste der Blumen, die Eure jungen Mädchen vor den Monarchen hergestreut haben.“ Dachte Napoleon wohl an die jungen Mädchen von Verdun? Das war zur Zeit seiner schönen Jahre geschehen.

Bei Bautzen wieder ein Sieg, der jedoch den Geniegeneral Kirgener und Duroc, den Großmarschall des Palastes, begräbt. „Es gibt ein anderes Leben,“ sagte der Kaiser zu Duroc; „wir werden uns wiedersehen.“ Lag es wohl Duroc so sehr am Herzen, ihn wiederzusehen?

Am 26. und 27. August langt man an der Elbe, auf schon berühmten Schlachtfeldern an. Aus Amerika zurückgekehrt, nachdem er Bernadotte in Stockholm und Alexander in Prag gesehen,

verliert. Moreau in Dresden an der Seite des Kaisers von Ruß=
land beide Beine; eine alte Gewohnheit des Napoleon'schen Glücks.
Der Tod des Siegers vor Hohenlinden wurde im französischen
Lager durch einen verlorenen Hund bekannt, auf dessen Halsband
der Name des neuen Türenne stand; das herrenlose Thier lief auf's
Gerathewohl unter den Todten umher: Te, janitor orci!

Der Kronprinz von Schweden, welcher Generalissimus der Armee
des nörblichen Deutschlands geworden war, hatte am 15. August
eine Proclamation an seine Soldaten erlassen:

„Soldaten, das gleiche Gefühl, welches die Franzosen von
1792 leitete und sie dazu brachte, sich zu vereinigen und die auf
ihrem Gebiete befindlichen Armeen zu bekämpfen, muß heute Eure
Tapferkeit gegen den lenken, welcher, nachdem er den Boden, auf
dem Ihr zur Welt kamt, verheert hat, noch immer Eure Brüder,
Weiber und Kinder in Fesseln schlägt."

Bonaparte, der einer einmüthigen Verwünschung entgegen=
ging, stürzte sich gegen die Freiheit, die ihn von allen Seiten und
unter allen Formen angriff. Ein Senatsbeschluß vom 28. August
annullirt die Erklärung einer Jury von Anvers; unstreitig eine
kleine Verletzung der Rechte der Bürger nach der abscheulichen
Willkür, mit welcher der Kaiser verfahren war; es liegt jedoch
den Gesetzen eine heilige Unabhängigkeit zu Grunde, deren
Klagen gehört werden; diese Unterdrückung einer Jury machte
mehr Aufsehen, als die verschiedenen Bedrückungen, deren Opfer
Frankreich war.

Im Süden hatte endlich der Feind unsern Boden betreten; die
Engländer, Bonaparte's Plage, die ihn auch beinahe zu allen
seinen Fehlern veranlaßten, überschritten am 7. October die Bi=
dassoa; Wellington, der verhängnißvolle Mann, setzte zuerst den
Fuß auf französische Erde.

Napoleon, welcher trotz der Gefangennehmung Vandamme's
in Böhmen und der Niederlage Ney's bei Berlin durch Bernadotte

Chateaubriand's Memoiren. IV.   6

beharrlich in Sachsen bleiben wollte, kam nach Dresden zurück. Da erhebt sich der Landsturm und ein Nationalkrieg, ähnlich dem, welcher Spanien befreit hat, organisirt sich.

Der Feldzug in Sachsen und die deutschen Dichter.

Man hat die Kämpfe von 1813 den Feldzug von Sachsen geheißen; man könnte ihn richtiger den Feldzug des jungen Deutschlands oder der deutschen Dichter nennen. Zu welcher Verzweiflung hat uns Bonaparte durch seine Bedrückung geführt, da wir, indem wir unser Blut fließen sehen, uns einer Regung der Theilnahme an dieser edelmüthigen Jugend, die im Namen der Unabhängigkeit das Schwert ergriff, nicht enthalten können? Jeder dieser Kämpfe war eine Protestation zu Gunsten der Rechte der Völker.

In einer seiner Proclamationen, datirt aus Kalisch vom 25. März 1813, rief Alexander die Völkerschaften Deutschlands unter die Waffen und versprach ihnen im Namen seiner Brüder, der Könige, freie Institutionen. Dieses Signal förderte die schon im Geheimen gebildete Burschenschaft zu Tage. Die Universitäten Deutschlands öffneten sich; sie setzten den Schmerz bei Seite, um nur an die Genugthuung für die Schmach zu denken. „Die Klagen und die Thränen seien kurz, die Trauer und der Schmerz lang," sagten die Germanen der Vorzeit; „dem Weibe steht das Weinen, dem Manne die Erinnerung zu. Lamenta ac lacrymas cito, dolorem et tristitiam tarde ponunt. Feminis lugere honestum est, viris meminisse." Nun eilt das junge Deutschland zur Befreiung des Vaterlandes herbei; jetzt drängten sich Germanen, die Verbündeten des Reiches, deren sich das alte Rom als Waffen und Wurfspieße bediente, um eine Fahne; velut tela atque arma.

Professor Fichte hielt 1813 in Berlin Vorlesungen über die Pflicht; er sprach von der Noth Deutschlands und schloß mit den Worten: „Der Curs wird daher bis zu Beendigung des Feldzugs eingestellt sein. Wir werden ihn in unserm freigewordenen Vaterlande wieder beginnen oder für die Erringung der Freiheit gestorben sein." Die jungen Zuhörer erheben sich unter Beifallrufen; Fichte steigt vom Katheder herab, schreitet durch die Menge und setzt seinen Namen auf die Liste eines zur Armee abgehenden Corps.

Alles, was Bonaparte verachtet oder beschimpft hatte, wird ihm gefährlich; der Geist tritt gegen die rohe Gewalt in die Schranken; Moskau ist die Fackel, bei deren Scheine Deutschland sein Wehrgehänge umgürtet. „Zu den Waffen!" ruft die Muse. „Der Phönix Rußlands hat sich von seinem Scheiterhaufen emporgeschwungen!" Jene so zartgebaute und so schöne Königin Preußens, die Napoleon mit seinen unedlen Beschimpfungen überhäuft hatte, verwandelt sich in einen flehenden und angeflehten Schatten. „Wie sanft sie schläft!" singen die Barden. Ach, möchtest Du bis zu jenem Tage schlafen, wo Dein Volk den Rost seines Schwertes im Blute abwaschen wird! Erwache dann! erwache! Sei der Engel der Freiheit und der Rache!"

Körner hat nur eine Furcht, die, prosaisch zu sterben. „Poesie! Poesie!" ruft er, „laß mich sterben in Gottes freier Luft!"

Im Bivouac verfaßt er sein Schwertlied:

> „Du Schwert an meiner Linken,
> Was soll dein heitres Blinken?
> Schaust mich so freundlich an,
> Hab' meine Freude dran, Hurrah!

> „Mich trägt ein wackrer Reiter,
> Drum blink' ich auch so heiter,
> Bin freien Mannes Wehr;
> Das freut dem Schwerte sehr." Hurrah!

6*

Ja, gutes Schwert, frei bin ich,
Und liebe dich herzinnig,
Als wärst du mir getraut,
Als eine liebe Braut. Hurrah!

„Dir hab' ich's ja ergeben,
Mein lichtes Eisenleben.
Ach wären wir getraut!
Wann holst du deine Braut? Hurrah!

Meint man nicht einen jener nordischen Krieger, einen jener
Männer der Schlachten und der Einsamkeit zu hören, von denen
Saxo Grammaticus sagt: „Er fiel, lachte und starb."

Es war nicht die kalte Begeisterung eines in Sicherheit sich
befindenden Skalden; Körner hatte das Schwert an der Seite;
schön, blond und jung, ein Apollo zu Pferde, sang er bei Nacht, wie
der Araber auf seinem Sattel; die Melodien seiner Lieder wurden
vom Hufschlag seines gegen den Feind ansprengenden Schlacht=
rosses begleitet. Bei Lützen verwundet, schleppte er sich in's Ge=
hölze, wo ihn Bauern fanden; er erschien wieder und starb auf
den Ebenen von Leipzig, kaum fünfundzwanzig Jahre alt; er
hatte sich den Armen einer Geliebten entrissen und verließ Alles,
was das Leben Herrliches hat. „Die Frauen," sagt Tyrtäus,
„betrachten gerne den jungen in Lebensfülle strahlenden Mann;
doch ist er nicht minder schön, wenn er in den ersten Reihen fällt.

Die neuen Arminiusse, in der Schule der Griechen großgezo=
gen, hatten ein allgemeines Bardenlied. Als die Studenten die
friedliche Zurückgezogenheit der Wissenschaft mit dem Schlacht=
feld vertauschten, die stillen Freuden des Studiums mit den tosen=
den Gefahren des Kriegs, Homer und die Nibelungen mit dem
Schwert, was setzten sie da unserm blutigen Hymnus, unserm
Revolutionslied entgegen? Folgende Strophen voll religiösen Ge=
fühls und natürlich humaner Biederkeit:

Was ist des Deutschen Vaterland?
O nenne mir das große Land!
„So weit die deutsche Zunge klingt
Und Gott im Himmel Lieder singt!"
Das soll es sein,
Das, wackrer Deutscher, soll es sein!

Das ist der Deutschen Vaterland,
Wo Eide schwört der Druck der Hand,
Wo Treue hell vom Auge blitzt
Und Liebe warm im Herzen sitzt.
Das soll es sein,
Das, wackrer Deutscher, soll es sein!

Das ganze Deutschland soll es sein,
O Gott vom Himmel, sieh darein,
Und gib uns ächten deutschen Muth,
Daß wir es lieben treu und gut.
Das soll es sein,
Das ganze Deutschland soll es sein!

Diese Schulkameraden, die jetzt Waffengefährten waren, unterzeichneten sich nicht in jenen Venta's, wo Septembristen dem
Dolche Opfer widmeten; der Poesie ihrer Träume, den Traditionen
der Geschichte, dem Cultus der Vergangenheit getreu, bestimmten
sie ein altes Schloß, einen Wald zum beschützenden Asyl der
Burschenschaft. Die Königin von Preußen war statt der Königin
der Nacht ihre Schutzheilige geworden.

Von einem Hügel, von Ruinen herab entdeckten die Schüler-
Soldaten mit ihren Professoren-Hauptleuten ben Giebel der Säle
ihrer geliebten Universitäten; bewegt durch die Erinnerung an ihr
gelehrtes Alterthum, gerührt beim Anblick des Heiligthums der
Studien und Spiele ihrer Kindheit, schwuren sie, ihr Land zu befreien, wie Melchthal, Fürst und Stauffacher beim Anblick der
durch sie unsterblich gewordenen Alpen, welche hinwiederum sie
berühmt machten, ihren dreifachen Schwur aussprachen. Das
deutsche Genie hat etwas Geheimnißvolles; Schiller's Thekla ist
noch das mit der Gabe der Weissagung ausgestattete und aus

einem göttlichen Element gebildete teutonische Mädchen. Die Deut=
schen beten heutzutage die Freiheit in einer vagen Unbestimmtheit
an, wie sie einst Gott das Geheimniß der Wälder nannten:
Deorumque nominibus appellant secretum illud . . . Der Mann,
dessen Leben ein in Handlung gesetzter Dithyrambus war, fiel erst,
als die Dichter des jungen Deutschlands gesungen und gegen
ihren Nebenbuhler Napoleon, den bewaffneten Poeten, das Schwert
gezogen hatten.

Alexander war würdig, der den jungen Deutschen gesandte
Herold gewesen zu sein; er theilte ihre erhabenen Gesinnungen,
und befand sich in jener mächtigen Lage, welche die Ausführung
von Plänen möglich macht; er ließ sich jedoch durch die Furcht
der ihn umgebenden Monarchen erschrecken. Diese Monarchen
hielten ihre Versprechungen nicht; sie gaben ihren Völkern keine
großmüthigen Institutionen. Die Söhne der Musen — einer
Flamme, durch welche die stumpfen Massen der Soldaten belebt
worden waren — wurden zum Lohn für ihre Hingebung und ihre edle
Leichtgläubigkeit in Kerker geworfen. Ach, die Generation, welche den
Teutonen die Unabhängigkeit erfocht, ist erloschen; in Germanien sind
nur alte, abgenützte Cabinette geblieben. Sie nennen, so laut sie
können, Napoleon einen großen Mann, damit ihre jetzige Bewun=
derung ihnen als Entschuldigung für ihre frühere Niederträchtig=
keit diene. In der dummen Begeisterung für den Mann, welcher
die Regierungen, nachdem er sie gegeißelt hat, fortwährend noch
demüthigte, gedenkt man kaum Körner's. „Arminius, der Be=
freier Germaniens," sagt Tacitus, „blieb den Griechen, welche
nur sich selbst bewundern, unbekannt, war bei den Römern, die
er besiegt hatte, nicht besonders berühmt; aber barbarische Na=
tionen besingen ihn noch, caniturque barbarus apud gentes.

Schlacht bei Leipzig. — Rückkehr Bonaparte's nach Paris. — Vertrag von Valençay.

Am 18. und 19. October wurde auf den Feldern von Leipzig jene Schlacht geliefert, welche die Deutschen die Völkerschlacht genannt haben. Gegen Abend des zweiten Tages gingen die Sachsen und Württemberger aus Napoleon's Lager zu Bernadotte's Fahnen über und führten dadurch die Entscheidung, einen mit Verrath befleckten Sieg, herbei. Der Kronprinz von Schweden, der Kaiser von Rußland und der König von Preußen drangen durch drei verschiedene Thore in Leipzig ein.

Napoleon, der einen unermeßlichen Verlust erlitten hatte, retirirte. Da er sich nicht auf Serschantenrückzüge verstand, wie er gesagt hatte, so ließ er die Brücken hinter sich in die Luft sprengen. Der zweimal verwundete Prinz Poniatowsky ertrinkt in der Elster; Polen stürzte mit seinem letzten Vertheidiger.

Napoleon hielt erst in Erfurt an; von da aus berichtete sein Bülletin, daß seine sonst stets siegreiche Armee geschlagen hier ankomme. Kurze Zeit zuvor hatte Erfurt Napoleon auf dem Gipfel des Glücks gesehen.

Endlich versuchen die Baiern, welche nach dem Beispiele der Andern ebenfalls zu Deserteuren an einem sich wendenden Glück werden, bei Hanau den Rest unserer Soldaten zu vertilgen. Wrede wird von den Ehrengarden allein geworfen; einige Conscribirte, bereits zu Veteranen geworden, marschiren über seinen Leib, retten Bonaparte und stellen sich jenseits des Rheines auf. Als Flüchtling in Mainz angekommen, fand sich Napoleon am 19. November wieder in Saint=Cloud ein und der unermüdliche Lacepède sagt ihm von Neuem: „Ew. Majestät hat Alles überwunden."

Herr von Lacepède hatte geziemend von den Eier legenden Thieren gesprochen, mußte aber immer seinen Rücken krümmen.

Holland erringt seine Unabhängigkeit wieder und ruft den

Prinzen von Oranien zurück. Am 1. December erklären die verbündeten Mächte, „daß sie nicht Frankreich, sondern den Kaiser allein oder vielmehr jenes Uebergewicht bekriegen, das er zum Unglück Europa's und Frankreichs außerhalb der Grenzen seines Reiches allzu lange ausgeübt hat."

Wenn man den Augenblick herannahen sieht, wo wir in unserm alten Gebiete eingeschlossen werden sollten, so frägt man sich, wozu der Umsturz Europa's und das Abschlachten so vieler Millionen Menschen genützt habe. Die Zeit verschlingt uns und setzt ruhig ihren Lauf fort.

In Folge des am 11. December in Valençay geschlossenen Vertrages wird der elende Ferdinand VII nach Madrid zurückgeschickt. So kläglich und rasch endigte jene verbrecherische Eroberung Spaniens, die erste Ursache von Napoleon's Untergang. Man kann wohl Böses thun, man kann wohl ein Volk oder einen König umbringen; aber die Rückkehr ist schwierig. Jacques Clement besserte seine Sandalen zur Reise nach Saint-Cloud aus; seine Mitbrüder fragten ihn lachend, wie lange seine Arbeit halten würde: „Hinlänglich für den Weg, den ich zu machen habe," antwortete er; „ich muß gehen, nicht zurückkehren."

––––––––

Der gesetzgebende Körper wird einberufen und dann vertagt. — Die Verbündeten gehen über den Rhein. — Bonaparte's Born. — Neujahrstag 1814.

Am 19. December 1813 versammelt sich der gesetzgebende Körper. Wunderbar auf dem Schlachtfelde, ausgezeichnet in seinem Staatsrath, besitzt Bonaparte in der Politik nicht den gleichen Werth; die Sprache der Freiheit ist ihm unbekannt; will er eine geniale Gewogenheit, väterliche Gefühle ausdrücken, so zeigt er sich in ganz verkehrter Weise gerührt und kleidet seine Gefühllosigkeit in bewegte Worte.

„Mein Herz," sagt er zu dem gesetzgebenden Körper, „bedarf der Gegenwart und Liebe meiner Unterthanen. Das Glück vermochte mich nie zu verführen; das Mißgeschick wird mich über seine Angriffe erhaben finden. Ich hatte zum Wohl und Glück der Welt große Pläne gefaßt und ausgeführt. Monarch und Vater, fühle ich, daß der Friede zur Sicherheit der Throne und der Familien beiträgt."

Ein officieller Artikel des Moniteur hatte im Juli 1804 unter dem Kaiserreiche gesagt, daß Frankreich sich nie über den Rhein hinaus erstrecken und seine Armeen denselben nicht mehr überschreiten werden.

Die Verbündeten überschritten diesen Fluß am 21. December 1813 von Basel bis Schaffhausen mit mehr als hunderttausend Mann; am 31. desselben Monats überschritt ihn auch die schlesische Armee unter Blücher's Commando von Mannheim bis Koblenz.

Auf Befehl des Kaisers hatten der Senat und der gesetz= gebende Körper zwei Commissionen ernannt, die beauftragt waren, von den auf die Verhandlungen mit den vereinigten Mächten be= züglichen Documenten Kenntniß zu nehmen; eine Vorsicht einer Macht, welche, indem sie sich den unvermeidlich gewordenen Folgen entzog, die Verantwortlichkeit derselben einer andern Autorität auf= bürden wollte.

Die Commission des gesetzgebenden Körpers, in welchem Herr Lainé den Vorsitz führte, wagte den Ausspruch, daß die Friedens= mittel von sicherer Wirkung begleitet wären, wenn „die Franzosen überzeugt sein dürften, daß ihr Blut nur zur Vertheidigung eines Vaterlandes und schützender Gesetze vergossen werde, daß Se. Majestät dringend ersucht werde, die gänzliche und beständige Voll= streckung der Gesetze zu handhaben, welche den Franzosen für die Rechte der Freiheit, der Sicherheit, des Eigenthums und der Nation für die freie Ausübung ihrer politischen Rechte Gewähr leisten."

Der Polizeiminister, Herzog von Rovigo, läßt die sämmtlichen

Exemplare des Berichtes confisciren; ein Decret vom 31. December vertagt den gesetzgebenden Körper, die Thüren des Saales werden geschlossen. Bonaparte nennt die Mitglieder der gesetzgebenden Commission von England bezahlte Agenten. „Benannter Lainé," sagte er, „ist ein Verräther, welcher durch Vermittlung Desèzes' mit dem Prinz=Regenten in Correspondenz steht; Raynouard, Maine de Biran und Flaugergues sind Aufrührer.

Der Soldat wunderte sich, jene von ihm verlassenen Polen nicht mehr zu finden, welche, um ihm zu gehorchen, ertranken und in ihrem letzten Augenblick noch riefen: „Es lebe der Kaiser!" Er nannte den Commissionsbericht eine aus einem Jakobinerklub herrührende Motion. Man kennt nicht eine Rede Bonaparte's, in welcher sich nicht sein Widerwille gegen die Republik, aus der er hervorgegangen ist, kund gibt; doch haßte er weniger ihre Ver= brechen, als ihre Freiheiten. In Bezug auf diesen nämlichen Bericht fügte er hinzu: „Möchte man die Souveränetät des Volkes wieder herstellen? Wohlan, in diesem Falle werde ich das Volk; denn ich werde mich stets da behaupten, wo die Souveränetät ist." Nie hat wohl ein Despot seine Natur energischer erklärt; diese Aeußerung ist das wiederholte Wort Ludwig's XIV: „Der Staat, das bin ich."

Beim Empfang am Neujahrstage 1814 machte man sich auf eine Scene. gefaßt. Ich habe einen diesem Hofe angehörigen Mann gekannt, der sich für alle Fälle hin bereit hielt, den Degen zur Hand zu nehmen. Demungeachtet trieb es Napoleon nicht weiter, als zu heftigen Worten, aber diesen überließ er sich mit jenem Ungestüm, der zuweilen sogar seine Hellebardiere in Be= stürzung versetzte.

„Warum," rief er, „bespricht man diese häuslichen Zwistig= keiten vor ganz Europa? Man muß seine schmutzige Wäsche unter sich waschen. Was ist ein Thron? Ein mit einem Stück Zeug bedecktes Stück Holz. Alles hängt von dem ab, der darauf sitzt. Frankreich bedarf meiner mehr, als ich seiner. Ich bin einer jener Männer, die man töbten, aber nicht entehren kann. In drei Monaten werden wir Frieden haben; entweder wird der Feind aus unserem Gebiete verjagt oder werde ich tobt sein."

Bonaparte war gewohnt, die Wäsche der Franzosen in Blut zu waschen. Nach drei Monaten hatte man nicht Frieden, war der Feind nicht aus unserm Gebiete verjagt, hatte Bonaparte das Leben nicht verloren; der Tob war seine Sache nicht. Durch so viel Unglück und die undankbare Hartnäckigkeit des sich selbst gegebenen Gebieters niebergedrückt, sah sich Frankreich mit der stumpfen Bestürzung, die der Verzweiflung entspringt, von Feinden überschwemmt. Ein kaiserliches Decret hatte 121 Bataillone Nationalgarde mobil gemacht, ein anderes Decret einen Regentschaftsrath gebildet, der aus Ministern zusammengesetzt war, an deren Spitze die Kaiserin stand und in welchem Cambacérès präsidirte. Joseph, ein Monarch, der, mit seinem Raube aus Spanien zurückgekehrt, nun zur Verfügung stand, wird zum Generalcommandanten von Paris ernannt.

Am 25. Januar 1814 verläßt Bonaparte seinen Palast, um zur Armee abzugehen, wo er im Erlöschen noch einen blendenden Schein von sich wirft.

Der Papst wird in Freiheit gesetzt.

Zwei Tage vorher hatte der Papst seine Unabhängigkeit wieder erhalten; die Hand, welche nun bald selbst Fesseln tragen sollte, wurde gezwungen, die Ketten zu brechen, die sie geschmiedet hatte. Die Vorsehung hatte die Geschicke umgewandelt und der Wind, der Napoleon in's Gesicht blies, trieb die Verbündeten nach Paris.

Bei der Nachricht von seiner Befreiung beeilte sich Pius VII., in der Kapelle Franz I. ein kurzes Gebet zu verrichten. Dann bestieg er den Wagen und fuhr durch jenen Wald, in welchem nach der Volkssage der Großjägermeister des Todes erscheint, wenn ein König bald in die Grüfte von Saint=Denis hinabsteigen soll.

Der Papst reiste unter der Aufsicht eines Gendarmerieoffiziers, welcher ihn in einem andern Wagen begleitete. Erst in Orleans erfuhr er den Namen der Stadt, welche er betrat.

Unter den Beifallsrufen der Menge verfolgte er die Straße nach dem mittäglichen Frankreich, die ihn durch jene Provinzen führte, welche bald Napoleon, unter Bewachung der fremden Commissarien kaum in Sicherheit, durchreisen sollte. Seine Heiligkeit wurde auf dem Wege durch den Fall seines Bedrückers selbst aufgehalten; die Behörden hatten ihre Functionen eingestellt, man gehorchte Niemanden; ein schriftlicher Befehl Bonaparte's, der vierundzwanzig Stunden vorher den höchsten Kopf des Königreichs zu Falle gebracht hätte, war ein ungültiges Papier; es mangelte Napoleon an einigen Minuten Macht, um den Flüchtling zu be= schützen, den seine Macht verfolgt hatte. Es bedurfte eines pro= visorischen Mandates der Burbonen, um den Papst, der mit ihrem Diadem eine fremde Stirne gekrönt hatte, vollends in Freiheit zu setzen. Welch ein Wirrwarr der Schicksale!

Pius VII. setzte seinen Weg fort unter Lobgesängen und Thränen, unter dem Geläute der Glocken und dem Rufe: „Es lebe der Papst! Es lebe das Haupt der Kirche!" An seinen Wagen brachte man ihm keine Schlüssel von Städten, keine mit Blut getränkte und durch Mord erlangte Capitulationen, sondern Kranke, um sie zu heilen, Neuvermählte, um sie zu segnen. Zu den Ersteren sagte er: „Gott tröste Euch." Ueber die letzteren breitete er seine Friedenshände aus; die kleinen Kinder in den Armen ihrer Mütter streichelte er. Niemand blieb in den Städten zurück, als Leute, die nicht gehen konnten. Die Pilger brachten die Nacht auf den Feldern zu, um die Ankunft eines alten befreiten Priesters abzuwarten. Die Bauern fanden in ihrer Einfalt, der heilige Vater gleiche unserm Herrgott, und Protestanten äußerten sich sogar gerührt: Das ist der größte Mann seines Jahrhunderts." Das

ist die Größe der ächt christlichen Gesellschaft, wo Gott sich be=
ständig mit dem Menschen vermischt, so überlegen über die Kraft
des Schwertes ist die Macht des Schwachen, der im Unglück an
der Religion seine Stütze findet.

Pius VII reiste auf seiner Rückfehr nach Italien duch Car=
caffonne, Beziers, Montpellier und Nimes. Am Ufer der Rhone
schien es, als ob die zahllosen Kreuzfahrer Raymonds von Tou=
louse nochmals in Saint=Remy Musterung hielten. Der Papst
sah Nizza, Savona, Imola wieder, die vor Kurzem noch Zeugen
seiner Trübsal und der ersten Kasteiungen seines Lebens waren.
Man weint gern wieder, wo man einst geweint hat. Unter ge=
wöhnlichen Verhältnissen erinnert man sich der Orte und der
Zeiten des Glückes. Pius VII ließ seine Tugenden und seine
Leiden an seinem Geiste vorüberziehen, wie ein Mensch in seinem
Gedächtniß seine erloschenen Leidenschaften wieder auffrischt.

In Bologna wurde der Papst den Händen der östreichischen
Behörden übergeben. Murat, Jaachim=Napoleon König von
Neapel, schrieb ihm am 4. April 1814:

„Allerheiligster Vater; da das Loos der Waffen mich zum
Gebieter über die Staaten gemacht hat, welche Sie besaßen, als
Sie gezwungen wurden, Rom zu verlassen, so zögere ich nicht,
dieselben wieder unter Ihre Herrschaft zu stellen, indem ich zu
Ihren Gunsten auf alle durch Eroberung mir in diesem Lande
erworbenen Rechte verzichte.“

Was hat man dem sterbenden Joachim und Napoleon gelassen?

Der Papst war noch nicht in Rom angekommen, als er
Napoleon's Mutter schon ein Asyl anbot. Legaten hatten von
der ewigen Stadt Besitz genommen. Mitten im Frühling, am
23. Mai, erblickte Pius VII die St. Peterskuppel. Er hat erzählt,
daß er Thränen vergossen habe, als er den heiligen Tempel wie=
der zu Gesicht bekam. Bei der Porta del Popolo ward der Papst
angehalten; zweiundzwanzig Waisenknaben in weißen Gewändern
und fünfundvierzig junge Mädchen, die große vergoldete Palmen

trugen, kamen ihm singend entgegen. Die Menge rief: Hosianna! Pignatelli, welcher den Befehl über die Truppen auf dem Quirinal führte, als Radet den Olivengarten Pius' VII mit Sturm nahm, führte jetzt den Reigen der Palmenträger an.

Zu derselben Zeit, wo Pignatelli die Rolle wechselte, traten meineidige Adelige in Paris hinter dem Stuhle Ludwig's XVIII wieder ihr Amt als Oberbedienten an. Das Glück wird uns sammt seinen Sklaven überliefert, wie ehemals ein herrschaftliches Gut mit seinen Leibeigenen verkauft wurde.

Bemerkungen, welche die Brochüre über Bonaparte und die Bourbonen bildeten. — Ich beziehe eine Wohnung in der Straße Rivoli. — Bewunderungswürdiger französischer Feldzug im Jahr 1814.

Im zweiten Buche dieser Memoiren liest man (ich kam eben von Dieppe aus meiner ersten Verbannung zurück): „Man hat mir erlaubt, in mein Thal zurückzukehren. Die Erde erzitterte unter den Tritten des fremden Soldaten; ich schreibe, wie die letzten Römer, unter dem Lärm des Einfalls der Barbaren. Bei Tage schreibe ich Blätter, deren Inhalt so aufregend ist, wie die Ereignisse ebendesselben Tages; Nachts versetze ich mich, während der ferne Kanonendonner in meinen einsamen Wäldern erstirbt, in die Stille der Jahre zurück, welche im Grabe ruhen, und zu den friedlichen Erinnerungen meiner ersten Jugend."

Jene Blätter voll aufregenden Inhaltes, die ich am Tage schrieb, waren Noten, welche sich auf die Ereignisse des Augenblicks bezogen und zusammengestellt, meine Brochüre über Bonaparte und die Bourbonen bildeten. Ich hatte eine so hohe Idee von Napoleon's Genie und der Tapferkeit unserer Soldaten, daß der Gedanke an einen Einfall des Auslandes, der bis auf seine letzten Ergebnisse hinaus glücklich sein würde, mir nie in den Kopf fahren konnte; allein ich dachte, dieser Einfall würde Frankreich fühlen lassen, in welche Gefahr das Land durch Napoleon's Ehrgeiz gestürzt worden sei, und eine Bewegung im Innern herbeiführen, so daß die Befreiung der Franzosen sich durch ihre eigenen Hände bewerkstelligen würde. Von dieser Idee geleitet, schrieb ich meine Noten, damit unsere politischen Versammlungen, wenn sie den Marsch der Verbündeten aufhielten und den Entschluß fassen sollten, sich eines großen Mannes, der zur Geißel geworden war, zu entledigen, wüßten, an wen sie sich halten sollten. Der Schutz schien mir in der den Forderungen der Zeit gemäß modificirten Autorität zu sein, unter welcher unsere Vorfahren acht Jahrhunderte lang gelebt hatten. Wenn man bei einem Gewitter in der Nähe bloß ein altes Gebäude findet, so benützt man dieses Obdach, wie verfallen es auch sei.

In dem Winter von 1813 auf 1814 bezog ich eine Wohnung in der Straße Rivoli, dem ersten Gitterthore des Gartens der Tuilerien gegenüber, vor welchem ich den Tod des Herzogs von Enghien ausrufen gehört hatte. Man sah in dieser Straße erst die von der Regierung erbauten Arkaden und einige Häuser, die sich hie und da mit ihren ausgezackten Seitenmauern erhoben.

Es bedurfte nichts Geringeres als aller der Uebel, von denen Frankreich erdrückt war, um die Abneigung, welche Napoleon einflößte, beizubehalten und sich zugleich der Bewunderung zu erwehren, die er erweckte, sobald er handelte. Er war das kühnste handelnde Genie, das je gelebt hat; sein erster Feldzug in Italien und sein letzter Feldzug in Frankreich (ich spreche nicht von Waterloo) sind seine beiden schönsten Feldzüge; Condé im ersten, Türenne im zweiten, zeigte er sich in jenem als großer Krieger, in diesem als großer Mann. Sie waren jedoch in ihren Resultaten verschieden; durch den einen erlangte er das Reich, durch den andern verlor er es. So entwurzelt, so haltlos seine letzten Stunden der Macht waren, so konnten sie ihm doch nur, gleich den Zähnen eines

Löwen, durch die Anstrengungen des Armes von ganz Europa
entrissen werden. Napoleon's Name war noch immer so furchtbar,
daß die feindlichen Armeen den Rhein nur mit Schrecken über=
schritten; sie schauten beständig rückwärs, um sich von der Mög=
lichkeit eines Rückzuges zu versichern. Selbst als sie schon
Herren von Paris waren, zitterten sie noch. Als Alexander beim
Einmarsch in Frankreich einen Blick auf Rußland warf, beglück=
wünschte er die Personen, welche dahin zurückkehren konnten, und
theilte seiner Mutter in einem Briefe seine Angst und seine Be=
sorgnisse mit.

Napoleon schlägt die Russen bei St. Dizier, die Preußen und
die Russen bei Brienne, als wollte er den Feldern, auf welchen er
erzogen wurde, Ehre machen. Er wirft die schlesische Armee bei
Montmirail, bei Champaubert und einen Theil der großen Armee
bei Montereau. Ueberall bietet er die Spitze, geht und kommt
wieder und drängt die Colonnen, von denen er umringt ist, zurück.
Die Verbündeten schlagen einen Waffenstillstand vor; Bonaparte
zerreißt die angebotenen Friedensbedingungen und ruft: „Ich stehe
Wien näher, als der Kaiser von Oestreich Paris!"

Um sich gegenseitig zu stärken, schlossen Rußland, Oestreich,
Preußen und England in Chaumont einen neuen Bundesvertrag;
im Grunde aber dachten sie, durch Napoleon's Widerstand erschreckt,
an den Rückzug. In Lyon bildete sich an der Seite der Oestrei=
cher eine Armee; im Süden hielt der Marschall Soult die Eng=
länder auf; noch immer unterhandelte der Congreß von Chatillon,
der erst am 15. März aufgelöst wurde. Bonaparte verjagte
Blücher von den Höhen von Craone. Die große Armee der Ver=
bündeten hatte am 27. Februar bei Bar=sur=Aube nur durch ihre
Ueberlegenheit an Mannschaft gesiegt. Bonaparte, der sich ver=
vielfältigte, hatte Troyes wieder erlangt, das die Verbündeten zum
zweiten Mal besetzten. Von Craone hatte er sich nach Rheims
gewendet. „Heute Nacht," sagte er, „will ich meinen Schwieger=
vater in Troyes holen."

Am 20. März fand ein Gefecht bei Arcis-sur-Aube statt. Während des Donners der Artillerie war eine Haubitzenkugel auf die Front eines Carré der Garde gefallen; das Carré schien eine leichte Bewegung zu machen; Bonaparte stürzt sich auf den in die Höhe geworfenen Ball, dessen Lunte raucht, er läßt sein Pferd daran riechen; die Kugel zerplatzt und der Kaiser geht gesund und wohlbehalten aus dem zermalmenden Strahl hervor.

Die Schlacht sollte am folgenden Tage wieder beginnen; allein Bonaparte, welcher der Eingebung des Genies folgte, einer Eingebung, die ihm nichtsdestoweniger verderblich wurde, zieht sich zurück, um sich den verbündeten Truppen in den Rücken zu werfen, sie von ihren Magazinen zu trennen und seine Armee mit den Garnisonen der Grenzplätze zu vergrößern. Die Fremden schickten sich an, sich an den Rhein zurückzuziehen, als Alexander in Folge einer jener vom Himmel eingegebenen Bewegungen, die eine ganze Welt umgestalten, den Entschluß faßte, nach Paris zu marschiren, wohin der Weg frei geworden war. *)

Napoleon glaubte die Masse der Feinde in's Schlepptau zu nehmen, während ihm nur 10,000 Mann Reiterei folgten, welche er für die Avantgarde der Haupttruppen hielt und die ihm die wirkliche Bewegung der Preußen und Moscowiten verbargen. In Saint-Dizier und Vitry zersprengte er diese 10,000 Pferde und gewahrte dann, daß die große Armee der Verbündeten sich nicht hinter ihm befinde. Diese Armee, welche sich auf die Hauptstadt zustürzte, hatte nur die Marschälle Marmont und Mortier mit ungefähr 12,000 Mann Conscribirten vor sich.

Napoleon wendet sich schleunig Fontainebleau zu; hier hatte ein heiliges Opfer bei seiner Entfernung den Vergelter und Rächer zurückgelassen. In der Geschichte gehen immer zwei Dinge

---

*) Ich hörte den General Pozzo erzählen, daß er den Kaiser Alexander zum Vorwärtsmarschiren bestimmt habe.

mit einander; wo sich ein Mensch eine Bahn der Ungerechtigkeit öffnet, öffnet er sich zugleich eine Bahn des Verderbens, auf wel= cher in einer gewissen Entfernung der erste Weg mit dem zweiten zusammenstößt.

Ich lasse den Druck meiner Brochüre beginnen. — Eine Note von der Hand der Frau von Chateaubriand.

Die Geister waren sehr aufgeregt; die Hoffnung, einen grau= samen Krieg, der seit zwanzig Jahren auf dem mit Unglück und Ruhm übersättigten Frankreich lastete, aufhören zu sehen, koste es, was es wolle, trug in den Massen den Sieg über die Nationa= lität davon. Jeder beschäftigte sich mit dem Gedanken, welch eine Partei er bei der bevorstehenden Katastrophe ergreifen solle. Jeden Abend besuchten meine Freunde Frau von Chateaubriand, um bei ihr zu plaudern und die Tagesereignisse zu erzählen und zu be= sprechen. Die Herren von Fontanes, von Clausel, Joubert fan= den sich mit der Masse jener zugvogelartigen Freunde ein, welche die Ereignisse uns bringen und nehmen. Die schöne, friedliche und hingebungsvolle Herzogin von Levis, die wir in Gent wieder finden werden, war eine treue Gesellschafterin der Frau von Cha= teaubriand. Auch die Frau Herzogin von Duras befand sich in Paris, und ich besuchte oft die Marquise von Montcalm, die Schwester des Herzogs von Richelieu. Trotz der Annäherung des Schlachtfeldes behielt ich fortwäh= rend die Ueberzeugung bei, daß die Verbündeten Paris nicht be= treten würden und ein Nationalaufstand unseren Befürchtungen ein Ende machen werde. Von dieser Idee erfaßt, schmerzte mich die Anwesenheit der fremden Armeen nicht so lebhaft, wie es sonst der Fall gewesen wäre; ich konnte jedoch nicht umhin, an die Trüb= sal zu denken, die Europa durch uns erlitten hatte, als ich sah, wie Europa sie uns zurückbrachte.

Ich beschäftigte mich unablässig mit meiner Brochüre; ich bereitete sie gleich einem Heilmittel für den Augenblick zu, wo die Anarchie ausbrechen würde. Heutzutage schreiben wir nicht so, sondern behaglicher, da wir Nichts als den Krieg der Feuilletons zu befürchten haben. Nachts riegelte ich mich ein, legte die überschriebenen Wische unter mein Kopfkissen, zwei geladene Pistolen auf meinen Tisch und schlief zwischen diesen zwei Musen. Ich hatte einen doppelten Text, einen in Form einer Brochüre abgefaßten, der beibehalten wurde, und einen in der Weise von Gesprächen, der in einiger Hinsicht von der Brochüre verschieden war. Ich nahm an, daß man sich bei einem Aufstande Frankreichs im Stadthause versammeln werde, und hatte mich auf beide Themata vorbereitet.

Frau von Chateaubriand hat zu verschiedenen Zeiten unseres Zusammenlebens einige Notizen geschrieben; unter diesen Notizen finde ich folgenden Paragraphen:

„Herr von Chateaubriand schrieb seine Brochüre: Ueber Bonaparte und die Bourbonen. Wäre diese Brochüre in Beschlag genommen worden, so würde das Urtheil nicht zweifelhaft gewesen sein; es hätte auf Schaffot gelautet. Dennoch zeigte der Verfasser eine unglaubliche Nachlässigkeit im Verbergen derselben. Oft vergaß er es, wenn er ausging, und ließ es auf seinem Tische liegen; seine Klugheit ging nie weiter, als es unter sein Kopfkissen zu legen, was er vor den Augen seines Kammerdieners that, der zwar ein sehr ehrlicher Bursche war, sich aber bestechen lassen konnte. Ich für mich befand mich in tödtlichen Aengsten; sobald daher Herr von Chateaubriand ausgegangen war, nahm ich schnell das Manuscript weg und steckte es zu mir. Als ich eines Tages durch die Tuilerien ging, bemerkte ich, daß ich es nicht mehr habe, und fest überzeugt, es beim Ausgehen gefühlt zu haben, zweifle ich nicht, daß ich es unterwegs verloren habe. Schon sehe ich die unselige Schrift in den Händen der Polizei und Herrn von Chateaubriand verhaftet; ich falle mitten im Garten bewußtlos

7*

zu Boden; gute Leute leisteten mir Beistand und führten mich dann in unsere nicht sehr entfernte Wohnung. Welche Qual, als ich, die Treppe hinaufsteigend, zwischen einer Befürchtung, die beinahe Gewißheit war, und der leisen Hoffnung schwebte, ich möchte vergessen haben, die Brochüre zu mir zu stecken. Als ich mich dem Zimmer meines Mannes näherte, wollte mich eine neue Ohnmacht anwandeln; endlich trete ich ein; ... Nichts auf dem Tische; ich gehe auf das Bett zu, ich betaste zuerst das Kissen; ich fühle Nichts; ich hebe es auf ... und sehe die Papierrolle! So oft ich daran denke, pocht mir das Herz gewaltig. Nie habe ich einen solchen Augenblick von Freude in meinem Leben empfunden. Gewiß, ich darf wohl sagen, sie wäre nicht so groß gewesen, wenn ich am Fuße des Schaffotes begnadigt worden wäre; denn ich sah ja Jemand, der mir theurer war als ich selbst, davon befreit."

Wie unglücklich bin ich, daß ich der Frau von Chateaubriand einen solchen Augenblick der Qual verursachen konnte!

Ich war indessen genöthigt gewesen, einen Drucker in's Geheimniß zu ziehen; dieser zeigte sich bereit, die Sache zu wagen. Je nach den Nachrichten einer jeden Stunde und dem Paris sich nähernden oder sich entfernenden Kanonendonner brachte er mir die zur Hälfte gesetzten Probebogen zurück oder holte sie wieder ab. So setzte ich beinahe vierzehn Tage lang mein Leben auf's Spiel.

———

Der Krieg an die Barrièren von Paris gerückt. — Das Aussehen von Paris. — Kampf bei Belleville. — Flucht Marie Louisens und der Regentschaft. — Herr von Talleyrand bleibt in Paris.

Der Kreis zog sich enger um die Hauptstadt; jeden Augenblick vernahm man einen Fortschritt des Feindes. In buntem Durcheinander zogen russische Gefangene und verwundete Fran-

zofen auf Karren durch die Barrièren ein; einige Halbtodte fielen
unter die Räder, die sie mit Blut bedeckten. Conscribirte, die aus
dem Innern herbeigerufen wurden, durchzogen in langen Reihen
die Hauptstadt und marschirten gegen die Armeen. Nachts hörte
man Artillerietrains über die äußeren Boulevards fahren und wußte
nicht, ob der ferne Donner den entscheidenden Sieg oder die letzte
Niederlage verkündete.

Endlich rückte der Krieg an die Barrièren von Paris. Von
den Thürmen von Notre-Dame sah man die Spitze der russischen
Colonnen wie die ersten Wogen der Flut am Meeresufer erscheinen. Ich fühlte, was ein Römer hatte empfinden müssen, als er
vom Giebel des Capitols die Soldaten Alarich's entdeckte und die
alte Stadt der Lateiner zu seinen Füßen sah, wie ich jetzt die
russischen Soldaten entdeckte und zu meinen Füßen die alte Stadt
der Gallier sah. So lebt denn wohl, ihr väterlichen Laren, er-
haltende Herde der Traditionen des Landes, Dächer, unter denen
jene durch ihren Vater der Keuschheit und Freiheit geopferte Vir-
ginia und jene durch die Liebe den Wissenschaften und der Religion geweihte Heloise athmeten.

Seit Jahrhunderten hatte Paris nicht den Rauch eines feindlichen Lagers gesehen; Bonaparte ist es, der von Triumphen zu
Triumphen die Thebaner zum Anblick der Frauen von Sparta geführt hat. Paris war der Markstein, von dem er ausgegangen war,
um die Welt zu durchziehen; er kehrte dahin zurück, indem er den
ungeheuren Brand seiner neuen Eroberungen hinter sich ließ.

Man stürzte in den Jardin-des-Plantes, den ehemals die be-
festigte Abtei von Saint-Victor hätte beschützen können. Die kleine
Welt der Schwanen und Pisangbäume, der unsere Macht einen
ewigen Frieden versprochen hatte, wurde aus ihrer Ruhe aufge-
schreckt. Vom Gipfel des Labyrinthes, von der großen Ceder, von
den Speichern des Ueberflusses herab, zu deren Vollendung Bonaparte nicht Zeit gehabt hatte, jenseits des Platzes der Bastille und
des alten Thurmes von Vincennes (Orte, welche unsere Geschichte

erzählen) schaute die Menge dem Infanteriefeuer in dem Kampfe bei Belleville zu. Montmartre ist genommen, die Kugeln fallen bis auf die Boulevards des Temple.

Einige Compagnieen der Nationalgarde machten einen Ausfall und verloren in den um das Grab der Märtyrer liegenden Feldern dreihundert Mann. Nie strahlte das militärische Frankreich mitten in seinem Mißgeschicke in hellerem Glanze; die letzten Helden waren die hundertfünfzig jungen Leute der polytechnischen Schule, die sich auf den Schanzen des Weges von Vincennes in Kanoniere verwandelt hatten. Von Feinden umringt, weigerten sie sich noch immer, sich zu ergeben; man mußte sie von ihren Geschützen wegreißen. Russische Grenadiere packten die von Pulver geschwärzten und mit Wunden bedeckten Helden, die sich in ihren Armen noch wehrten, hoben diese jungen französischen Palmen unter Siegesgeschrei und Rufen der Bewunderung in die Höhe und gaben sie blutend ihren Müttern zurück.

Während dieser Zeit floh Cambacérès mit Marie Louise, dem König von Rom und der Regentschaft. An den Mauern las man folgende Proclamation:

„Der König Joseph, Generallieutenant des Kaisers, Obercommandant der Nationalgarde.

„Bürger von Paris,
„Der Regentschaftsrath hat für die Sicherheit der Kaiserin und des Königs von Rom Sorge getragen. Ich bleibe bei Euch. Laßt uns unter die Waffen treten, um diese Stadt, ihre Monumente, ihre Reichthümer, unsere Frauen, unsere Kinder und Alles, was uns theuer ist, zu vertheidigen. Diese umfangreiche Stadt werde für einige Augenblicke ein Lager; möge der Feind unter ihren Mauern, die er triumphirend zu überschreiten hofft, nur seine Schande finden!"

Rostopschin hatte Moskau nicht vertheidigen wollen, er verbrannte es. Joseph kündete an, daß er die Pariser niemals verlassen werbe, und machte sich dann geräuschlos aus dem Staube, indem er uns seinen an den Straßenecken angeschlagenen Muth zurückließ.

Herr von Talleyrand gehörte zu der durch Napoleon ernannten Regentschaft. Von dem Tage an, wo der Bischof von Autun unter dem Kaiserreiche als Minister der auswärtigen Angelegenheiten aus dem Amte trat, hatte er nur einen Gedanken, die Entfernung Bonaparte's und eine Regentschaft Marie Louisen's, verfolgt, in welcher Regentschaft er, der Fürst von Benevent, das Haupt gebildet hätte. Indem ihn Bonaparte im Jahr 1814 zum Mitglied einer provisorischen Regentschaft ernannte, schien er seine geheimen Wünsche begünstigt zu haben. Der Tod Napoleon's war nicht eingetroffen; es blieb Herrn von Talleyrand nichts übrig, als hinter den Füßen des Kolosses, den er nicht stürzen konnte, her zu hinken und den Augenblick für seine Interessen zu nützen; die Geschicklichkeit war das Genie dieses Menschen der Compromisse und Kaufverträge. Seine Stellung ward eine schwierige. Er hatte die Weisung, in der Hauptstadt zu bleiben; wenn aber Napoleon zurückkam, so lief der Fürst, der sich von der flüchtigen Regentschaft getrennt, der saumselige Fürst, Gefahr, erschossen zu werden; wie durfte er andererseits Paris in dem Augenblick verlassen, wo die Verbündeten stündlich eindringen konnten? Hieße das nicht auf den Vortheil des Erfolges verzichten, jener Zukunft der Ereignisse schaden, für welche Herr von Talleyrand geschaffen war? Weit entfernt, sich zu den Bourbonen hinzuneigen, fürchtete er sie seiner verschiedenen Apostasien wegen. Da indeß immerhin einige Chance für diese vorhanden war, so hatte sich Herr von Vitrolles mit Zustimmung des verheiratheten Prälaten als unberufener Zwischenträger der Legitimität verstohlen zu dem Congreß in Chatillon begeben. Nachdem diese Vorsicht angewandt war, nahm der Fürst, um sich aus der Verlegenheit zu ziehen, zu einem jener Streiche Zuflucht, in welchen er für einen Meister galt.

Herr Laborie, der bald nachher unter Herrn Dupont von Nemours Privatsecretär der provisorischen Regierung wurde, suchte

Herrn von Laborde auf, welcher der Nationalgarde zugetheilt war, und eröffnete ihm die Abreise des Herrn von Talleyrand.

„Er schickt sich an," sagte er zu diesem, „der Regentschaft zu folgen; es scheint Ihnen vielleicht nothwendig, ihn zu verhaften, um im Stande zu sein, im Nothfalle mit den Verbündeten zu unterhandeln."

Die Komödie wurde vortrefflich gespielt. Man packt die Wagen des Fürsten unter großem Lärm; er macht sich den 30. März am hellen Mittage auf den Weg. An der Barrière d'Enfer angekommen, weist man ihn trotz seiner Protestationen unerbittlich zurück. Im Falle eines wunderbaren Umschlages waren die Beweise da, welche bezeugen sollten, daß der ehemalige Minister sich zu Marie Louise habe begeben wollen und die bewaffnete Macht ihm die Durchfahrt verweigert habe.

Proclamation des Generalissimus Fürsten Schwarzenberg. — Alexander's Rede. — Capitulation von Paris.

Inzwischen waren in Folge der Abwesenheit der Verbündeten der Graf Alexander von Laborde und Herr Tourton, Oberoffizier der Nationalgarde, zu dem Generalissimus Fürst von Schwarzenberg geschickt worden, welcher während des russischen Feldzugs einer von Bonaparte's Generälen gewesen war. Die Proclamation des Generalissimus wurde in Paris am Abend des 30. März bekannt. Sie lautete:

„Seit zwanzig Jahren ist Frankreich mit Blut und Thränen überschwemmt; die Versuche, so vielem Unglück ein Ende zu setzen, sind vergeblich gewesen, weil in dem Regierungsprincip selbst, das Euch bedrückt, ein unüberwindliches Hinderniß des Friedens vorhanden ist. Pariser, Ihr kennt die Lage Eures Vaterlandes; die Erhaltung und Ruhe Eurer Stadt sollen der Gegenstand der Sorge der Verbündeten fein. Mit diesen Gesinnungen wendet sich das vor Euren Mauern unter Waffen stehende Europa an Euch."

Welch herrliches Eingeständniß von der Größe Frankreichs: Das vor Euren Mauern unter Waffen stehende Europa wendet sich an Euch!

Wir, die wir Nichts geachtet hatten, wir wurden von Denen geachtet, deren Städte wir verheert hatten und die nun die stärkeren geworden waren. Wir schienen ihnen eine heilige Nation, unser Boden eine heilige Landschaft Elis, die nach einem Ausspruche der Götter von keinem Kriegsheer betreten werden durfte. Wenn demungeachtet Paris geglaubt hätte, Widerstand leisten zu müssen, was vierundzwanzig Stunden lang sehr leicht gewesen wäre, so hätten wir andere Resultate gesehen; aber mit Ausnahme der vom Feuer und der Ehre berauschten Soldaten wollte Niemand mehr Etwas von Bonaparte, und in der Befürchtung, ihn beizubehalten, beeilte man sich, die Barrieren zu öffnen.

Paris capitulirte am 31. März; die militärische Capitulation ist Namens der Marschälle Mortier und Marmont von den Obersten Denis und Favrier unterzeichnet; die bürgerliche Capitulation fand im Namen der Maires von Paris statt. Der Municipal- und Departementalrath schickte zur Regulirung der verschiedenen Artikel eine Deputation in's russische Hauptquartier ab; mein Exilgefährte, Christian von Lamoignon, befand sich unter den Bevollmächtigten. Alexander sagte zu ihnen:

„Euer Kaiser, der mein Verbündeter war, ist bis in das Herz meiner Staaten gedrungen und hat ein Unheil über uns gebracht, dessen Spuren lange dauern werden. Eine gerechte Vertheidigung hat mich bis hieher geführt. Ich bin weit entfernt, Frankreich den Jammer zurückbringen zu wollen, mit dem es uns heimgesucht hat. Ich bin gerecht und weiß, daß dieses Unrecht nicht von den Franzosen herrührte. Die Franzosen sind meine Freunde und ich will ihnen beweisen, daß ich komme, um ihnen Schlimmes mit Gutem zu vergelten. Napoleon allein ist mein Feind. Ich

verspreche der Stadt ¡Paris meinen besondern Schutz; ich werde
alle öffentlichen Anstalten schirmen und erhalten; ich werde nur
Kerntruppen dahin verlegen; ich werde Eure Nationalgarde, welche
aus dem Kerne Eurer Bürger besteht, beibehalten. An Euch ist
es, Euer kommendes Glück zu sichern; man muß Euch eine Re=
gierung geben, die Euch und Europa Ruhe schafft. An Euch ist
es, Eure Wünsche auszusprechen; Ihr werdet mich stets bereit fin=
den, Eure Anstrengungen zu unterstützen."

Diese Worte wurden pünktlich erfüllt; das Siegesglück wog
in den Augen der Verbündeten jedes andere Interesse auf. Welche
Gefühle mußten Alexander bewegen, als er die Giebel der Ge=
bäude dieser Stadt erblickte, welche der Fremde stets nur betreten hatte,
um uns zu bewundern, und sich an den Wunderwerken unserer
Civilisation und Intelligenz zu erfreuen, dieser unverletzlichen Stadt,
welche zwölf Jahrhunderte lang durch ihre großen Männer ver=
theidigt wurde, dieser Hauptstadt des Ruhms, die Ludwig XIV
noch mit seinem Schatten und Bonaparte mit seiner Rückkehr zu
beschützen schien!

Einzug der Verbündeten in Paris. — Bonaparte in Fontainebleau.

Gott hatte eines jener Worte gesprochen, von denen das
Schweigen der Ewigkeit von Zeit zu Zeit unterbrochen wird. Jetzt
hob sich inmitten der gegenwärtigen Generation der Hammer, wel=
cher die Stunde schlug, die Paris bisher nur einmal hatte schla=
gen hören. Am 25. December 496 kündete Reims die Taufe von
Chlodwig an und die Thore von Lutetia öffneten sich den Franken;
am 30. März 1814 hob sich nach der Bluttaufe Ludwig's XVI
der seither regungslos gebliebene Hammer an der Glocke der alten
Monarchie von Neuem; ein zweiter Schlag ertönte, die Tartaren
drangen in Paris ein. In einem Zwischenraum von eintausend
dreihundert und achtzehn Jahren hatte der Fremde an die Mauern

der Hauptstadt unseres Reiches geklopft, ohne sie je überschreiten zu können, außer wenn er sich, von unseren eigenen Divisionen gerufen, hereinschlich. Die Normannen belagerten die Stadt der Parisii; die Parisii ließen die Sperber fliegen, die sie auf der Faust trugen; Eudes, ein Pariserkind und künftiger König, rex futurus, sagt Abbon, drängte die nordischen Piraten zurück. Die Pariser ließen im Jahr 1814 ihre Adler los;*die Verbündeten zogen im Louvre ein.

Bonaparte hatte Alexander, seinen Bewunderer, der ihn auf den Knieen um Frieden anflehte, ungerechterweise mit Krieg überzogen; Bonaparte hatte das Gemetzel an der Moskowa befohlen; er hatte die Russen gezwungen, mit eigenen Händen Moskau zu verbrennen; Bonaparte hatte Berlin geplündert, seinen König erniedrigt, seine Königin beschimpft; auf welche Repressalien mußten wir uns daher gefaßt machen? Man wird es sogleich sehen.

Ich war in Florida unter unbekannten Monumenten umhergeirrt, die einst durch Eroberer, von denen keine Spur übrig geblieben, zerstört worden waren, und nun war mir das Schauspiel der im Hof des Louvre gelagerten kaukasischen Horden vorbehalten. Bei diesen geschichtlichen Ereignissen, welche, nach Montaigne, „ein mageres Zeugniß von unserm Werthe und unserer Fähigkeit ablegen,“ klebt mir die Zunge am Gaumen.

Adhaeret lingua mea faucibus meis.

Die Armee der Verbündeten zog am 31. März 1814 Mittags in Paris ein, bloß zehn Tage nach dem Jahrestage des Todes des Herzogs von Enghien, welcher am 21. März 1804 starb. Lohnte sich's für Bonaparte wohl der Mühe, eine so lange im Andenken stehende Handlung um eines Reiches willen, das von so kurzer Dauer sein sollte, begangen zu haben?

Der Kaiser von Rußland und der König von Preußen befanden sich an der Spitze ihrer Truppen. Ich sah sie auf den Boulevards defiliren. Bestürzt und im Innern vernichtet, als

würde man mir meinen Namen eines Franzosen entreißen und
an dessen Stelle die Nummer hinsetzen, unter welcher ich fortan
in den Bergwerken Sibiriens bekannt sein sollte, fühlte ich zugleich
meine Erbitterung gegen den Mann wachsen, dessen Ruhm diese
Schmach über uns gebracht hatte.

Immerhin ist diese erste Invasion der Verbündeten ohne Beispiel in den Annalen der Weltgeschichte geblieben. Ueberall herrsch-
ten Ordnung, Friede und Mäßigung. Die Kaufläden wurden
wieder geöffnet; sechs Fuß hohe russische Soldaten der Garde wurden von kleinen französischen Gassenjungen, die sich über sie lustig
machten, wie Faschingsmasken durch die Straßen geführt. Die
Besiegten konnten für Sieger gehalten werden; über ihre Erfolge
zitternd, hatten diese das Aussehen, als wollten sie um Entschuldigung bitten. Mit Ausnahme der Hotels, in welchen die fremden Könige und Fürsten wohnten, war das Innere von Paris
von der Nationalgarde allein besetzt. Am 31. März 1814 hielten
zahllose Truppen Frankreich besetzt; einige Monate später überschritten alle diese Truppen unsere Grenzen wieder, ohne seit der
Wiedereinsetzung der Bourbonen einen Schuß gethan oder einen
Tropfen Blut vergossen zu haben.

Das alte Frankreich wird an einigen seiner Grenzen vergrößert;
man theilt die Schiffe und die Magazine von Antwerpen mit ihm;
man gibt ihm dreimalhunderttausend Gefangene zurück, die in den
Ländern umher zerstreut sind, wo Niederlagen oder Siege stattfanden. Nach fünfundzwanzig Jahren voller Kämpfe hört das
Waffengetöse von einem Ende Europa's bis zum andern auf.
Alexander marschirt mit seinen Truppen ab und läßt uns die eroberten Kunstwerke und die in der Charte niedergelegte Freiheit,
eine Freiheit, welche wir sowohl seinen Einsichten, als seinem Einfluß verdankten. Als Oberhaupt der beiden höchsten Autoritäten,
in doppeltem Sinne, dem des Schwertes und der Religion, Selbstherrscher, hatte von allen Monarchen Europa's er allein begriffen,

daß Frankreich auf der Stufe der Civilisation, zu der es gelangt war, nur mittelst einer freien Constitution regiert werden könne.

Vermöge unserer ganz natürlichen Feindschaft gegen die Ausländer, haben wir den Einfall von 1814 und den von 1815, die sich keineswegs gleichen, in eine Kategorie gestellt.

Alexander hielt sich nicht für ein Werkzeug der Vorsehung und schrieb Nichts sich selbst zu. Als Frau von Staël ihm das Compliment machte, daß seine Unterthanen, die keine Constitution besäßen, statt dessen das Glück hätten, von ihm regiert zu werden, gab er ihr die bekannte Antwort: „Ich bin nur ein glücklicher Zufall."

Einem jungen Manne, der ihm in den Straßen von Paris seine Bewunderung über die Leutseligkeit bezeugte, mit welcher er die geringsten Bürger behandelte, entgegnete er:

„Sind die Monarchen nicht für das geschaffen?"

Er wollte das Schloß der Tuilerien nicht bewohnen, weil er daran dachte, wie sehr Bonaparte sich in den Palästen von Wien, Berlin und Moskau gefallen hatte.

Als er Napoleon's Statue auf der Säule des Vendomeplatzes betrachtete, sagte er: „Wenn ich so hoch stünde, so würde ich fürchten, der Kopf möchte mir schwindeln."

Bei der Besichtigung des Palastes der Tuilerien zeigte man ihm den Friedenssaal. „Wozu," sagte er lachend, „diente dieser Saal Bonaparte?"

Am Tage des Einzugs Ludwig's XVIII in Paris verbarg sich Alexander, ohne irgend ein Abzeichen seines Ranges zu tragen, hinter einem Kreuzstocke, um das Gefolge vorbeiziehen zu sehen.

Er wußte zuweilen eine anziehende Freundlichkeit in sein Benehmen zu legen. Beim Besuche einer Irrenanstalt fragte er eine Frau, ob die Zahl der durch Liebe Verrücktgewordenen beträchtlich sei. „Bis jetzt nicht," antwortete sie, „es steht jedoch zu befürchten, daß sie sich von dem Augenblicke des Einzugs Ew. Majestät in Paris an vermehren werde."

Ein Großwürdenträger Napoleon's sagte zu dem Czaren: „Schon lange, Sire, wurde Ihre Ankunft hier erwartet und gewünscht." — „Ich wäre gerne früher gekommen," antwortete er, „messen Sie die Schuld meiner Verspätung nur der französischen Tapferkeit bei."

So viel ist gewiß, daß er beim Uebergang über den Rhein bedauerte, sich nicht im Frieden in den Schooß seiner Familie zurückziehen zu können.

Im Invalidenhause fand er die verstümmelten Soldaten, welche ihn bei Austerlitz besiegt hatten. Sie waren schweigsam und düster; in ihren öden Höfen und ihrer entblößten Kirche hörte man nur das Geräusch ihrer Stelzbeine. Alexander wurde durch dieses Geräusch der Tapfern gerührt und befahl, ihnen zwölf russische Kanonen zu bringen.

Man machte ihm den Vorschlag, der Austerlitzbrücke einen andern Namen zu geben. „Nein," sagte er, „es genügt, daß ich mit meiner Armee über diese Brücke gezogen bin."

Alexander hatte etwas Ruhiges und Wehmüthiges in seinem Wesen; er machte ohne Gefolge und ohne Gepränge Spaziergänge zu Pferd oder zu Fuß in Paris umher. Er schien über seinen Triumph verwundert; seine beinahe gerührten Blicke schweiften über eine Bevölkerung hin, die er als über ihm stehend zu betrachten schien; man hätte meinen können, er fühle sich in unserer Mitte als Barbar, wie ein Römer in Athen Scham fühlte. Vielleicht dachte er auch daran, daß diese gleichen Franzosen in seiner eingeäscherten Hauptstadt erschienen seien; daß nun umgekehrt seine Soldaten Herren dieses Paris seien, wo er noch einige der erloschenen Fackeln hätte finden können, durch welche Moskau befreit und verzehrt worden war. Diese Geschichte, dieses wechselnde Glück, dieses gemeinsame Elend der Völker und Könige mußten auf ein so religiöses Gemüth wie das seine einen tiefen Eindruck machen.

Bonaparte in Fontainebleau. — Die Regentschaft in Blois.

Was that inzwischen der Sieger von Borodino? Sobald er Alexander's Entschluß erfahren, hatte er dem Artilleriemajor Maillard de Lescourt den Befehl gesandt, den Pulverthurm von Grenelle in die Luft zu sprengen. Rostopschin hatte Moskau angezündet, aber vorher die Stadt von den Bewohnern räumen lassen.

Von Fontainebleau, wohin er zurückgekehrt war, rückte Napoleon bis Villejuif vor; hier warf er einen Blick auf Paris. Fremde Soldaten bewachten dessen Barrièren; der Eroberer gedachte der Tage, wo seine Grenadiere auf den Wällen von Berlin, Moskau und Wien Wache standen.

Ereignisse zerstören Ereignisse. Wie armselig erscheint uns heutzutage der Schmerz Heinrich's IV, als er in Villejuif Gabriele's Tod erfuhr und nach Fontainebleau zurückkehrte! Auch Bonaparte kehrte in diese Einsamkeit zurück, wo ihn nur die Erinnerung an seinen erhabenen Gefangenen erwartete. Der friedliche Gefangene hatte so eben das Schloß verlassen, um dem kriegerischen Gefangenen Platz zu machen, „so behende ist das Unglück im Ausfüllen seiner Plätze."

Die Regentschaft hatte sich nach Blois zurückgezogen. Bonaparte hatte befohlen, die Kaiserin und der König von Rom sollten Paris verlassen, da er, wie er sagte, sie lieber in der Tiefe der Seine, als im Triumph nach Wien zurückgekehrt sehen wolle; zugleich hatte er aber Joseph eingeschärft, in der Hauptstadt zu bleiben. Das Davongehen seines Bruders machte ihn wüthend, und er beschuldigte den ehemaligen König von Spanien, Alles verdorben zu haben. Die Minister, die Mitglieder der Regentschaft, Napoleon's Brüder, seine Frau und sein Sohn kamen in wilder Flucht und Unordnung in Blois an. Gepäckwagen, Kutscher, Alles war da; selbst die Staatswagen des Königs befanden sich dabei und wurden durch den Koth der Beauce nach Chambord geführt, dem einzigen Fleck Landes in Frankreich, den man dem Erben Ludwig's XIV gelassen hatte. Einige Minister gingen durch und verbargen sich in der Bretagne, während Cambacérès sich in den bergigten Straßen von Blois in einer Sänfte breit machte.

Verschiedene Gerüchte waren im Umlauf; man sprach von zwei Lagern und einer allgemeinen Requisition. Mehrere Tage lang wußte man nicht, was in Paris vorging; erst bei der An= kunft eines Fuhrmanns, dessen Paß von Sacken unterzeichnet war, fand die Ungewißheit ein Ende. Bald nachher stieg der russische General Schuwaloff im Gasthof zur Galeere ab; er ward unverzüglich von den hohen Herrschaften belagert, die sich beeilten, ein Visa für ihre Flucht von ihm zu erhalten. Bevor man jedoch Blois verließ, ließ sich Jeder aus den Fonds der Regentschaft seine Reisekosten und seine rückständige Besoldung bezahlen; mit der einen Hand hielt man seine Pässe, mit der andern seine Gelder, indem man Sorge trug, zugleich seine Beistimmung zur provisori= schen Regierung abzusenden; denn man verlor den Kopf nicht. Die Kaiserin Mutter und ihr Bruder, der Kardinal Fesch, reisten nach Rom ab. Der Fürst Esterhazy holte im Auftrage Franz II Marie Louise und ihren Sohn. Joseph und Jerome zogen sich in die Schweiz zurück, nachdem sie vergeblich die Kaiserin hatten zwingen wollen, ihr Loos zu theilen. Marie Louise beeilte sich, sich zu ihrem Vater zu begeben. Nicht besonders anhänglich an Napoleon, fand sie Mittel, sich zu trösten, und wünschte sich Glück, von der doppelten Thrannei des Gatten und Gebieters befreit zu sein. Als Bonaparte im folgenden Jahre wieder eine solch wirre Flucht unter die Bourbonen brachte, hatten diese, kaum ihrer lan= gen Trübsal entronnen, noch nicht vierzehn Jahre unerhörten Glückes genossen, um an die Annehmlichkeiten des Thrones gewöhnt zu sein.

Veröffentlichung meiner Brochüre „Ueber Bonaparte und die Bourbonen."

Napoleon war indeß noch nicht entthront; gegen vierzigtausend der besten Soldaten standen an seiner Seite; er konnte sich hinter die Loire zurückziehen; im Süden drohten die aus Spanien zurückgekehrten französischen Armeen; die glühende militärische Bevölkerung konnte noch immer ihre Lava ergießen; sogar unter den fremden Häuptern handelte es sich noch darum, ob Napoleon oder sein Sohn Frankreich regieren sollte; zwei Tage lang schwankte Alexander. Herr von Talleyrand neigte sich, wie schon gesagt, insgeheim der Politik zu, welche dahinstrebte, den König von Rom zu krönen, denn er fürchtete die Bourbonen. Wenn er damals nicht ganz auf den Plan einer Regentschaft unter Marie Louise einging, so geschah es, weil Napoleon noch nicht gestürzt war und er, der Fürst von Benevent, fürchtete, bei einer durch das Dasein eines unruhigen, unvorsichtigen, unternehmenden und noch in der Kraft der Jahre stehenden Mannes bedrohten Minorität nicht Herr bleiben zu können. *)

In diesen kritischen Tagen nun warf ich meine Brochüre Ueber Bonaparte und die Bourbonen unter das Publikum, um ein Gewicht in die Wagschale zu legen. Man weiß, welche Wirkung sie that. Ich stürzte mich ohne Schonung in's Handgemenge, um der wiedererwachenden Freiheit als Schild gegen die noch aufrecht stehende Tyrannei zu dienen, deren Kräfte die Verzweiflung verdreifachte. Ich sprach im Namen der Legitimität, um meinen Worten die Autorität der positiven Angelegenheiten beizufügen. Ich that Frankreich zu wissen, was die alte königliche Familie eigentlich sei; ich sagte, wie viel Glieder dieser Familie

---

*) Man sehe später die hundert Tage in Gent, und Herrn von Talleyrand's Portrait am Ende dieser Memoiren. (Paris, Note von 1839.)

noch vorhanden, welches ihre Namen und ihre Charaktere seien; es war, als hätte ich ein Verzeichniß der Kinder des Kaisers von China gegeben, so ganz hatten die Republik und das Kaiserreich die Gegenwart verschlungen und die Bourbonen in die Vergangenheit verwiesen. Ludwig XVIII erklärte, wie ich schon oft erwähnt, daß meine Brochüre ihm mehr genützt habe, als eine Armee von hunderttausend Mann; er hätte hinzufügen können, sie sei ein Certificat des Lebens für ihn gewesen. Ich trug dazu bei, ihm durch den glücklichen Ausgang des spanischen Krieges zum zweiten Mal die Krone zu geben.

Gleich bei Beginn meiner politischen Laufbahn wurde ich populär bei der Menge; aber auch von da an hatte ich kein Glück bei den Mächtigen mehr. Alles, was unter Bonaparte Sklave gewesen war, verabscheute mich; andererseits war ich allen Denen verdächtig, welche Frankreich zur Lehnbarkeit verurtheilen wollten. Im ersten Augenblick hatte ich unter den Monarchen nur Bonaparte selbst für mich. Er durchlief meine Brochüre in Fontainebleau, der Herzog von Bassano hatte sie ihm gebracht; er beurtheilte sie unparteiisch und sagte: „Dieß ist richtig; das ist nicht richtig. Ich kann Chateaubriand keinen Vorwurf machen; er hat meiner Macht Widerstand geleistet; aber jene Kanaillen, die und diese!" Und er nannte sie.

Ich habe stets eine große und aufrichtige Bewunderung für Bonaparte gehegt, selbst da, als ich Napoleon am eifrigsten angriff.

Die Nachwelt ist in ihren Urtheilen nicht so billig, wie man sagt; die Ferne hat ihre Leidenschaften, Vorurtheile und Irrthümer, wie die Nähe. Wenn die Nachwelt ohne Einschränkung bewundert, so ärgert sie sich, daß die Zeitgenossen des bewunderten Mannes von diesem Manne nicht die nämliche Idee, wie sie, hatten. Das ist jedoch erklärlich; was Verletzendes an dieser Person war, ist vergangen; ihre Schwächen sind mit ihr gestorben; von dem, was er war, ist nur sein unvergängliches Leben geblieben; das Unheil aber, das er verursachte, bleibt darum nicht minder

Thatsache und schlimm an sich selbst und in seinem Wesen, be=
sonders aber schlimm für die, welche es ertragen mußten.

Es ist jetzt an der Tagesordnung, Bonaparte's Siege zu
preisen. Die darunter Leidenden sind verschwunden, man hört
die Verwünschungen, das Schmerz= und Nothgeschrei der Opfer
nicht mehr, man sieht das erschöpfte Frankreich nicht mehr, das
seinen Boden durch seine Frauen bearbeiten lassen muß; man sieht
die als Bürgen für ihre Söhne verhafteten Eltern, die Dorfbewoh=
ner nicht mehr, welche die einem Widerspenstigen auferlegte Strafe
solidarisch tragen mußten; man sieht jene die Conscriptionen be=
treffenden Anschlagzettel an den Straßenecken und die vor die=
sen ungeheuren Todesurtheilen sich schaarenden Vorübergehenden
nicht mehr, welche bestürzt die Namen ihrer Kinder, ihrer Brüder,
ihrer Freunde, ihrer Nachbarn darauf suchen. Man vergißt, daß
Jedermann über seine Triumphe jammerte; man vergißt, daß auf
dem Theater die geringste von den Censoren übersehene Anspie=
lung auf Bonaparte mit Jubel aufgenommen wurde; man ver=
gißt, daß das Volk, der Hof, die Generäle, die Minister, die Ver=
wandten Napoleon's seiner Bedrückung und seiner Eroberungen
müde waren, dieser stets gewonnenen und stets neu gespielten
Partie, dieser durch die Unmöglichkeit der Ruhe jeden Morgen in
Frage gestellten Existenz müde waren.

Die Wirklichkeit unserer Leiden ist durch die Katastrophe selbst
bewiesen; hätte Frankreich für Bonaparte geschwärmt, würde es
ihn dann zweimal plötzlich und vollständig im Stich gelassen
haben, ohne durch eine letzte Anstrengung seine Beibehaltung zu
versuchen? Wenn Frankreich Napoleon Alles verdankte, Ruhm,
Freiheit, Ordnung, Wohlfahrt, Industrie, Handel, Manufacturen,
Monumente, Literatur, schöne Künste; wenn vor seinem Auftreten
die Nation Nichts aus sich selbst gethan hatte, wenn die Republik,
alles Genies und Muthes bar, ihren Boden weder vertheidigt,
noch vergrößert hatte, so ist also Frankreich höchst undankbar und
höchst niederträchtig gewesen, daß es Napoleon in die Hände seiner

8 *

Feinde fallen ließ oder wenigstens gegen die Gefangenschaft eines solchen Wohlthäters nicht protestirte?

Und doch macht man uns diesen Vorwurf, zu dem man vollkommen Recht hätte, nicht; und warum? Weil es klar ist, daß Frankreich Napoleon im Augenblicke seines Sturzes nicht vertheidigen wollte; im Gegentheil, es hat ihn freiwillig aufgegeben; in unserm bitteren Widerwillen gegen ihn, sahen wir in ihm nur noch den Urheber und Verächter unseres Jammers. Die Verbündeten haben uns nicht besiegt; wir selbst haben, zwischen zwei Geißeln wählend, darauf verzichtet, unser Blut zu vergießen, das nicht mehr für unsere Freiheit floß.

Unstreitig war die Republik sehr grausam gewesen, aber Jeder hoffte, sie werde vorbeigehen und wir früher oder später unsere Rechte mit Beibehaltung der schützenden Eroberungen, die sie uns in den Alpen und am Rhein gebracht hatte, wieder erlangen. Alle Siege, die sie davontrug, waren in unserm Namen genommen; unter ihr war nur von Frankreich die Rede; immer war es Frankreich, das gesiegt hatte; unsere Soldaten waren es, die Alles gethan hatten und für die man Triumphfeste oder Leichenfeierlichkeiten anordnete; die Generäle (und es gab deren sehr große) erhielten einen ehrenvollen, aber bescheidenen Platz in dem öffentlichen Andenken; so Marceau, Moreau, Hoche, Joubert. Die beiden Letzteren waren bestimmt, an Bonaparte's Stelle zu treten, welcher, zu Ruhm gelangend, plötzlich General Hoche überflügelte und durch seine Eifersucht diesen friedliebenden Krieger berühmt machte, der nach seinen Siegen bei Altenkirchen, Neuwied und Kleinnister plötzlich starb.

Unter dem Kaiserreiche verschwanden wir; von uns war nicht mehr die Rede, Alles gehörte Bonaparte an: Ich habe befohlen, ich habe gesiegt, ich habe gesprochen, meine Adler, meine Krone, mein Blut, meine Familie, meine Unterthanen, hieß es jetzt.

Wie ging es indeß in diesen zwei einander so ähnlichen und

zugleich so entgegengesetzten Lagen? Wir verließen die Republik
in ihrem Mißgeschicke nicht; sie tödtete uns, aber sie ehrte uns;
sie machte uns nicht die Schande, das Eigenthum eines Mannes
zu sein; Dank unseren Anstrengungen ward sie nicht von Feinden
überschwemmt; die jenseits der Berge geschlagenen Russen fanden
ihr Ende in Zürich.

Bonaparte aber ist trotz seiner ungeheuren Errungenschaft
unterlegen, nicht weil er besiegt war, sondern weil Frankreich Nichts
mehr von ihm wollte. Eine große Lehre! Möchte sie uns stets
erinnern, daß Alles, was die Menschenwürde verletzt, Veranlassung
zum Tode wird.

Die unabhängigen Geister aller Schattirungen und aller Mei=
nungen redeten zur Zeit der Veröffentlichung meiner Brochüre eine
und dieselbe Sprache. Lafayette, Camille Jordan, Ducis, Lemer=
cier, Lanjuinais, Frau von Staël, Chenier, Benjamin Constant,
Le Brun dachten und schrieben wie ich. Lanjuinais sagte: „Wir
suchten uns einen Gebieter unter den Menschen, welchen die Römer
nicht einmal als Sklaven wollten."

Chenier behandelte Bonaparte nicht günstiger:

> Ein Corse stahl ihr Erbe den Franzosen.
> Du Blüthe unsrer Helden hingeschlachtet
> Im Schlachtrevier, Märtyrer, die mit Ruhm
> Auf dem Schaffot ihr euer Blut vergossen,
> Ihr starbet wohl für eine beßre Hoffnung!
> Wie viele Thränen, wie viel Blut geflossen,
> Er heimste diese Blut= und Thränen=Ernte.
> Und ich Leichtgläubiger, ich feierte
> Lang auf dem Forum, wie in dem Senat,
> Bei Spiel und Festen, den Eroberer!
> . . . .
>
> Doch als, ein Flüchtling, er zurückgekehrt *)
> Als er den Lorbeer hingab für die Krone,

---

*) Aus Aegypten.

Da schmeichelte ich nimmer seiner Schmach,
Weil stets mein Wort die Despotie bekriegte,
Und in der Schmeichler Chören, die den Staat
Ihm und verbuhlten Lobgesang verkauften,
Hat niemals der Tyrann mich wohl erschaut,
Denn nur den Ruhm sing' ich, nicht die Gewalt.

("Spaziergang", 1805.)

Frau von Staël fällte ein nicht minder strenges Urtheil über Napoleon:

„Wäre es nicht eine große Lehre für das Menschengeschlecht, wenn diese Directoren (die fünf Glieder des Directoriums), Män=
ner, welche nicht besonders kriegerisch waren, sich aus ihrem Staube erhöben und von Napoleon Rechenschaft über die durch die Re=
publik eroberten Grenzen am Rhein und den Alpen verlangten, Rechenschaft über die zweimal nach Paris gekommenen Fremden, Rechenschaft über die drei Millionen Franzosen, welche von Cadir bis Moskau umgekommen sind, Rechenschaft besonders über jene Sympathie, welche die Nationen für die Sache der Freiheit in Frankreich fühlen und die sich jetzt in einen eingewurzelten Wider=
willen verwandelt hat?" (Betrachtungen über die französische Revolution.)

Hören wir Benjamin Constant:

„Der, welcher sich seit zwölf Jahren als den vom Schicksal bestimmten Welteroberer verkündigte, hat für seine Anmaßungen öffentliche Abbitte thun müssen . . . Bevor noch sein Gebiet vom Feinde überfallen ist, hat ihn eine Verwirrung erfaßt, die er nicht verbergen kann. Kaum werden seine Grenzen berührt, so wirft er alle seine Eroberungen von sich. Er fordert die Abdankung eines seiner Brüder, er heißt die Vertreibung eines andern gut; ohne daß es von ihm verlangt wird, erklärt er, daß er auf Alles Verzicht leistet.

„Während die Könige, selbst als besiegt, ihrer Würde nicht entsagen, warum weicht der Besieger der Erde beim ersten Stoße?

Das Flehen seiner Familie, sagt er zu uns, zerreiße sein Herz. Gehörten die, welche in Rußland unter der dreifachen Todesqual der Wunden, der Kälte und des Hungers umkamen, nicht zu dieser Familie? Aber während sie, von ihrem Führer im Stiche gelassen, hinstarben, glaubte dieser Führer sich in Sicherheit; doch jetzt macht ihn die Gefahr, die er theilt, plötzlich gefühlvoll.

„Die Furcht ist ein übler Rathgeber, besonders da, wo kein Gewissen vorhanden ist; im Unglück wie im Glück leitet uns nur . die Moral richtig. Wo die Moral nicht herrscht, führt das Glück zum Wahnsinn, das Unglück zur Erniedrigung.

. . . .

. . . .

„Welch einen Eindruck muß dieser blinde Schrecken, dieser plötzliche Kleinmuth, von dem wir bei allen unseren Stürmen noch kein Beispiel gesehen haben, auf eine muthige Nation machen? Der Nationalstolz fand (zwar mit Unrecht) eine gewisse Schadloshaltung darin, daß das Land nur durch ein unbesiegliches Oberhaupt bedrückt werde. Was bleibt heutzutage? Kein Blendwerk, keine Triumphe mehr, kein verstümmeltes Reich, der Fluch der Welt, ein Thron, dessen Pracht erblichen ist, dessen Trophäen im Staube liegen und den statt aller Umgebung nur die irrenden Schatten des Herzogs von Enghien, Pichegrü's und so vieler Anderer umschweben, die um seiner Gründung willen erwürgt wurden." *)

Bin ich in meiner Schrift: Ueber Bonaparte und die Bourbonen so weit gegangen? Haben nicht die Proclamationen der Behörden vom Jahr 1814, die ich sogleich mittheilen werde, diese verschiedenen Meinungen ausgesprochen, gebilligt und bestätigt? Wenn sich auch die Behörden, die sich solchergestalt ausdrücken, niederträchtig gezeigt und durch ihre erste Schmeichelei erniedrigt haben, so schadet das nur den Verfassern dieser Adressen, raubt aber der Stärke ihrer Argumente Nichts.

―――――――

*) „Vom Eroberungsgeiste."

Ich könnte eine Menge von Beweisstellen anführen, will aber deren nur noch zwei erwähnen und zwar der Meinung der beiden Männer halber. Glaubt nicht selbst Beranger, dieser beständige und bewunderungswürdige Bewunderer Bonaparte's, sich entschuldigen zu müssen, wovon diese Worte Zeugniß ablegen: „Meine enthusiastische und beständige Bewunderung des Genies des Kaisers, diese Abgötterei machten mich nie für den stets wachsenden Despotismus des Kaisers blind."

Paul-Louis Courier sagt, indem er von Napoleon's Thronbesteigung spricht: „Was soll das bedeuten, sage mir . . . daß ein Mann wie er, Bonaparte, ein Soldat, das Oberhaupt der Armee, der erste Feldherr der Welt, will, daß man ihn Majestät nenne! Bonaparte sein und sich zum Sire machen! Er will hinabsteigen; nicht doch, er glaubt emporzusteigen, indem er sich den Königen gleichstellt. Ein Titel ist ihm lieber, als ein Name. Armer Mann, seine Ideen sind seinem Schicksal untergeordnet! Jener Cäsar verstand es weit besser, und er wär auch ein anderer Mann. Er nahm keine abgenützten Titel an, sondern machte aus seinem Namen einen dem Königstitel überlegenen Titel."

Die lebenden Talente haben den Weg ebenderselben Unabhängigkeit eingeschlagen; Herr von Lamartine auf der Rednerbühne, Herr von Latouche in der Zurückgezogenheit; in zwei oder drei seiner schönsten Oden ist Victor Hugo's edle Leier in folgender Weise erklungen:

In seiner Frevel Nacht, in seiner Siege Glanz
    Verkannte dieser Mann den Gott, der ihn gesandt u. s. w.

Draußen endlich zeigte sich das europäische Urtheil eben so streng. Ich will unter den Engländern nur die Gesinnungen der Oppositionsmänner anführen, die mit Allem an unserer Revolution zufrieden waren und sie in Allem rechtfertigten. Lest Mackintosh in seiner Vertheidigung Pelletier's; Sheridan sagte bei Gelegenheit des Friedens von Amiens zu dem Parlamente: „Wer aus Frankreich nach England kommt, meint einem Verliese zu entfliehen und wieder die Luft und das Leben der Unabhängigkeit zu athmen.

In seiner Ode an Napoleon behandelt Lord Byron diesen auf die zornvollste Weise:

> Dahin! — noch gestern Fürst und groß,
> Der Fürsten ließ erbeben —
> Und nun ein Wesen, namenlos,
> Erniedrigt — doch am Leben!

In diesem Sinne geht die ganze Ode fort, jede Strophe überbietet die andere, was Lord Byron indessen nicht verhinderte, das Grab auf St. Helena zu besingen. Die Dichter sind Vögel, jedes Geräusch bringt sie zum Singen.

Wenn die verschiedenen ausgezeichnetsten Geister in einem Urtheil übereinstimmen, so vermögen keine erkünstelte noch aufrichtige Bewunderung, keine Zusammenstellung von Thatsachen, kein nach geschehener That aufgestelltes System das Urtheil zu schwächen. Wie, man sollte, wie Napoleon, die Gesetze seinem Willen nachsetzen, jedes unabhängige Leben verfolgen, sich ein Vergnügen daraus machen, die Charaktere zu entehren, die Lebensverhältnisse zu stören, die Sitten des Privatlebens wie die öffentlichen Freiheiten zu verletzen, und der edle Widerstand, der sich gegen diese Abscheulichkeiten erhöbe, würde für Verleumbung und Lästerung erklärt! Wer wollte die Sache des Schwachen gegen den Starken vertheidigen, wenn der Muth, welcher ohnedieß der Sache der Schlechtigkeit der Gegenwart ausgesetzt ist, sich auch noch auf den Tadel der Niederträchtigkeiten der Zukunft gefaßt machen müßte?

Diese theilweise aus Musensöhnen bestehende rühmliche Minorität wurde stufenweise zur Nationalmajorität. Gegen das Ende des Kaiserreichs verabscheute Jedermann den kaiserlichen Despotismus. Ein schwerer Vorwurf wird auf Bonaparte's Andenken haften; er machte sein Joch so drückend, daß die feindseligen Gesinnungen gegen das Ausland dadurch geschwächt wurden und ein heutzutage noch in bedauernswerthem Andenken stehender Einfall im Augenblick seines Zustandekommens Etwas von einer Befreiung annahm. Das ist sogar die republikanische Meinung, die mein unglücklicher und wackerer Freund Carrel ausgesprochen hat.

„Die Rückkehr der Bourbonen," hatte auch Carnot gesagt, „brachte in Frankreich einen allgemeinen Enthusiasmus hervor; sie wurden mit einer unaussprechlichen Herzensfreude aufgenommen; die alten Republikaner theilten aufrichtig den allgemeinen Jubel. Napoleon hatte besonders sie unterdrückt; alle Klassen der Gesellschaft hatten so stark gelitten, daß man Niemand fand, der nicht wirklich freudetrunken war."

Zur Bestätigung dieser Meinungen bedarf es nur einer sie bekräftigenden Autorität; Bonaparte hatte es übernommen, die Wahrheit derselben zu bescheinigen. Beim Abschiede von seinen Soldaten im Hofe von Fontainebleau bekennt er laut, daß Frankreich ihn verstößt: „Frankreich selbst," sagt er, „hat ein anderes Loos gewollt."

Ein unerwartetes und denkwürdiges Geständniß, dessen Gewicht durch Nichts geschwächt und dessen Werth durch Nichts verringert werden kann!

In seiner ewigen Langmuth sendet Gott früher oder später seinen Engel der Gerechtigkeit; in Augenblicken, wo der Himmel scheinbar schläft, wird es immer rühmlich sein, wenn die Mißbilligung eines Ehrenmannes wacht und gleichsam einen Zaum für die absolute Macht bildet. Frankreich wird die edlen Seelen nicht verleugnen, welche gegen seine Knechtschaft Einspruch erhoben, als Alles dem Götzen huldigte, als dieß so viele Vortheile brachte, als Schmeicheleien so viele Gnaden, Wahrheiten so viele Verfolgungen eintrugen. Ehre daher dem Lafayette, den von Staël, den Benjamin Constant, Camille Jordan, Ducis, Lemercier, den Lanjuinais, Chenier, welche, inmitten der kriechenden Menge der Völker und Könige aufrecht stehend, den Sieg zu verachten und gegen die Tyrannei zu protestiren wagten!

123

Durchgesehen am 22. Februar 1845.

Der Senat erläßt das Absetzungsdecret.

Am 2. April decretirten die Senatoren, welchen man nur einen einzigen Artikel der Charte vom Jahr 1814, den unedeln Artikel verdankt, der ihnen ihre Pensionen sichert, die Absetzung Bonaparte's. Wenn dieses Befreiungsdecret Frankreichs denjenigen, welche es erlassen haben, Schande macht und für das Menschengeschlecht ein Schimpf ist, so lehrt es zu gleicher Zeit die Nachwelt den Werth der Größen und des Glückes kennen, die verschmähten, sich an die Grundlagen der Moral, der Gerechtigkeit und Freiheit zu halten.

Decret des Erhaltungssenates.

„Der Erhaltungssenat, in Betracht, daß in einer constitutionellen Monarchie der Monarch nur kraft der Constitution oder des socialen Vertrages besteht.

„Daß Napoleon Bonaparte einige Zeit lang durch eine feste und kluge Regierung der Nation Anlaß gegeben hatte, auch für die Zukunft auf Thaten der Weisheit und Gerechtigkeit zu zählen; daß er aber hernach den Vertrag, der ihn mit dem französischen Volke verband, zerriß, indem er hauptsächlich auf andere Weise, als kraft des Gesetzes, Steuern erhob und Abgaben auflegte und zwar gegen den ausdrücklichen Inhalt des bei seiner Thronbesteigung geleisteten Eides laut Artikel 53 der Constitution vom 28. Floreal des Jahres XII;

„Daß er ein Attentat an den Rechten des Volkes verübt hat, als er ohne Noth den gesetzgebenden Körper vertagte und einen Bericht dieses Körpers, dessen Titel und Recht bei der Nationalvertretung er bestritt, als verbrecherisch unterdrücken ließ;

„Daß er mit Verletzung des Artifels 50 der Constitutionsacte vom Jahr VIII, welcher verlangt, daß die Kriegserflärung gleich einem Gesetze vorgeschlagen, berathen, decretirt und verfündigt werde, eine Reihe von Kriegen unternommen hat;

„Daß er inconstitutionellerweise mehrere Decrete, auf welchen Todesstrafe steht, erlassen hat, namentlich die beiden Decrete vom 5. März dieses Jahres, welche dahin zielen, einen Krieg, der nur im Interesse seines maßlosen Ehrgeizes statt fand, als National= sache ansehen zu lassen;

„Daß er durch seine Decrete über die Staatsgefängnisse die constitutionellen Gesetze verletzt hat;

„Daß er die Verantwortlichkeit der Minister aufgehoben, alle Gewalten in Verwirrung gebracht und die Unabhängigkeit der Gerichte zerstört hat;

„In Betracht, daß die Freiheit der Presse, eines der bestehenden und geweihten Rechte der Nation, beständig der willfürlichen Censur seiner Polizei unterworfen wurde, und daß er sich zugleich immer der Presse bedient hat, um Frankreich und Europa mit erdichteten Thaten, falschen Marimen, dem Despotismus günstigen Doctrinen und groben Beleidigungen der auswärtigen Regierungen zu erfüllen;

„Daß vom Senat ausgefertigte Acten und Berichte bei deren Veröffentlichung Veränderungen erlitten haben;

„In Betracht daß, statt dem Inhalte seines Eides gemäß bloß von dem Gesichtspunkte des Interesses, des Glücks und des Ruhms des französischen Volkes aus zu regieren, Napoleon durch seine Weigerung, auf Bedingungen einzugehen, die das Nationalinteresse anzunehmen verpflichtete und welche die französische Ehre nicht compromittirten, durch den Mißbrauch, den er mit allen den Mit= teln, welche man ihm in Menschen und Geld anvertraut hat, durch das Verlassen der Verwundeten, die ohne Hülfe, ohne Ver= band, ohne Lebensmittel in Feindesland zurückbleiben mußten, durch verschiedene Maßregeln, deren Folgen der Ruin der Städte, die Entvölkerung der Landschaft, Hungersnoth und anstectende Kranf=

heiten waren, das Unglück des Vaterlandes auf die Spitze ge=
trieben hat;

„In Betracht daß, vermöge aller dieser Ursachen die durch
den Senatsbeschluß vom 28. Floreal des Jahres XII oder dem
18. Mai 1804 eingesetzte kaiserliche Regierung zu existiren auf=
gehört hat und der offenkundige Wunsch aller Franzosen eine Ord=
nung der Dinge verlangt, deren erstes Resultat die Wiederherstel=
lung des allgemeinen Friedens, welche auch der Zeitpunkt einer
feierlichen Versöhnung zwischen allen Staaten der großen europäi=
schen Familie sein soll, so erklärt und decretirt der Senat, wie folgt:

„Napoleon ist des Thrones verlustig erklärt; das
Erblichkeitsrecht seiner Familie erloschen, das fran=
zösische Volk und die Armee ihres Eides der Treue
gegen ihn entbunden.“

Der römische Senat war weniger hart, als er Nero für den
öffentlichen Feind erklärte; die Geschichte ist nur eine Wieder=
holung der gleichen Thatsachen auf verschiedene Menschen und
Zeiten angewandt.

Man stelle sich den Kaiser vor, als er dieses officielle Docu=
ment zu Fontainebleau las? Was mußte er von dem, was er ge=
than, und von den Menschen halten, die er zur Mitschuld seiner
Unterdrückung unserer Freiheiten berufen hatte? Als ich meine
Brochüre: Ueber Bonaparte und die Bourbonen ver=
öffentlichte, durfte ich da erwarten, sie erweitert und in ein Ab=
setzungsdecret des Senates umgewandelt zu sehen? Wer hinderte
diese Gesetzgeber in den Tagen des Wohlergehens, die Uebel zu
entdecken, als deren Urheber sie Bonaparte anklagten, zu bemer=
ken, daß die Constitution verletzt worden sei? Welcher Eifer er=
faßte plötzlich diese für die Preßfreiheit Stummen? Wie
konnten die, welche Napoleon bei der Rückkunft von jedem seiner
Kriege mit Schmeicheleien überhäuft hatten, jetzt finden, er habe
sie nur im Interesse seines maßlosen Ehrgeizes unter=
nommen? Wie konnten die, welche ihm so viele Conscribirte

zum Verzehren vorgeworfen hatten, jetzt plötzlich zum Mitleiden mit verwundeten Soldaten bewegt werden, welche ohne Hülfe, ohne Verband, ohne Lebensmittel in Feindesland zurückbleiben mußten? Es gibt Zeiten, wo man der großen Zahl der Bedürftigen wegen die Verachtung nur sparsam austheilen muß; ich beklage diese Verschwendung derselben für sie hin, weil sie ihrer noch während und nach den hundert Tagen bedürfen werden.

Ich frage, was Napoleon in Fontainebleau von den Acten des Senates dachte; seine Antwort war schon bereit; ein nicht officiell veröffentlichter, aber in verschiedenen Journalen der Provinz aufgenommener Tagesbefehl vom 4. April 1814 dankte der Armee für ihre Treue und fügte hinzu:

„Der Senat hat sich erlaubt, über die französische Regierung zu verfügen; er hat vergessen, daß er dem Kaiser die Macht verdankt, die er jetzt mißbraucht; daß dieser einen Theil seiner Mitglieder aus dem Sturme der Revolution gerettet, aus der Dunkelheit gezogen, und den andern gegen den Haß der Nation beschützt hat. Der Senat stützt sich auf die Artikel der Constitution, um diese über den Haufen zu werfen; er erröthet nicht, dem Kaiser Vorwürfe zu machen, ohne zu bemerken, daß er als erster Staatskörper an allen Ereignissen Theil genommen hat. Der Senat erröthet nicht, von den öffentlichen Schmähschriften gegen auswärtige Regierungen zu sprechen; er vergißt, daß sie in seinem Schooße abgefaßt wurden. So lange das Glück sich seinem Monarchen treu gezeigt hat, sind diese Menschen ihm treu geblieben und keine Klage über Mißbrauchung der Gewalt wurde vernommen. Wenn der Kaiser die Menschen verachtet hätte, wie man ihm zum Vorwurf machte, dann würde die Welt heute erkennen, daß er Gründe hatte, die seine Verachtung motivirten."

Es ist dieß eine der Preßfreiheit von Bonaparte selbst dargebrachte Huldigung; er mußte annehmen, sie habe etwas Gutes, da sie ihm einen letzten Zufluchtsort und eine letzte Hülfe anbot.

Und ich, der ich gegen die Zeit ankämpfe, ich, der ich suche, sie Rechenschaft ablegen zu lassen von dem, was sie gesehen hat, ich, der ich dieses so ferne von den vergangenen Ereignissen unter der Regierung Philipp's, des Erbschleichers eines so großen Erbtheils, schreibe, was bin ich in den Händen dieser Zeit, dieser großen Verschlingerin der Jahrhunderte, die ich in ihrem Laufe aufgehalten glaubte, dieser Zeit, die mich im weiten Weltraume mit sich im Kreise herumdreht?

Hotel in der Straße Saint-Florentin. — Herr von Calleyrand.

Alexander hatte bei Herrn von Talleyrand Quartier bezogen. Ich wohnte den verdächtigen Zusammenkünften nicht bei; man kann sie in den Erzählungen des Abbé von Prabt und der verschiedenen Mäkler lesen, welche mit ihren schmutzigen kleinen Händen das Loos eines der größten Männer der Geschichte und das Schicksal der Welt regierten. Außerhalb der Massen galt ich in der Politik Nichts; jeder untergeordnete Intriguant hatte in den Vorzimmern mehr Recht und fand mehr Gunst als ich. Als der Mann der Zukunft bei der möglichen Restauration wartete ich unter den Fenstern auf der Straße.

In Folge der Machinationen im Hotel der Straße Saint-Florentin ernannte der Erhaltungssenat eine provisorische Regierung, bestehend aus dem General Bournonville, dem Senator Jaucourt, dem Herzog von Dalberg, dem Abbé von Montesquiou und Dupont von Nemours; der Fürst von Benevent versicherte sich zum Voraus der Präsidentschaft.

Als ich diesem Namen zum ersten Mal begegnete, mußte ich von der Person sprechen, welche an den Angelegenheiten der damaligen Zeit einen bedeutenden Antheil nahm; ich behalte mir jedoch ihr Portrait für den Schluß meiner Memoiren vor.

Die Intrigue, welche Herrn von Talleyrand beim Einzug der Verbündeten in Paris zurückhielt, wurde die Ursache seiner Erfolge schon zu Anfang der Restauration. Der Kaiser von Rußland kannte ihn von Tilsit her, wo er ihn einst gesehen hatte. Bei der Abwesenheit der französischen Autoritäten stieg Alexander im Hotel bel Infantado ab, das ihm anzubieten der Gebieter des Hotels sich beeilte.

Von da an galt Herr von Talleyrand für den unumschränkten Herrn der Welt; seine Salons wurden der Mittelpunkt der Verhandlungen. Die provisorische Regierung nach seinem Gutdünken bestellend, schob er die Partner seiner Whistpartie hin; der Abbé von Montesquiou figurirte nur als Custos der Legitimität darin.

Der Unfruchtbarkeit des Bischofs von Autun wurden die ersten Werke der Restauraton anvertraut; mit dieser Unfruchtbarkeit schlug er auch die Restauration und theilte ihr einen Keim des Siechthums und des Todes mit.

Adressen der provisorischen Regierung. — Die vom Senate vorgeschlagene Constitution.

Die ersten Werke der unter die Dictatur ihres Präsidenten gestellten provisorischen Regierung waren an die Soldaten und an das Volk gerichtete Proclamationen.

„Soldaten," sagten sie zu den ersteren, „Frankreich hat jetzt das Joch zerbrochen, unter welchem es mit Euch seit so vielen Jahren schmachtete. Betrachtet, was Ihr Alles von der Tyrannei gelitten habt. Soldaten, es ist Zeit, den Leiden des Vaterlandes ein Ende zu machen. Ihr seid seine edelsten Kinder; Ihr könnt dem, der es verheert hat, der Euren Namen bei allen Nationen verhaßt machen wollte, der vielleicht Euren Ruhm in Frage gestellt hätte, wenn ein Mann, der **nicht einmal Franzose ist,** je die Ehre unserer Waffen und die Großmuth unserer Soldaten zu verdunkeln vermöchte, Ihr könnt dem nicht angehören."

In den Augen seiner servilsten Sklaven ist also der, welcher so viele Siege davontrug, nicht einmal mehr Franzose! Als zur Zeit der Liga Du Bourg Heinrich IV die Bastille übergab, weigerte er sich, die schwarze Schärpe abzulegen und das Geld zu nehmen, das man ihm für die Uebergabe des Platzes anbot. Zur Anerkennung des Königs gezwungen, antwortete er, daß dieser ohne Zweifel ein ganz guter Prinz sein möge, daß er jedoch Herrn von Mayenne Treue gelobt habe. Uebrigens sei Brissac ein Verräther und zur Behauptung dessen wolle er mit ihm in Anwesenheit des Königs vier Lanzen brechen und ihm das Herz aus dem Leibe reißen."

Welche Verschiedenheit der Zeiten und Menschen!

Am 4. April erschien eine neue Ansprache der Regierung an das französische Volk; sie lautete:

„Bei Beendigung Eures bürgerlichen Zwiespaltes hattet Ihr zum Oberhaupt einen Mann gewählt, der mit Anzeichen von Größen auf der Bühne der Welt erschien. Dieser hat auf den Ruinen der Anarchie nur den Despotismus gegründet. Er hätte wenigstens aus Erkenntlichkeit Franzose mit Euch werden sollen; er war es nie. Als Abenteurer, der sich berühmt machen will, unternahm er unablässig und ohne Grund zwecklose und ungerechte Kriege. Vielleicht brütet er noch immer über seinen Riesenplänen, selbst wo unerhörte Mißgeschicke den Hochmuth und den Mißbrauch des Sieges so glänzend strafen. Er wußte weder im Nationalinteresse, noch selbst in dem Interesse seines Despotismus zu herrschen. Er hat Alles, was er schaffen wollte, zerstört, und Alles, was er zerstören wollte, wieder geschaffen. Er glaubte nur an die Gewalt; die Gewalt hält ihn heute in Banden, als gerechte Vergeltung eines unsinnigen Ehrgeizes."

Unbestreitbare Wahrheiten, verdiente Verwünschungen; aber

Chateaubriand's Memoiren. IV.   9

von wem kamen fie, biefe Verwünfchungen? Was wurbe aus meiner armen kleinen, zwifchen biefe bösartigen Abreffen einge= klemmten Brochüre? Verfchwindet fie nicht gänzlich?

Am nämlichen Tage, am 4. April, erklärt bie proviforifche Regierung bie Abzeichen unb Embleme ber kaiferlichen Regierung in bie Acht; wäre ber Triumphbogen fchon errichtet gewefen, man hätte ihn niebergeriffen. Mailhes, welcher ber Erfte für ben Tob Lubwig's XVI ftimmte, Cambacérès, ber Napoleon zuerft mit bem Kaifernamen begrüßte, anerkannten bereitwillig bie Hanblungen ber proviforifchen Regierung.

Am 6. macht ber Senat ben oberflächlichen Entwurf einer Conftitution; fie beruhte ungefähr auf ben Grunblagen ber künf= tigen Charte; ber Senat wurbe als erfte Kammer beibehalten, bie Senatorenwürbe für unentfetbar unb erblich erklärt; mit ihrem Majoratstitel waren bie Einkünfte ber Senatorerien verbunben; bie Conftitution machte biefe Titel unb Majorate auf bie Nach= kommen bes Befitzers übertragbar. Zum Glück trugen biefe un= eblen Erblichkeiten Parzen in fich, wie bie Alten fagten.

Die fchmutzige Unverfchämtheit biefer Senatoren, welche mit= ten unter bem Einfalle bes Feinbes in ihr Vaterlanb fich nicht einen Augenblick aus ben Augen verlieren, fällt felbft unter bem ungeheuren Anbrange ber öffentlichen Ereigniffe auf.

Wäre es für bie Bourbonen nicht bequemer gewefen, bei ihrer Ankunft bie beftehenbe Regierung, einen ftummen gefetzgebenben Körper, einen geheimen unb fklavifchen Senat, eine gefeffelte Preffe anzunehmen? Bei Ueberlegung finbet man bie Sache unmöglich. Natürliche Freiheiten hätten fich in Abwefenheit bes fie beugenben Armes wieber aufgerichtet unb unter bem fchwachen Drucke ihre verticale Linie von Neuem angenommen. Wenn bie legitimen Prinzen Bonaparte's Armee, wie fie gefollt hätten, unb welcher Anficht auch Napoleon auf ber Infel Elba war, aufgelöst unb zugleich bie kaiferliche Regierung beibehalten haben würben, fo wäre die Verantwortung, das Werkzeug des Ruhmes zu brechen und nur das Werkzeug der Tyrannei beizubehalten, zu groß gewesen; die Charte war das Lösegeld Ludwig's XVIII.

Ankunft des Grafen von Artois. — Abdankung Bonaparte's in Fontainebleau.

Am 12. April kam der Graf von Artois in der Eigenschaft eines Generallieutenants des Königreichs an. Drei- bis vierhundert Männer ritten ihm entgegen; ich befand mich ebenfalls unter der Truppe. Seine Artigkeit, die so verschieden von den Manieren des Kaiserreichs war, nahm die Franzosen ungemein für ihn ein. Sie erkannten mit Vergnügen in seiner Person ihre alten Sitten, ihre alte Höflichkeit und ihre alte Sprache wieder; die Menge umringte ihn und drängte sich um ihn, als um eine tröstliche Erscheinung der Vergangenheit und einen doppelten Schirm gegen den fremden Sieger und den noch drohenden Bonaparte. Ach, dieser Prinz setzte den Fuß nur wieder auf französischen Boden, um auf diesem seinen Sohn ermorden zu sehen und um wieder in die Verbannung, aus der er kam, zurückzukehren und dort zu sterben! Es gibt Leute, welchen das Leben wie eine Kette um den Hals geworfen wird.

Man hatte mich dem Bruder des Königs vorgestellt; meine Brochüre war ihm zu lesen gegeben worden, sonst hätte er meinen Namen nicht gekannt; er erinnerte sich nicht, mich weder am Hofe Ludwig's XVI, noch im Lager von Thionville gesehen zu haben und hatte ohne Zweifel nie vom Geist des Christenthums sprechen hören. Das war ganz natürlich. Wenn man viel und lange gelitten, hat man nur noch Gedächtniß für sich selbst; das persönliche Unglück ist ein etwas kalter, aber viel verlangender Gefährte, der uns beständig plagt, keinem andern Gefühle Raum

9*

gönnt, uns nicht verläßt und sich unserer Kniee und unseres Lagers bemächtigt.

Am Tag vor dem Einzuge des Grafen von Artois hatte Napoleon, nachdem er durch Vermittlung des Herrn von Caulain=court vergeblich mit Alexander zu unterhandeln gesucht, den Act seiner Abbankung bekannt machen lassen:

„Da die verbündeten Mächte verkündigt haben, daß der Kaiser Napoleon das einzige Hinderniß zur Wiederherstellung des euro=päischen Friedens sei, so erklärt er, getreu seinem Eide, daß er für sich und seine Erben auf den französischen uud italienischen Thron verzichtet, weil er bereit ist, der Wohlfahrt der Franzosen jedes persönliche Opfer, selbst das seines Lebens, zu bringen."

Der Kaiser säumte nicht, durch seine Rückkehr diese glänzen=den Worte nicht minder glänzend Lügen zu strafen; er nahm sich bloß die Zeit dazu, um auf die Insel Elba zu gehen. In Fon=tainebleau blieb er bis zum 20. April.

Am 20. April stieg Napoleon die zweiarmige Freitreppe hinab, welche zum Peristyl des verödeten Schlosses der Monarchie der Capets führt. Einige Grenadiere, Ueberreste der Europa besiegen=den Soldaten, stellten sich im großen Hofe, als ob er ihr letztes Schlachtfeld wäre, in Reih und Glied auf. Um sie her standen jene alten Bäume, die verstümmelten Gefährten Franz I und Heinrich's IV. Bonaparte richtete folgende Worte an die letzten Zeugen seiner Kämpfe:

„Generäle, Offiziere, Unteroffiziere und Soldaten meiner alten Garde, ich sage Euch Lebewohl. Zwanzig Jahre lang war ich zufrieden mit Euch; ich habe Euch immer auf der Bahn des Ruhmes gefunden.

„Die verbündeten Mächte haben das ganze Europa gegen mich bewaffnet; ein Theil der Armee wurde ihren Pflichten untreu und Frankreich selbst hat ein anderes Loos verlangt.

„Mit Euch und den Tapferen, die mir treu geblieben sind, hätte ich den Bürgerkrieg noch drei Jahre lang fortsetzen können;

allein Frankreich wäre unglücklich gewesen und das würde dem Zwecke, den ich im Auge hatte, zuwider gewesen sein.

„Seid dem neuen König, den Frankreich sich erwählt hat, getreu; verlaßt unser theures, nur allzu lange unglückliches Vaterland nicht! Liebt es immer, liebt es sehr, dieses theure Vaterland.

„Beklagt mein Loos nicht; ich werde immer glücklich sein, wenn ich weiß, daß Ihr es seid.

„Ich hätte sterben können; Nichts wäre mir leichter gefallen; ich werde jedoch unablässig den Weg der Ehre verfolgen. Ich muß noch niederschreiben, was wir gethan haben.

„Ich kann Euch nicht Alle umarmen; Euren General aber will ich umarmen . . . Kommen Sie, General . . . (Er schließt den General Petit in seine Arme.) Man bringe mir den Adler . . . (Er küßt ihn.) Theurer Adler, mögen diese Küsse in den Herzen aller Tapfern wiederhallen! . . . Lebt wohl, meine Kinder! . . . Meine Wünsche werden Euch stets begleiten; behaltet mich im Andenken."

Nach diesen Worten bricht Napoleon sein Zelt ab, das die Welt bedeckt hatte.

Reise Napoleon's nach der Insel Elba.

Bonaparte hatte von der Allianz Commissäre verlangt, um sich unter ihrem Schutze auf die Insel zu begeben, welche die Monarchen ihm als volles und vererbliches Eigenthum überließen. Für Rußland war der Graf Schuwaloff, für Oestreich der General Kohler, für England der Oberst Campbell und für Preußen der Graf Walbburg-Truchseß ernannt, welch Letzterer die Beschreibung der Reise Napoleon's von Fontainebleau nach der Insel Elba verfaßt hat.

Diese Brochüre und die des Abbé von Pradt über die Sendung nach Polen sind die zwei Berichterstattungen, welche Napoleon

am meisten betrübt haben. Ohne Zweifel bedauerte er damals
die Zeit seiner liberalen Censur, während welcher er den armen
Palm, einen deutschen Buchhändler, hatte erschließen lassen, weil
er in Nürnberg die Schrift des Herrn von Gentz: „Deutschland
in seiner tiefsten Erniedrigung“ verbreitet hatte. Zur
Zeit der Veröffentlichung dieser Schrift war Nürnberg noch eine
freie Stadt und gehörte Frankreich nicht an. Hätte Palm diese
Eroberung nicht ahnen sollen?

Der Graf von Waldburg erzählt zuerst mehrere Gespräche,
welche der Abreise in Fontainebleau vorangingen. Er berichtet, daß
Bonaparte Lord Wellington das größte Lob ertheilte und sich nach
seinem Charakter und seinen Gewohnheiten erkundigte. Er ent-
schuldigte sich, nicht in Prag, in Dresden oder Frankfurt Friede
geschlossen zu haben; er gab zu, daß er Unrecht gehabt, aber damals ganz andere Absichten hatte.

„Ich war nicht Usurpator,“ fügte er hinzu, „weil ich die Krone
nur auf den einstimmigen Wunsch der Nation hin angenommen
habe, während Ludwig XVIII sie usurpirt hat, da er bloß durch
einen schlechten Senat, von dem mehr als zehn Mitglieder für
den Tod Ludwig's XVI gestimmt haben, auf den Thron berufen
wurde.“

Graf Waldburg sagt in seiner Erzählung weiter:

„Der Kaiser begab sich mit seinen vier andern Wagen am
21. gegen Mittag auf den Weg, nachdem er mit dem General
Kohler noch eine lange Unterredung gehabt, deren Hauptinhalt
ungefähr folgender war: „„Wohlan, Sie haben gestern meine
Ansprache an die alte Garde gehört; sie hat Ihnen gefallen und
Sie haben gesehen, welche Wirkung sie hervorbrachte. So muß
man mit diesen Leuten reden und verfahren und befolgt Ludwig XVIII
dieses Beispiel nicht, so wird er aus dem französischen Soldaten
nie Etwas machen.““

. . . .

. . . .

„Die Rufe: **Es lebe der Kaiser!** hörten auf, sobald die französischen Truppen nicht mehr bei uns waren. In Moulins sahen wir die ersten weißen Kokarden und die Bewohner empfingen uns mit dem Rufe: **Es leben die Verbündeten!** Oberst Campbell reiste von Lyon aus voraus, um in Toulon oder Marseille eine englische Fregatte zu suchen, welche Napoleon's Wunsch zufolge ihn auf seine Insel führen könnte."

„In Lyon, wo wir gegen elf Uhr Nachts durchkamen, versammelten sich einige Gruppen, welche riefen: **Es lebe Napoleon!** Am 24. gegen Mittag trafen wir bei Valence den Marschall Augereau an. Der Kaiser und der Marschall verließen ihre Wagen; Napoleon nahm seinen Hut ab und breitete die Arme gegen Augereau aus, der ihm um den Hals fiel, ohne jedoch seinen Hut abzunehmen.

„„Wohin gehst Du?"" fragte ihn der Kaiser, indem er ihn beim Arm nahm, „„Du gehst an den Hof?""

„Augereau antwortete, daß er vorderhand nach Lyon gehe. Sie gingen nun fast eine Viertelstunde mit einander auf der Straße von Valencia fort. Der Kaiser machte dem Marschall Vorwürfe über sein Betragen gegen ihn und sagte zu ihm:

„„Deine Proclamation ist recht dumm; weßhalb Beschimpfungen gegen mich? Man hätte ja einfach sagen können: Da die Wünsche der Nation sich für einen neuen Souverän ausgesprochen haben, so erheischt die Pflicht der Armee, sich darein zu fügen. Es lebe der König! Es lebe Ludwig XVIII.

„Nun begann Augereau Bonaparte ebenfalls zu duzen und ihm bittere Vorwürfe über seinen unersättlichen Ehrgeiz zu machen, dem er Alles, selbst das Glück von ganz Frankreich geopfert habe. Da dieses Gespräch Napoleon ermüdete, so kehrte er sich mit Ungestüm gegen den Marschall, umarmte ihn, zog noch einmal den Hut vor ihm ab und warf sich in seinen Wagen.

„Die Hände auf dem Rücken kreuzend, ließ Augereau seine

Müße unberührt auf dem Kopfe fißen; und erst als der Kaiser wieder im Wagen saß, sagte er ihm mit einer verächtlichen Hand= bewegung Lebewohl.

. . . .

„Am 25. kamen wir in Orange an, wo wir mit dem Rufe: Es lebe der König! Es lebe Ludwig XVIII! empfangen wurden.

„An demselben Morgen traf der Kaiser eine Strecke von Avignon, wo die Pferde gewechselt werden mußten, viel Volk ver= sammelt, das ihn auf seiner Durchreise erwartete und uns mit den Rufen empfing: Es lebe der König! Es leben die Ver= bündeten! Nieder mit dem Tyrannen, dem Schurken, dem elenden Bettler! . . . Und noch in tausend weiteren Schmähungen ergoß sich die Menge gegen ihn.

„Wir thaten unser Möglichstes, um diesem Scandal Einhalt zu thun und die Menge, welche seinen Wagen angriff, zu zer= streuen, konnten jedoch von diesen Rasenden nicht erlangen, daß sie aufhörten, den Mann zu beschimpfen, der, wie sie sagten, sie so unglücklich gemacht und kein anderes Verlangen hatte, als ihr Elend noch zu steigern.

„Aller Orten, wo wir durchkamen, wurde er auf die gleiche Weise empfangen. In Orgon, einem kleinen Dorfe, wo wir die Pferde wechselten, hatte die Wuth des Volkes ihren Gipfel erreicht. Vor dem Wirthshause, wo wir anhalten mußten, hatte man einen Galgen errichtet, an welchem ein Strohmann in einer blutbedeck= ten französischen Uniform hing, der auf der Brust die Inschrift trug: Dieß wird, früher oder später, das Loos des Tyrannen sein.

Das Volk klammerte sich an Napoleon's Wagen und suchte ihn zu sehen, um ihn mit den gröbsten Beschimpfungen zu über= häufen. Der Kaiser verbarg sich, so gut er konnte, hinter dem General Bertrand; er war blaß und entstellt und sprach kein Wort.

Durch unermüdliche Ermahnungen an das Volk gelang es uns, ihn dieser schlimmen Lage zu entreißen.

„Der Graf Schuwaloff redete neben Napoleon's Wagen die Bevölkerung mit folgenden Worten an: „„Schämt Ihr Euch nicht, einen vertheidigungslosen Unglücklichen zu beschimpfen? Er ist gedemüthigt genug durch die traurige Lage, in welcher er sich befindet, er, der sich einbildete, dem Weltall Gesetze vorschreiben zu können, und sich heute in der Gewalt Eurer Großmuth sieht. Ueberlaßt ihn sich selbst, schaut ihn an; Ihr seht, die Verachtung ist die einzige Waffe, die Ihr gegen diesen Mann anwenden müßt, welcher nicht mehr gefährlich ist. Es wäre unter der Würde der französischen Nation, eine andere Rache zu nehmen.„„

„Das Volk klatschte dieser Rede Beifall zu und Bonaparte, welcher die Wirkung, die sie hervorbrachte, bemerkte, gab Schuwaloff Zeichen der Beistimmung und dankte ihm nachher für den ihm geleisteten Dienst.

„Eine Viertelstunde jenseits Orgon hielt er die Vorsicht, sich zu verkleiden, für unerläßlich. Er zog einen schlechten blauen Ueberrock an, setzte einen runden Hut mit einer weißen Kokarde auf und bestieg ein Postpferd, um vor seinem Wagen herzugaloppiren und auf solche Weise für einen Curier zu gelten. Da wir ihm nicht folgen konnten, so kamen wir lange nach ihm in Saint-Canat an. Wir kannten die Mittel nicht, die er ergriffen hatte, um sich der Volkswuth zu entziehen, und glaubten ihn in der größten Gefahr, denn wir sahen seinen Wagen von wüthenden Leuten umringt, welche die Schläge zu öffnen suchten; sie waren aber zum Glück wohl verschlossen, was den General Bertrand rettete. Am meisten wunderten wir uns über den Starrsinn der Frauen; sie baten uns, ihnen Bonaparte auszuliefern, indem sie sagten:

„„Er hat es an uns und selbst an Euch wohl verdient; wir verlangen nur etwas Gerechtes!„„

„Eine halbe Stunde außerhalb Saint-Canat erreichten wir

den Wagen des Kaisers, welcher bald nachher vor einem schlechten
Wirthshause an der Landstraße, la Calade genannt, anhielt.
Wir begaben uns in das Haus und erfuhren erst hier die Ver=
kleidung, deren er sich bedient hatte, und seine unangefochtene An=
kunft in diesem wunderlichen Anzuge. Er war bloß von einem
Curier begleitet gewesen; sein Gefolge war vom General bis zum
Küchenjungen hinab mit weißen Kokarden geschmückt, mit welchen
sie sich im Voraus versehen zu haben schienen. Sein Kammer=
diener, der uns entgegen kam, bat uns, den Kaiser für den General
Campbell auszugeben, weil er sich bei seiner Ankunft der Wirthin
als solchen angekündigt habe. Wir versprachen, diesem Wunsche
zu entsprechen. Ich trat zuerst in eine Art Stube, wo ich zu meiner
Ueberraschung den ehemaligen Herrn der Welt in tiefe Betrachtun=
gen versunken und den Kopf in die Hände gestützt fand. Ich er=
kannte ihn Anfangs nicht und näherte mich ihm. Als er Jemand
gehen hörte, fuhr er jählings auf und ließ mich in sein bethräntes
Antlitz sehen. Er gab mir einen Wink, Nichts zu sagen, hieß mich
zu ihm hersitzen und sprach dann, so lange die Wirthin sich in
der Stube befand, über gleichgültige Dinge. Als sie jedoch hinaus=
ging, nahm er seine erste Stellung wieder an. Ich hielt für an=
ständig, ihn allein zu lassen; er ließ uns jedoch bitten, von Zeit
zu Zeit in sein Zimmer zu kommen, damit man seine Anwesenheit
nicht ahne.

„Wir thaten ihm zu wissen, daß bekannt geworden sei, der
Oberst Campbell sei Tags zuvor durch diesen Ort gekommen, um
sich nach Toulon zu begeben. Er beschloß alsobald, den Namen
eines Lord Burghers anzunehmen.

„Man setzte sich zu Tische; da jedoch das Mittagessen nicht
durch seine Köche bereitet worden war, so konnte er sich nicht ent=
schließen, irgend eine Nahrung zu sich zu nehmen, aus Furcht, sie
möchte vergiftet sein. Als er uns aber mit gutem Appetite essen
sah, schämte er sich, uns die Angst, die ihn bewegte, sehen zu
lassen, und nahm von Allem, was man ihm anbot. Er that, als

koste er davon, ließ sich jedoch den Teller wieder wegnehmen, ohne das Gericht berührt zu haben; zuweilen warf er das Angenommene unter den Tisch, damit man glauben solle, er hätte es gegessen. Sein Mittagessen bestand aus etwas Brod und einer Flasche Wein, die er sich aus seinem Wagen herbringen ließ und sogar mit uns theilte.

„Er sprach viel und zeigte sich ausnehmend liebenswürdig. Als wir allein waren und die Wirthin, die uns bediente, hinausgegangen war, theilte er uns mit, wie sehr er sein Leben in Gefahr glaube; er war überzeugt, daß die französische Regierung Maßregeln ergriffen habe, um ihn an diesem Orte aufzuheben oder zu ermorden.

„Tausend Pläne kreuzten sich in seinem Kopfe über die Art und Weise, wie er sich retten könnte; er sann auch über die Mittel nach, wie er das Volk in Aix täuschen solle, denn man hatte ihn benachrichtigt, daß eine bedeutende Menschenmenge ihn bei der Post erwarte. Er erklärte uns daher, daß er für das Vernünftigste halte, nach Lyon zurückzukehren und von dort aus einen anderen Weg einzuschlagen, um sich nach Italien einzuschiffen. Wir hätten in keinem Falle unsere Einwilligung zu diesem Plane geben können und suchten ihn zu bestimmen, sich direct nach Toulon zu begeben oder über Digne nach Frejus zu gehen. Wir bemühten uns, ihn zu überzeugen, daß die französische Regierung in Bezug auf ihn unmöglich so perfide Absichten haben könnte, ohne daß wir davon unterrichtet wären, und daß das Volk, trotz der Ungebührlichkeiten, zu denen es sich verleiten ließ, sich eines Verbrechens dieser Art nie schuldig machen werde.

„Um uns besser zu überzeugen und zu beweisen, in welchem Grade seiner Ansicht nach seine Befürchtungen gegründet seien, erzählte er uns, was zwischen ihm und der Wirthin, die ihn nicht erkannt hatte, vorgefallen sei.

„„Wohlan!"" hatte sie zu ihm gesagt, „„haben Sie Bonaparte angetroffen?""

„„Nein!"" hatte er geantwortet.

„„Es nimmt mich doch Wunder,"" fuhr sie fort, „„ob er sich wird retten können; ich denke immer, das Volk wird ihn niedermachen. Man muß aber auch zugeben, daß er es verdient hat, der Schurke! Sagen Sie mir doch, man will ihn also nach seiner Insel einschiffen?""

„„Freilich.""

„„Man wird ihn ersäufen, nicht wahr?""

„„Hoffentlich,"" erwiederte Napoleon.

„„Sie sehen also,"" fügte er, an uns gewendet, hinzu, „„welcher Gefahr ich ausgesetzt bin!""

„Und nun begann er uns wieder mit seinen Besorgnissen und seiner Unschlüssigkeit zu ermüden. Er bat uns sogar, nachzusehen, ob nicht irgendwo eine verborgene Thüre vorhanden sei, durch die er entwischen könnte, oder ob das Fenster, dessen Läden er bei seiner Ankunft schließen ließ, nicht zu hoch sei, um hinabspringen und auf diese Weise entschlüpfen zu können.

„Das Fenster war von Außen vergittert, und ich versetzte ihn in ungeheure Unruhe, als ich ihm diese Entdeckung mittheilte. Beim geringsten Geräusch zitterte er und wechselte die Farbe.

„Nach Tische überließen wir ihn seinen Gedanken, und wenn wir nach seinem ausdrücklichen Wunsche von Zeit zu Zeit in sein Zimmer traten, fanden wir ihn immer in Thränen . . . . .

. . . .

„Der Adjutant des Generals Schuwaloff brachte die Nachricht, daß das Volk, das sich auf der Straße zusammengerottet, sich beinahe ganz verlaufen habe. Der Kaiser beschloß, um Mitternacht abzureisen.

„Vermöge einer übertriebenen Vorsicht bediente er sich wieder neuer Mittel, um nicht erkannt zu werden.

„Durch seine dringenden Bitten zwang er den Adjutanten des Generals Schuwaloff, den blauen Ueberrock und den runden Hut anzuziehen, in welchen er in dem Wirthshause angekommen war.

„Bonaparte, der sich nun für einen östreichischen Oberst aus=
geben wollte, legte die Uniform des General Kohler an, schmückte
sich mit dem St. Theresienorden, den der General trug, setzte
meine Reisekappe auf und warf sich den Mantel des General
Schuwaloff um. ·

„Nachdem die Commissäre der verbündeten Mächte ihn so
ausstaffirt hatten, fuhren die Wagen vor; doch bevor wir hinab
gingen, hielten wir in der Stube noch eine Probe ab wegen der
Marschordnung, die wir zu beobachten hatten: der General Druot
eröffnete den Zug, dann kam der vorgebliche Kaiser, der Abjutant
des General Schuwaloff, hernach der General Kohler, der Kaiser,
der General Schuwaloff und ich, der die Ehre hatte, zum Nach=
trab zu gehören, welchem sich das Gefolge des Kaisers anschloß.

„So zogen wir durch die staunende Menge, die sich unendliche
Mühe gab, um Den unter uns, welchen sie ihren Thrannen nannte,
zu entdecken.

„Schuwaloff's Abjutant (der Major Olewieff) nahm Na=
poleon's Platz in dessen Wagen ein und Napoleon reisie mit dem
General Kohler in dessen Kalesche . . . .
. . . .

„Demungeachtet beruhigte sich der Kaiser noch nicht; er blieb
immer in der Kalesche des östreichischen Generals und befahl dem
Kutscher zu rauchen, damit diese Vertraulichkeit jede Aufmerksam=
keit von ihm ablenken sollte. Er bat sogar den General Kohler
zu singen, und als dieser ihm antwortete, daß er nicht singen könne,
verlangte Bonaparte, er solle pfeifen.

„Auf solche Weise setzte er, in einem der Winkel der Kalesche
verborgen, seinen Weg fort, indem er sich den Anschein gab, als
schlafe er, eingewiegt durch die angenehme Musik des Generals
und umduftet vom Rauche des Kutschers.

„In Saint=Maximin frühstückte er mit uns. Als er vernahm,
daß sich der Unterpräfect von Air in diesem Dorfe befinde, ließ
er ihn rufen und redete ihn in folgenden Worten an:

„„Sie müssen erröthen, mich in öftreichischer Uniform zu sehen; ich war genöthigt, dieselbe anzunehmen, um mich vor den Beschimpfungen der Provençalen sicher zu stellen. Voller Vertrauen kam ich in Eure Gegend, während ich sechstausend Mann meiner Garde hätte mit mir nehmen können. Ich finde hier nur Massen von Rasenden, welche mein Leben bedrohen. Diese Provençalen sind ein boshaftes Pack; sie haben zur Zeit der Revolution alle erdenklichen Gräuel und Verbrechen begangen und sind stets bereit, wieder anzufangen; sobald es sich aber darum handelt, sich muthig zu schlagen, dann sind sie Feiglinge. Nie hat mir die Provence nur ein einziges Regiment geliefert, mit dem ich hätte zufrieden sein können. Vielleicht sind sie morgen wieder eben so erbittert über Ludwig XVIII, als sie es heute über mich zu sein scheinen u. s. w.

„Indem er sich hernach an uns wandte, sagte er uns, daß Ludwig XVIII Nichts mit der französischen Nation ausrichten werde, wenn er sie mit zu großer Schonung behandle. „„Ferner,"" fuhr er fort, „„muß er nothwendig beträchtliche Auflagen erheben, und diese Maßregeln werden ihm alsobald den Haß seiner Unterthanen zuziehen.""

„Er erzählte uns, daß er vor achtzehn Jahren mit mehreren tausend Mann in diese Gegend geschickt worden sei, um zwei Royalisten zu befreien, welche gehängt werden sollten, weil sie die weiße Kokarde getragen hatten. „„Ich rettete sie mit großer Mühe aus den Händen dieser Rasenden, und heute,"" fuhr er fort, „„würden diese Menschen die nämlichen Excesse mit Demjenigen unter ihnen beginnen, welcher sich weigerte, die weiße Kokarde zu tragen! So groß ist die Unbeständigkeit des französischen Volkes!""

„Wir vernahmen, daß sich bei Luc zwei Schwadronen östreichischer Husaren befänden und schickten auf Napoleon's Ansuchen dem Commandanten Befehl, unsere Ankunft daselbst zu erwarten, um den Kaiser bis nach Frejus zu escortiren."

Hier endigte die Erzählung des Grafen von Waldburg; solche

Berichte zu lesen thut weh. Wie, die Commiſſäre vermochten Den, für welchen ſie gut zu ſtehen die Ehre hatten, nicht beſſer zu be= ſchützen? Was waren ſie, um einem ſolchen Manne gegenüber ein ſo überlegenes Weſen zu erheucheln? Bonaparte ſagt mit Recht, daß er, wenn er gewollt hätte, von einem Theil ſeiner Garbe be= gleitet hätte reiſen können. Es liegt am Tage, daß man für ſein Loos gleichgültig war; man fand einen Genuß in ſeiner Entwür= bigung; man gab zu den bemüthigenden Maßregeln, zu welchen das Opfer um ſeiner Sicherheit willen Zuflucht nahm, mit Ver= gnügen ſeine Einwilligung. Es iſt ſo ſüß, das Schickſal Deſſen, der über die höchſten Häupter hinſchritt, unter ſeinen Füßen zu haben, ſich durch Beſchimpfung für den Stolz zu rächen. Auch finden die Commiſſäre nicht ein Wort, ſelbſt nicht einmal ein Wort philoſophiſchen Gefühls über einen ſolchen Schickſalswechſel, um dem Menſchen ſein Nichts und die Größe von Gottes Fügun= gen anſchaulich zu machen.

In den Reihen der Verbündeten hatte es ehemals zahlreiche Schmeichler Napoleon's gegeben; wenn man ſich vor der Gewalt auf die Kniee geworfen hat, iſt man nicht berechtigt, über das Un= glück zu triumphiren. Ich gebe zu, daß Preußen einer tugend= haften Anſtrengung beburfte, um zu vergeſſen, was es gelitten hatte, es, ſein König und ſeine Königin; aber dieſe Anſtrengung mußte gemacht werden. Leider hatte Bonaparte mit Niemand Mitleid gehabt und darum alle Herzen gegen ſich erkältet: Am grauſamſten hat er ſich in Jaffa gezeigt, am kleinſten auf dem Wege nach der Inſel Elba; im erſteren Falle dienten ihm die militäriſchen Nothwendigkeiten zur Entſchuldigung, im letzteren beſticht die Härte der fremden Commiſſäre die Gefühle der Leſer und verringert ſeine Erniedrigung.

Die proviſoriſche Regierung Frankreichs ſcheint mir ſelbſt nicht ganz tabellos. Ich verwerfe Maubreuil's Verleumdungen; dem= ungeachtet hätte bei dem Schrecken, welchen Napoleon noch ſeinen alten Bedienten einflößte, eine Katastrophe in ihren Augen nicht für ein Unglück gelten können.

Man möchte vielleicht versucht sein, an der Wahrheit der durch den Grafen von Waldburg-Truchseß mitgetheilten Berichte zu zweifeln; allein der General Kohler hat in einer Fortsetzung der Reisebeschreibung Waldburg's einen Theil der Erzählung seines Collegen bestätigt, und der General Schuwaloff mich von der Genauigkeit derselben versichert; seine kargen Worte sagten über diesen Gegenstand mehr als Waldburg's weitläufige Erzählung. Fabry's Reisebeschreibung endlich beruht auf historischen französischen Documenten, die durch Augenzeugen geliefert wurden.

Nachdem ich jetzt über die Commissäre und Verbündeten Gericht gehalten habe, wollen wir einen Blick auf den Besieger der Welt werfen. Erkennt man diesen in Waldburg's Reisebeschreibung? Wir sehen den Helden zu Thränen gebracht, zu Verkleidungen Zuflucht nehmen, im Hinterstübchen eines Wirthshauses in einer Curiersjacke weinen! Benahm sich Marius auch so auf den Ruinen von Karthago, starb Hannibal in Bithynien so, Cäsar so im Senate? Wie verkleidete sich Pompejus? Indem er das Haupt mit seiner Toga bedeckte. Und Der, welcher sich mit dem Purpur bekleidet hatte, suchte jetzt Schutz unter der weißen Kokarde und Rettung durch den Ruf: Es lebe der König! jener König, dessen Erben er hatte erschießen lassen! Der Herr der Völker ermuthigte die Demüthigungen, die ihm die Commissäre ohnedieß verschwenderisch zutheilten, um sich besser zu verbergen, war entzückt, daß der General Kohler in seiner Gegenwart pfiff, ein Kutscher ihm in's Gesicht rauchte; er zwang den Adjutanten des Generals Schuwaloff, die Rolle des Kaisers zu spielen, während er, Bonaparte, das Kleid eines östreichischen Obersten trug und sich mit dem Mantel eines russischen Generals bedeckte! Er mußte das Leben gewaltig lieben; diese Unsterblichen wollen sich nie in's Sterben fügen.

Moreau sagte von Bonaparte: „Was ihn charakterisirt, das

ift bie Lüge und die Liebe zum Leben; wenn ich ihn fchlüge, fo würde er zu meinen Füßen fallen und mich um Verzeihung bitten." Moreau dachte fo, weil er Bonaparte's Natur nicht zu faffen vermochte; er verfiel in den gleichen Irrthum, wie Lord Byron. Wenigftens hatte Napoleon auf St. Helena, durch die Mufen gehoben, wenn auch nicht fehr edel in feinen Händeln mit dem englifchen Gouverneur, nur die Laft feiner ungeheuren Größe zu tragen. In Frankreich fchien ihm das Schlimme, das er gethan hatte, in den Wittwen und Waifen perfonificirt und zwang ihn, unter den Händen einiger Frauen zu zittern.

Dieß Alles ift nur zu wahr; allein Bonaparte darf nicht nach den Regeln beurtheilt werden, die man auf die großen Genie's anwendet, weil es ihm an Großmuth gebrach. Es gibt Menfchen, welche die Fähigkeit befitzen, emporzufteigen, nicht aber die, hinabzufteigen. Er, Napoleon, befaß beide Fähigkeiten. Wie der Engel der Empörung konnte er feine unermeßliche Geftalt verkürzen, um fie in einem zugemeffenen Raume einzufchließen; feine Dehnbarkeit lieferte ihm Mittel zur Rettung und Wiedergeburt; bei ihm war noch nicht Alles zu Ende, wenn er auch geendigt zu haben fchien. Nach Belieben die Sitten und das Koftüm verändernd, im Komifchen wie im Tragifchen ein eben fo vollkommener Schaufpieler, wußte er in der Tunika des Sklaven wie im Königsmantel, in Attila's oder in Cäfar's Rolle natürlich zu erfcheinen. Noch einen Augenblick und ihr werdet den Zwerg aus der Tiefe feiner Erniedrigung fein Briareushaupt erheben fehen, Asmodeus wird aus dem Kölbchen, in welchem er zufammengeduckt faß, als ungeheurer Dampf herausfteigen. Napoleon fchätzte das Leben um Deffen willen, was es ihm eintrug; er ahnte, was ihm noch zu malen blieb, und wollte nicht, daß die Leinwand ihm ausginge, bevor er feine Gemälde vollendet hätte.

Ueber Napoleon's Angft bemerkt Walter Scott, der weniger ungerecht ift, als die Commiffäre, mit Gutmüthigkeit, daß die

10

Volkswuth großen Eindruck auf Napoleon machte, daß er Thränen vergoß und mehr Schwäche zeigte, als sich von seinem anerkannten Muthe erwarten ließ; doch fügte er hinzu: „Die Gefahr war auch von besonders schrecklicher Art und geeignet, Leute einzuschüchtern, welche mit den Schrecken eines Schlachtfeldes vertraut waren; der tapferste Soldat kann vor dem Tode des de Witt schaudern."

Napoleon mußte diese revolutionäre Angst an eben demselben Orte erdulden, wo er seine Laufbahn mit dem Schrecken begann.

Indem der preußische General seine Erzählung einmal unterbricht, hat er sich verpflichtet geglaubt, ein Uebel zu enthüllen, das der Kaiser nicht verbarg. Der Graf von Waldburg mochte wohl das, was er sah, mit den Schmerzen verwechseln, von denen Herr von Segur im russischen Feldzuge Augenzeuge war, als Bonaparte, gezwungen, vom Pferde zu steigen, seinen Kopf an die Kanonen anlehnte. Unter die Zahl der Schwächen berühmter Krieger zählt die wirkliche Geschichte nur den Dolch, welcher das Herz Heinrich's IV durchbohrte, oder die Kugel, die Türenne wegraffte.

Nach der Erzählung von Bonaparte's Ankunft in Frejus verfällt Walter Scott, der großen Scenen los, mit Freude wieder in sein Talent; er wird zur Plaudertasche, wie Frau von Sevigné sagt, er schwatzt von der Ueberfahrt Napoleon's auf die Insel Elba, von der durch Bonaparte versuchten Verführung der englischen Matrosen, mit Ausnahme Hinton's, der das dem Kaiser gezollte Lob nicht hören konnte, ohne zu murmeln: Humbug. Als Napoleon abreiste, wünschte Hinton Seiner Herrlichkeit gute Gesundheit und ein andermal mehr Glück. In Napoleon vereinigten sich alle Erbärmlichkeiten und alle Größen des Menschen.

Ludwig XVIII in Compiegne. — Sein Einzug in Paris. — Die
alte Garde. — Unverbesserlicher Fehler. — Erklärung von
Saint-Ouen. — Vertrag von Paris. — Die Charte. — Ab-
marsch der Verbündeten.

Während der in der ganzen Welt bekannte Bonaparte unter
Verwünschungen aus Frankreich floh, verließ der allenthalben vergessene Ludwig XVIII London unter einem Walde von weißen Fahnen
und Kronen.

Bei seiner Landung auf der Insel Elba fand Napoleon seine
Kraft wieder. Als Ludwig XVIII in Calais landete, hätte er bereits Louvel erblicken können; er traf den General Maison dort
an, welcher sechszehn Jahre später beauftragt wurde, Karl X in
Cherbourg einzuschiffen. Vermuthlich, um ihn würdig zu seiner
künftigen Botschaft zu machen, verlieh Karl X in der Folge Herrn
Maison den Marschallsstab von Frankreich, wie ein Ritter, bevor
er sich schlug, dem unter ihm stehenden Manne, mit dem er sich
zu messen geruhte, den Ritterschlag ertheilte.

Ich fürchtete den Eindruck, welchen die Erscheinung Ludwig's XVIII
machen würde und beeilte mich, ihm in jene Residenz voranzu-
reisen, in welcher Johanna d'Arc in die Hände der Engländer fiel
und wo man mir einen Band zeigte, den die gegen Bonaparte
abgeschossenen Kugeln getroffen hatten. Welche Gedanken mußte
der Anblick des königlichen Invaliden anregen, welcher an die Stelle
des Cavaliers trat, der wie Attila hätte sagen können: „Ueberall,
wo mein Pferd hingetreten ist, wächst kein Gras mehr?" Ohne
Vollmacht und ohne Lust dazu unternahm ich (man hatte mich
begehrt) eine ziemlich schwierige Aufgabe, die, die Ankunft in
Compiegne zu schildern, den Sohn des heiligen Ludwig in dem
Lichte zu zeigen, wie ich ihn mit Hülfe der Musen idealisirte. Ich
drückte mich folgendermaßen aus:

„Vor dem Wagen des Königs her ritten die Generäle und
10*

Marſchälle von Frankreich, welche Sr. Majeſtät entgegengezogen
waren. Man hörte nicht mehr die Rufe: Es lebe der König!
ſondern ein verworrenes Geſchrei, in welchem man nur noch die
Töne der Rührung und Freude unterſchied. Der König trug ein
blaues Kleid, das keine andere Auszeichnung als einen Stern und
Epauletten hatte; ſeine Beine waren in weite Kamaſchen von
rothem Sammet, mit einer kleinen Goldſchnur berändert, gehüllt.
Wenn er mit ſeinen alterthümlichen Kamaſchen in ſeinem Lehn=
ſtuhl ſitzt und ſeinen Stock zwiſchen ſeinen Knieen hält, meint man
Ludwig XIV in ſeinem fünfzigſten Jahre zu ſehen . . . . .
„Die Marſchälle Macdonald, Ney, Moncey, Serrurier, Brune,
der Fürſt von Neuchatel, alle Generäle und alle Anweſenden haben
ebenfalls die wohlwollendſten Worte von dem König empfangen.
Solche Gewalt beſitzt in Frankreich der legitime Monarch, ſolch ein
Zauber haftet an dem Königstitel. Ein Mann kommt allein,
von Allem entblößt, ohne Gefolge, ohne Wachen, ohne Reich=
thümer aus der Verbannung; er hat Nichts zu geben, faſt Nichts
zu verſprechen. Auf den Arm einer jungen Frau geſtützt, ſteigt
er aus ſeinem Wagen; er zeigt ſich Feldherren, die ihn noch nie
geſehen haben, Grenadieren, die kaum ſeinen Namen kennen. Wer
iſt dieſer Mann? Es iſt der König! Jedermann fällt ihm zu Füßen.“
Was ich zur Erreichung des mir vorgenommenen Zweckes
hier von den Kriegern ſagte, war in Bezug auf die Anführer
wahr, hinſichtlich der Soldaten aber log ich. Das Schauſpiel,
von dem ich Zeuge war, als Ludwig XVIII am 3. Mai in Paris
einzog und in Notre=Dame abſtieg, vergegenwärtigt ſich meinem
Gedächtniß, als ob ich es jetzt noch ſähe. Man hatte dem König
den Anblick der fremden Truppen erſparen wollen; ein Fußregi=
ment der alten Garde bildete vom Pont=Neuf längs dem Kai der
Orfèvres Spaliere bis zu Notre=Dame. Ich glaube nicht, daß
menſchliche Geſichter je etwas ſo Drohendes und Schreckliches aus=
gedrückt haben. Dieſe mit Wunden bedeckten Grenadiere, die
Beſieger Europa's, welche ſo viele tauſend Kugeln über ihren

Häuptern hinfahren fahen, welche nach Feuer und Pulver rochen; diese nämlichen Männer waren ihres Feldherrn beraubt, in Folge der Ueberwachung einer Armee Russen, Oestreicher und Preußen gezwungen, in der Hauptstadt, der sich Napoleon einst mit Gewalt bemächtigt hatte, einen alten König, Invaliden der Zeit und nicht des Krieges, zu salutiren. Durch Bewegungen der Stirnhaut suchten die Einen ihre große Haarmütze auf die Augen herabzuziehen, gleichsam um nicht zu sehen; die Andern verzogen mit höhnischer Wuth die Mundwinkel; wieder Andere fletschten hinter ihren Schnurrbärten die Zähne wie Tiger. Wenn sie das Gewehr präsentirten, geschah es mit einer Bewegung der Wuth, und der Lärm dieser Waffen machte zittern. Man muß gestehen, nie wurden Männer auf eine solche Probe gestellt und haben eine solche Qual erlitten. Wären sie in diesem Augenblick zur Rache aufgerufen worden, man hätte sie bis auf den letzten Mann vertilgen müssen oder sie hätten die Erde verschlungen.

Am einen Ende der Linie saß ein junger Husar auf seinem Pferde; er schwang seinen entblößten Säbel und ließ ihn mit einer vor Zorn convulsivischen Bewegung gleichsam tanzen. Er war blaß, seine Augen rollten wild in den Höhlen; er öffnete und schloß abwechselnd den Mund, indem er mit den Zähnen klapperte und Schreie erstickte, von denen man stets nur den ersten Ton hörte. Er erblickte einen russischen Officier; der Blick, den er diesem zuschleuderte, läßt sich nicht beschreiben. Als der Wagen des Königs an ihm vorbeifuhr, ließ er sein Pferd rasende Sprünge machen und gerieth jedenfalls in Versuchung, sich auf den König zu stürzen.

Die Restauration beging sogleich bei ihrem Beginne einen unverbesserlichen Fehler; sie hätte die Armee auflösen und nur die Marschälle, die Generäle, die militärischen Gouverneure und die Officiere mit ihren Pensionen, Ehrentiteln und Graden beibehalten sollen. Die Soldaten wären nachher allmälig wieder in die neuconstituirte Armee eingetreten, wie sie seither in die Garde traten, die Legitimität hätte dann nicht von Anfang an jene organisirten, in Brigaden eingetheilten Soldaten des Kaiserreichs gegen sich gehabt, welche noch die nämlichen Namen wie in den Tagen ihrer Siege trugen, unablässig unter sich von den vergangenen Zeiten schwatzten und klagen und feindselige Gesinnungen gegen ihren neuen Herrn nährten.

Die klägliche Auferstehung des Rothen Hauses, dieses Gemisch von Militärpersonen der alten Monarchie und Soldaten des neuen Reiches verschlimmerte das Uebel. Glauben zu können, daß Veteranen, die sich auf tausend Schlachtfeldern berühmt gemacht hatten, nicht verletzt werden müßten, wenn sie sähen, daß junge, ohne Zweifel auch tapfere Leute, deren Mehrzahl jedoch im Waffenhandwerk Neulinge waren, die Abzeichen eines hohen militärischen Grades trugen, ohne sich dieselben gehörig erworben zu haben, das hieß die menschliche Natur nicht kennen.

Während des Aufenthaltes, den Ludwig XVIII in Compiegne gemacht, hatte ihm Alexander einen Besuch abgestattet. Ludwig XVIII verletzte ihn durch seinen Hochmuth. Das Ergebniß dieser Zusammenkunft war die in Saint-Ouen erlassene Erklärung vom 2. Mai. Der König sagte darin, daß er entschlossen sei, folgende Garantien als Grundlage der Constitution zu geben, die er seinem Volke bestimmte: Die in zwei Körper eingetheilte Repräsentativregierung, freie Verwilligung der Auflagen, öffentliche und individuelle Freiheit, Freiheit der Presse, Freiheit der Culte, Unverletzlichkeit und Heilighaltung des Eigenthums, Unwiderruflichkeit des Verkaufs der Nationalgüter, verantwortliche Minister, unentsetzbare Richter, eine unabhängige Justizgewalt, Zulässigkeit jedes Franzosen zu sämmtlichen Aemtern u. s. w. u. s. w.

Obwohl diese Erklärung dem Geiste Ludwigs XVIII. angemessen war, gehörte sie demungeachtet weder ihm noch seinen Räthen an; sie lag ganz einfach in der Zeit, welche sich aus ihrer Ruhe aufraffte; ihre Schwingen waren entfaltet, ihre Flucht seit dem Jahre 1792 eingestellt worden; nun setzte sie ihren Flug oder ihren Lauf wieder fort. Die Excesse der Schreckensherrschaft, Bonaparte's Despotismus hatten die Ideen einen andern Lauf nehmen lassen; sobald jedoch die in den Weg gelegten Hindernisse zerstört waren, strömten sie in das Bett, in dem sie fortfließen und das sie zugleich aushöhlen sollten. Man nahm die Dinge wieder da auf, wo sie stillgestanden waren, was vergangen war, als hätte es sich nie ereignet; das zum Beginn der Revolution zurück versetzte Menschengeschlecht hatte nur vierzig Jahre seines Lebens verloren; was sind aber vierzig Jahre in dem allgemeinen Leben der Gesellschaft? Diese Lücke ist verschwunden, sobald die von der Zeit durchschnittenen Theile sich zusammengefügt haben.

Am 30. Mai 1814 wurde zwischen den Verbündeten und Frankreich der Friede von Paris abgeschlossen. Man kam über= ein, daß alle Mächte, welche auf diese oder jene Art in den gegen= wärtigen Krieg verwickelt worden waren, innerhalb einer Frist von zwei Monaten Bevollmächtigte nach Wien schicken sollten, um bei einem allgemeinen Congresse die definitiven Vergleiche zu reguliren.

Am 4. Juni erschien Ludwig XVIII in königlicher Sitzung bei einer gemeinschaftlichen Versammlung des gesetzgebenden Kör= pers und einer Fraction des Senates. Er hielt eine edle Rede; alt, vergangen und verbraucht, dienen jedoch diese langweiligen Gegenstände nur noch als historischer Faden.

In den Augen des größten Theils der Nation besaß die Charte den Uebelstand, daß sie octroyirt war; das hieß durch dieses höchst unnütze Wort die glühende Frage der königlichen oder Volkssou= veränität wieder aufrühren. Auch datirte Ludwig XVIII seine Wohlthat vom Jahre seiner Regierung aus, indem er Bonaparte als nicht dagewesen betrachtete, gleich wie Carl II mit beiden Füßen über Cromwell hinausgesprungen war. Dieß war eine Art Schimpf für die Monarchen, die alle Napoleon anerkannt hatten und sich in diesem Augenblicke noch in Paris befanden. Diese verjährte Sprache und diese Anmaßungen der alten Monarchie

fügten der Legitimität des Rechtes Nichts bei und waren bloß
kindische Anachronismen. Bei Alle dem enthielt die Charte, in
dem sie an die Stelle des Despotismus trat und uns die legale
Freiheit brachte, hinlänglich Gutes, um die gewissenhaften Men=
schen zu befriedigen. Demungeachtet empfingen die Royalisten,
denen sie so viele Vortheile gewährte, und die, ihr Dorf oder ihren
armseligen Heerd oder die dunkeln Winkel verlassend, in welchen
sie unter dem Kaiserreiche gelebt, in eine hohe und öffentliche
Stellung gerufen wurden, die Wohlthat nur murrend; die Libera=
len, welche sich freudigen Herzens in Bonaparte's Tyrannei gefügt
hatten, fanden in der Charte einen wahren Sklavencoder. Wir
sind in die Zeiten von Babel zurückgekommen; man arbeitet jedoch
nicht mehr an einem gemeinschaftlichen Monumente der Verwir=
rung; Jeder baut sich seinen Thurm nach seiner eigenen Höhe,
seiner Kraft und seinem Wuchse. Wenn übrigens die Charte
mangelhaft erscheint, so war die Revolution noch nicht am Ziele;
das Princip der Gleichheit und der Demokratie hatte in den Gei=
stern Wurzel gefaßt und arbeitete der monarchischen Ordnung
entgegen.

Die verbündeten Fürsten säumten nicht, Paris zu verlassen;
bei seinem Abzuge ließ Alexander auf dem Concordiaplatze ein re=
ligiöses Fest abhalten. Wo das Schaffet Ludwig's XVI gestanden
war, wurde ein Altar errichtet. Sieben moskowitische Priester
celebrirten das Hochamt und die fremden Truppen defilirten vor
dem Altare. Das Tedeum wurde nach einer der schönen Melo=
dieen der alten griechischen Musik gesungen. Die Soldaten und
die Monarchen bogen ein Knie zur Erde, um den Segen zu em=
pfangen. Die Franzosen versetzten sich in Gedanken in die Jahre
1793 und 1794 zurück, wo die Ochsen sich sträubten, über dieses
Pflaster zu schreiten, das der Blutgeruch ihnen unausstehlich machte.
Welche Hand hatte diese Menschen aller Länder, diese Söhne der
alten barbarischen Eindringlinge, diese Tartaren, deren viele am

153

Fuße der großen chinesischen Mauer Zelte von Schaffellen bewohn=
ten, zu dem Bußfeste hergeführt? Das sind Schauspiele, wie sie
die schwachen Generationen eines künftigen Jahrhunderts nicht
mehr sehen werden.

Erstes Jahr der Restauration.

Im ersten Jahre der Restauration wohnte ich der dritten
socialen Umgestaltung bei. Ich hatte die alte Monarchie zur con=
stitutionellen Monarchie und diese zur Republik übergehen gesehen;
ich hatte gesehen, wie die Republik sich in militärischen Despotis=
mus umwandelte; ich sah den militärischen Despotismus zu einer
freien Monarchie zurückkehren, die neuen Ideen und die neuen
Generationen sich wieder an die alten Principe und an die alten
Menschen halten. Die Marschälle des Kaiserreichs wurden Mar=
schälle von Frankreich; unter die Uniformen der Neapoleon'schen
Garde mischten sich die Uniformen der Garde=du=corps und des Rothen
Hauses, die genau nach den alten Mustern geschnitten wurden. Der
alte Herzog von Havré marschirte mit seiner gepuderten Perrücke und
seinem schwarzen Stocke mit dem Kopfe wackelnd als Capitän der
Garde=du=corps neben dem Marschall Victor, der nach Bona=
parte's Weise hinkte; der Herzog von Mouchy, der nie ein Zünd=
pulver hatte brennen gesehen, defilirte bei der Messe neben dem
mit Narben bedeckten Marschall Oudinot. Das Schloß der Tuile=
rien, unter Napoleon so rein und so militärisch gehalten, füllte
sich jetzt statt mit Pulvergeruch mit dem Dampf der Frühstücke
an, der von allen Seiten aufstieg; unter den Herren Kammerjun=
kern, mit den Herren Mundköchen und Garderobeverwaltern nahm
Alles wieder den Charakter des Bedientenstandes an. In den
Straßen sah man hinfällige Emigrirte mit den Airs und den
Kleidern von ehemals, ohne Zweifel die achtungswerthesten Leute,
aber unter der modernen Menge so fremd, wie die neuen Offiziere

es unter den Soldaten Napoleon's waren. Die kaiserlichen Hof=
damen führten die Erbherzogin vom Faubourg Saint=Germain ein
und lehrten sie die Gelegenheiten des Palastes kennen. Es
kamen Deputationen von Bordeaur an, die mit Halsbergen ge=
schmückt waren, Dorfvorsteher aus der Vendée mit Hüten à la
Larochejaquelin. Diese verschiedenen Personen behielten den Aus=
druck der Gesinnungen, der Gedanken, der Gewohnheiten, der Sit=
ten bei, die bei ihnen gewöhnlich waren. Die Freiheit, welche
den Hintergrund dieser Epoche bildete, brachte das, was auf den
ersten Blick nicht leben zu sollen schien, zum Zusammenleben;
allein man hatte Mühe, diese Freiheit zu erkennen, weil sie die
Farben der alten Monarchie und des kaiserlichen Despotismus
trug. Auch verstand jeder die constitutionelle Sprache schlecht; die
Royalisten machten grobe Fehler, wenn sie von der Charte redeten;
die Kaiserlichen waren noch weniger darin eingeschult; die Con=
ventsmitglieder, welche abwechselnd Grafen, Barone, Senatoren
Napoleon's und Pairs Ludwig's XVIII geworden waren, verfielen
bald in den republikanischen Dialekt, den sie beinahe vergessen
hatten, bald in die Mundart des Absolutismus, die sie gründlich
gelernt hatten. Generallieutenants wurde die Bewachung der Hasen=
gehege übertragen. Adjutanten des letzten militärischen Tyrannen
hörte man von der unverletzlichen Freiheit der Völker sprechen
und Königsmörder das heilige Dogma der Legitimität verfechten.

Diese Metamorphosen wären verächtlich, wenn sie nicht theil=
weise von der Biegsamkeit des französischen Geistes herrührten.
Das Volk von Athen regierte sich selbst; Redner wandten sich auf
dem öffentlichen Platze an seine Leidenschaften; die souveräne
Menge bestand aus Bildhauern, Malern, Arbeitern, Beschauern
der Zuhörer und handelnden Zuhörern, wie Thucydides
sagt. Wenn aber das Decret, ob gut oder schlecht, erlassen war,
wer trat dann, um es auszuführen, aus dieser unzusammenhän=
genden und unerfahrenen Masse? Sokrates, Phocion, Perikles,
Alcibiades.

Muß man den Royalisten die Schuld der Restauration beimessen?

Muß man den Royalisten die Schuld der Restauration beimessen, wie man heutzutage thut? Nicht im Geringsten. Sollte man nicht meinen, dreißig Millionen Menschen seien mit Bestürzung geschlagen gewesen, während eine Handvoll Legitimer gegen den Willen Aller eine verhaßte Restauration zu Stande brachten, indem sie einige Sacktücher schwenkten und ein Band ihrer Frau auf ihren Hut hefteten? Allerdings war die ungeheure Majorität der Franzosen im Jubel; allein diese Majorität war im beschränkten Sinne dieses Wortes nicht legitimistisch und gleichsam nur den strengen Parteigängern der alten Monarchie anhänglich. Diese Majorität war eine aus allen Schattirungen genommene Menge, die sich glücklich schätzte, vom Despotismus befreit zu sein, und die gegen den Mann, dem sie Schuld an allem ihrem Unglücke gab, heftig aufgebracht war; daher der Erfolg meiner Brochüre. Wie viel erklärte Aristokraten zählte man, die den Königsnamen proclamirten? Die Herren Matthieu und Adrian von Montmorency, die ihrem Kerker entronnenen Herren von Polignac, Herren Alexis von Noailles, Herren Sostehnes de la Rochefoucauld. Machten diese sieben oder acht Männer, welche das Volk verkannte und denen es nicht folgte, das Gesetz für eine ganze Nation?

Frau von Montcalm hatte mir einen Sack mit 1200 Franken übersandt, um sie an die reine legitimistische Race auszutheilen; ich sandte ihr denselben zurück, da ich keinen Thaler anzubringen gefunden hatte. Man legte der Statue, welche auf der Säule des Vendomeplatzes stand, einen schmählichen Strick um den Hals; es gab so wenig Royalisten, um sich an das Seil zu spannen und den Ruhm herunterzuzerren, daß die ganz bonapartistischen Behörden selbst das Bild ihres Gebieters vermittelst eines Schnellgalgens herabzogen; der Koloß beugte gezwungen das Haupt und fiel zu den Füßen der europäischen Monarchen,

welche so oft vor ihm gekniet. Die Männer der Republik und
des Kaiserreichs begrüßten mit Enthusiasmus die Restauration.
Das Benehmen und die Undankbarkeit der durch die Revolution
emporgekommenen Personen gegen den, den zu bedauern und zu
bewundern sie sich heutzutage den Anschein geben, war abscheulich.

Kaiserliche und Liberale, ihr seid es, unter deren Händen die
Macht zerfallen ist, ihr, die ihr vor den Söhnen Heinrich's IV
knietet! Es war ganz natürlich, daß die Royalisten glücklich waren,
ihre Prinzen wieder zu finden und das Reich dessen, den sie als
Usurpator betrachteten, ein Ende nehmen zu sehen; aber ihr, ihr
Kreaturen dieses Usurpators, ihr thatet es in eurer Uebertreibung
den Gefühlen der Royalisten zuvor. Die Minister, die Groß=
würdenträger, leisteten um die Wette der Legitimität den Eid; alle
Civil= und Gerichtsbehörden verbanden sich, um der neuen, ge=
ächteten Dynastie Haß und dem alten Stamme, den sie hundert=
und hundertmal verdammt hatten, Liebe zu schwören. Wer ver=
faßte jene Proclamationen, jene anklagenden und für Napoleon
so beleidigenden Adressen, mit denen Frankreich überschwemmt
ward? Royalisten? Nein; die von Napoleon erwählten und auf=
recht erhaltenen Minister, Generäle und Behörden. Wo wurde
die Restauration abgekartet? Bei Royalisten? Nein, bei Herrn
von Talleyrand. Mit wem? Mit Herrn von Pradt, dem Almose=
nier des Gottes Mars und dem mit dem Bischofshute beklei=
deten Marktschreier. Bei wem und mit wem speiste der General=
lieutenant des Königreichs bei seiner Ankunft? Bei Royalisten und
mit Royalisten? Nein; bei dem Bischof von Autun, mit Herrn
von Caulaincourt. Wo gab man den verfluchten fremden
Prinzen Feste? In den Schlössern der Royalisten? Nein; in
Malmaison, bei der Kaiserin Josephine. Wem weihten Bona=
parte's theuerste Freunde, zum Beispiel Berthier, ihre glühende
Hingebung? Der Legitimität. Wer umlagerte stets den Selbst=
herrscher Alexander, den „rohen Tartaren?" Die Klassen des In=
stitutes, die Gelehrten, die Leute der Wissenschaft, die philanthro=

pifchen, theophilanthropifchen und andere Philosophen; fie kamen
entzückt, mit Lobsprüchen und Tabaksdofen überhäuft von ihm
zurück. Wir aber, wir armen Teufel von Legitimiften, wir wur=
ben nirgends aufgenommen; man zählte uns für nichts. Bald
ließ man uns auf die Straße fagen, wir follten zu Bette gehen,
bald empfahl man uns, nicht zu laut: Es lebe der König!
zu rufen, da Andere diefe Sorge übernommen hätten. Weit ent=
fernt, Jemand zu zwingen, Legitimift zu fein, erklärten die Macht=
haber, daß Niemand gezwungen fei, die Rolle oder die Sprache
zu wechfeln, daß der Bifchof von Autun unter dem Königreiche
fo wenig gezwungen fein werde, die Meffe zu lefen, als unter dem
Kaiferreiche, fie zu befuchen. Ich habe nicht gefehen, daß irgend
eine Burgfrau, eine Johanna d'Arc mit dem Falken auf der Fauft
ober ber Lanze in ber Hand ben rechtmäßigen Souverän procla=
mirt hätte; aber Frau von Talleyrand, die Bonaparte ihrem
Mann gleich einer Infchrift angehängt hatte, fuhr in ihrer Kalefche
burch die Straßen, unter Abfingung von Hymnen auf die fromme
Familie der Bourbonen. Einige an den Fenftern der kaiferlichen
Hofbedienten aufgehängten Tücher brachten die guten Kofacken
auf den Glauben, es habe in den Herzen der bekehrten Bonapar=
tiften fo viele Lilien, als weiße Fetzen an ihren Fenftern. Die
Anfteckung in Frankreich ift etwas Merkwürdiges und gewiß würde
man nieder mit meinem Kopfe! fchreien, wenn man es von
feinem Nachbar hörte. Die Kaiferlichen kamen fogar in unfere
Häufer und hießen uns Bourboniften die Ueberrefte unferes Weiß=
zeuges als fleckenlofe Fahne heraushängen. Das gefchah bei mir;
allein Frau von Chateaubriand wollte fich nicht dazu verftehen
und vertheidigte wacker ihre Linnen.

158

Erstes Ministerium. — Ich veröffentliche die politischen Betrachtungen. — Die Frau Herzogin von Duras. — Ich werde
zum Gesandten in Schweden ernannt.

Der in eine Deputirtenkammer umgewandelte gesetzgebende
Körper und die aus hundert zweiundfünfzig in's Leben gerufenen
Mitgliedern bestehende Pairskammer, welche mehr als sechzig Senatoren zählte, bildeten die zwei ersten gesetzgebenden Kammern.
Herr von Talleyrand, der in's Ministerium der auswärtigen Angelegenheiten eingetreten war, reiste zu dem Congreß nach Wien
ab, dessen Eröffnung nach dem Artikel 32 des Vertrags vom
30. Mai auf den 3. November festgesetzt war; Herr von Jaucourt
übernahm das Portefeuille während eines Interims, das bis zur
Schlacht von Waterloo dauerte. Der Abbé von Montesquiou
wurde Minister des Auswärtigen und ihm als Generalsecretär
Herr Guizot beigegeben; Herr Malouet trat in die Marine ein;
er ging mit Tod ab und wurde durch Herrn Beugnot ersetzt. Der
General Dupont erhielt das Kriegsdepartement, man gab ihm den
Marschall Soult bei, dessen ausgezeichnetste That darin die Er-
richtung des Grabmals von Quiberon war. Der Herzog von
Blacas wurde Minister des königlichen Hauses, Herr Anglès
Polizeipräfect, der Kanzler von Ambray Justizminister, der Abbé
Louis Finanzminister.

Am 21. October brachte der Abbé von Montesquiou das erste
Gesetz in Bezug auf die Presse ein; es unterwarf jede Schrift von
weniger als zwanzig Druckbogen der Censur; dieses erste Gesetz
der Freiheit arbeitete Herr Guizot aus.

Carnot richtete einen Brief an den König; er gestand, daß
die Bourbonen mit Freude empfangen worden seien;
indem er jedoch weder der Kürze der Zeit, noch Allebem, was die
Charte verlieh, irgend welche Rechnung trug, ertheilte er mit ge-
wagten Rathschlägen noch hochmüthige Lehren. Dieß Alles paßt

nicht, wenn man den Rang eines Ministers und den Titel eines
Reichsgrafen angenommen hat; es ziemt sich nicht, sich einem
schwachen und liberalen Fürsten gegenüber stolz zu zeigen, wenn
man einem gewaltthätigen und despotischen Fürsten unterwürfig war,
wenn man sich nach abgenützter Schreckensmaschine in der Be=
rechnung der Verhältnisse des Napoleonischen Krieges unzuläng=
lich fand.

Als Antwort ließ ich die politischen Betrachtungen
drucken; sie enthalten das Wesen der Monarchie nach der
Charte. Herr Lainé, Präsident der Deputirtenkammer, sprach
dem König lobend von diesem Werke. Der König schien immer
entzückt über die Dienste, welche ihm zu erweisen ich das Glück
hatte; der Himmel schien mir den Heroldsmantel der Legitimität
über die Schultern geworfen zu haben; je größeren Erfolg jedoch
die Arbeit hatte, desto minder gefiel der Verfasser Sr. Majestät.
Die politischen Betrachtungen brachten meine constitutio=
nellen Lehrsätze unter das Publikum; sie machten auf den Hof
einen Eindruck, den meine Treue für die Bourbonen nicht aus=
zulöschen vermochte. Ludwig XVIII sagte zu seinen Vertrauten:
„Hütet Euch, je einen Poeten in Euren Angelegenheiten zuzulassen.
Diese Leute taugen zu Nichts."

Eine mächtige und lebhafte Freundschaft erfüllte damals mein
Herz. Die Herzogin von Duras besaß Einbildungskraft und sogar
im Gesichte Etwas von dem Ausdruck der Frau von Staël; ihr
schriftstellerisches Talent ließ sich nach Urika beurtheilen. Aus
der Emigration in ihr Schloß Ussé, am Ufer der Loire, zurück=
gekehrt, hielt sie sich hier mehrere Jahre in vollständiger Abge=
schiedenheit auf. In den schönen Gärten von Mereville hörte ich
zum ersten Male von ihr reden, nachdem ich, ohne sie angetroffen
zu haben, mit ihr in London gelebt hatte. Sie kam wegen der
Erziehung ihrer reizenden Töchter, Felicia und Clara, nach Paris.
Familienverhältnisse, mein Provinzleben, meine literarischen und

politischen Werke verschafften mir Zutritt in ihre Gesellschaft. Das Feuer der Seele, der Adel des Charakters, die Hoheit des Geistes, die edeln Gesinnungen machten sie zu einer ausgezeichneten Frau. Zu Anfang der Restauration hatte sie mich unter ihren Schutz genommen; denn trotz Allem, was ich für die legitime Monarchie gethan hatte, und der Dienste, die Ludwig XVIII von mir empfangen zu haben gestand, war ich so sehr auf die Seite gesetzt worden, daß ich im Sinne hatte, mich in die Schweiz zurückzuziehen. Vielleicht hätte ich gut gethan; wäre ich in jenen Einsamkeiten, die Napoleon mir als seinem Gesandten in den Bergen bestimmt hatte, nicht glücklicher gewesen, als im Schloß der Tullerien? Als ich bei der Rückkehr der Legitimität in die Salons eintrat, machten sie einen fast eben so peinlichen Eindruck auf mich, wie jener Tag, an welchem ich Bonaparte im Begriff sah, den Herzog von Enghien zu tödten. Frau von Duras sprach Herrn von Blacas von mir. Er antwortete, es stünde mir frei, zu gehen, wohin ich wollte. Frau von Duras war so ungestüm, sie kämpfte mit einem solchen Muth für ihre Freunde, daß man eine vacante Gesandtschaftsstelle entdeckte, den schwedischen Gesandtschaftsposten. Des Aufsehens, das ich machte, schon müde, war Ludwig XVIII glücklich, mich seinem guten Bruder, dem König Bernadotte, zum Geschenk zu machen. Stellte sich dieser nicht vor, man schicke mich nach Stockholm, um ihn des Thrones zu entsetzen? Ei, du lieber Gott, Ihr Fürsten der Erde, ich entthrone Keinen. Behaltet Eure Kronen, wenn Ihr könnt; besonders aber gebt sie nicht mir, denn ich will kein Stäubchen davon.

Frau von Duras, eine treffliche Frau, die mir erlaubte, sie Schwester zu nennen, und welche noch mehrere Jahre in Paris zu sehen ich die Ehre hatte, starb in Nizza ... wieder eine schmerzliche Wunde! Die Herzogin von Duras kannte Frau von Staël sehr gut; ich kann nicht begreifen, daß ich nicht von Madame Recamier, die aus Italien nach Frankreich zurückgekehrt war, angezogen wurde, ich hätte den Beistand, der meinem Leben zu Hülfe

kam, freudig begrüßt; denn ich gehörte schon nicht mehr jenen
Morgen an, die sich selbst trösten; ich näherte mich bereits jenen
Abendstunden, welche der Tröstung bedürftig sind.

Ausgrabung der Ueberreste Ludwig's XVI. — Die erste Feier des 21. Januar in Saint-Denis.

Am 30. December des Jahres 1814 wurden die gesetzgebenden Kammern bis zum 1. Mai vertagt, als hätte man sie zur
Versammlung auf Bonaparte's Maifeld zusammenberufen.

Am 18. Januar wurden die Ueberreste Marie Antoinetten's
und Ludwig's XVI ausgegraben. Ich wohnte dieser Ausgrabung
auf dem Kirchhofe bei, auf welchem Fontaine und Percier seither,
dem frommen Aufrufe der Frau Dauphine zufolge und mit Nachahmung einer Begräbnißkirche von Rimini das vielleicht merkwür-
digste Monument von Paris erbaut haben. Dieses aus einer
Verkettung von Gräbern gebildete Kloster ergreift die Einbildungskraft und erfüllt sie mit Trauer. Im III. Theile dieser Memoiren sprach ich von den Ausgrabungen im Jahr 1815. Mitten
unter den Gebeinen erkannte ich den Kopf der Königin vermöge
des Lächelns, welches dieser Kopf in Versailles an mich gerichtet hatte.

Am 21. Januar legte man den ersten Grundstein zu der
Statue, welche auf dem Platze Ludwig's XV errichtet werden sollte
und es nie ward. Ich beschrieb das Leichengepränge vom 21. Januar; ich sagte: „Diese Priester, welche mit der Oriflamme vor
die Gruft des heiligen Ludwig traten, werden [ben Abkömmling
des heiligen Königs nicht empfangen. In diesen unterirdi-
schen Wohnungen, wo diese vernichteten Könige und
Prinzen schliefen, wird sich Ludwig XVI allein befinden! . . . Wie, sind so viele Todte auferstanden? Warum ist

Saint=Denis veröbet? Fragen wir lieber, warum sein Dach wie=
der hergestellt sei, sein Altar wieder stehe? Welche Hand hat das
Gewölbe dieser Grüfte wieder aufgebaut und diese leeren Gräber
bereitet? Die Hand eben dieses Mannes, der auf dem Throne
der Bourbonen saß. O Vorsehung! Er glaubte Gräber für seinen
Stamm zu bereiten und baute nur das Grab Ludwig's XVI."

Ich hegte ziemlich lange den Wunsch, das Bild Ludwig's XVI
möchte an eben dem Orte aufgestellt werden, wo der Märtyrer
sein Blut vergoß; jetzt wäre ich nicht mehr dieser Ansicht. Es
gereicht den Bourbonen zum Lobe, daß sie vom ersten Augenblicke
ihrer Rückkehr an an Ludwig XVI gedacht haben; sie mußten mit
seiner Asche ihre Stirne bestreichen, bevor sie seine Krone auf ihr
Haupt setzten. Jetzt glaube ich, sie hätten nicht weiter gehen sollen.

In Paris befand sich nicht, wie in London, eine Commission,
welche den Monarchen verurtheilte, sondern der ganze Convent;
daher der jährliche Vorwurf, den eine wiederholte Trauerceremonie,
dem Anscheine nach durch eine vollständige Versammlung reprä=
sentirt, der Nation zu machen schien. Alle Völker haben zur
Feier ihrer Siege, ihrer Umgestaltungen oder ihrer Unglücksfälle
Jahresfeste festgesetzt, denn alle haben gleicherweise die Erinnerung
an die Einen und die Andern bewahren wollen. Wir haben
Feierlichkeiten für die Barricaden, Gesänge für die Bartholomäus=
nacht, Feste für Capet's Tod gehabt; ist es aber nicht merkwür=
dig, daß das Gesetz ohnmächtig ist, Erinnerungstage zu schaffen,
während die Religion den unbedeutendsten Heiligen durch alle Zeit=
alter hindurch beim Leben erhält? Wenn die für das Opfer Karl's I
eingesetzten Feste noch dauern, so kommt es daher, weil in Eng=
land der Staat die Obergewalt des Königs in Kirchensachen mit
der politischen Obergewalt vereinigt und der 30. Januar von
1649 kraft dieser Obergewalt ein Feiertag geworden ist. In Frank=
reich verhält es sich nicht so; Rom allein hat das Recht, in Re=
ligionssachen zu befehlen; wie steht es daher mit einer Verord=
nung, die ein Fürst erläßt, mit einem Decrete, das eine politische

Verſammlung verkündigt, wenn ein anderer Fürſt, eine andere Verſammlung das Recht haben, ſie für ungültig zu erklären? Meine jetzige Anſicht geht daher dahin, daß es nicht paſſend iſt, das Symbol eines Feſtes, das abgeſchafft werden kann, das Zeug= niß einer tragiſchen, nicht durch den Cultus geweihten Kataſtrophe auf den Weg der ſorgloſen und von ihren Vergnügungen zerſtreu= ten Menge zu bringen. Bei der jetzigen Zeit ſtünde zu befürch= ten, daß ein Monument, welches mit dem Zweck errichtet würde, Schrecken vor populären Exceſſen einzuprägen, den Wunſch er= weckte, ſie nachzuahmen. Man wird mehr zum Böſen als zum Guten verlockt; indem man den Schmerz fortpflanzen will, pflanzt man oft nur das Beiſpiel fort. Die Jahrhunderte nehmen die Trauervermächtniſſe nicht an, ſie haben in der Gegenwart Anlaß genug zu weinen, ohne noch auf ſich zu nehmen, ererbte Thränen zu vergießen.

Beim Anblick des Katafalks, der, mit den Ueberreſten der Königin und des Königs beladen, den Kirchhof Ducluzeau ver= ließ, fühlte ich mich ganz ergriffen; von einem traurigen Vor= gefühl erfaßt, folgte ich ihm mit den Augen. Endlich nahm Lud= wig XVI ſeine Ruheſtätte in Saint=Denis ein; Ludwig XVIII dagegen ſchlief im Louvre; die beiden Brüder begannen mit ein= ander eine andere Aera von Königen und legitimen Geſpenſtern. Eitle Reſtauration des Thrones und des Grabes, von welchen die Zeit ſchon den doppelten Staub weggefegt hat!

Da ich von dieſen Leichenceremonien geſprochen habe, welche ſich ſo oft wiederholten, ſo muß ich auch von dem Alp reden, der mich bedrückte, als ich nach beendigter Ceremonie Abends in der ſchon zur Hälfte von ihrer Behängung befreiten Baſilika umher= ging. Daß ich unter dieſen verheerten Gräbern an die Eitelkeit der menſchlichen Größen dachte, verſteht ſich von ſelbſt; es iſt die gewöhnliche Moral, die aus dem Schauſpiel ſelbſt zu ſchöpfen war. Mein Geiſt blieb jedoch nicht hier ſtehen, ich drang bis in die Natur des Menſchen. Iſt in der Region der Gräber Alles leer

11*

unb Alles entwichen? Liegt Nichts in diesem Nichts? Gibt es kein
Dasein im Nichts, keine Gedanken im Staube? Haben diese Ge-
beine nicht Lebensweisen, die uns unbekannt sind? Wer kennt die
Leidenschaften, die Vergnügen, die Umarmungen dieser Todten?
Sind die Dinge, die sie geträumt, geglaubt, erwartet haben, wie sie
Idealitäten, die in buntem Durcheinander mit ihnen versenkt wur-
den? Träume, Zukunft, Freuden, Schmerzen, Freiheiten und Skla-
vereien, Macht und Schwächen, Laster und Tugenden, Ehre und
Schmach, Reichthümer und Elend, Talente, Genie, Geschicklichkeit,
Ruhm, Täuschungen, Liebe, seid ihr Begriffe eines Augenblicks,
Begriffe, die mit den zerstörten Schädeln, in denen sie sich erzeug-
ten, mit dem vernichteten Busen, in welchem einst ein Herz schlug,
vergangen sind? Hört man in eurem ewigen Schweigen, o Gräber,
wenn ihr Gräber seid, nur höhnisches und ewiges Lachen? Ist
dieses Lachen der Gott, die einzige spöttische Wirklichkeit, welche
den Betrug dieses Weltalls überleben wird? Schließen wir die
Augen; füllen wir den für das Leben verzweiflungsvollen Schlund
mit den großen und geheimnißvollen Worten des Märtyrers aus:
„Ich bin Christ."

Die Insel Elba.

Bonaparte hatte sich geweigert, sich auf einem französischen
Schiffe einzuschiffen, indem er damals nur auf die englische Marine
Etwas hielt, weil sie siegreich war; er hatte seinen Haß, die Ver-
leumbungen, die Schmähungen, mit denen er das perfide Albion
überhäuft hatte, vergessen; er fand nur noch die triumphirende
Partei seiner Bewunderung würdig und so trug ihn denn der
Undaunted in den Hafen seines ersten Erils. Er war nicht ohne
Besorgniß über die Art, wie er aufgenommen werden würde und ob
die französische Garnison ihm das Gebiet, das sie bewachte, übergeben werde. Als italienische Inselbewohner wollten die Einen

die Engländer herbeirufen, die Andern frei von jedem Herrn bleiben. Auf zwei einander nahe liegenden Vorgebirgen flatterten die dreifarbige und die weiße Fahne. Demungeachtet gab sich Alles. Als man erfuhr, daß Napoleon mit Millionen anlange, entschieden sich die Meinungen großmüthig für Aufnahme des erhabenen Opfers. Die bürgerlichen und kirchlichen Autoritäten wurden zu der nämlichen Ueberzeugung gebracht. Der Generalvicar, Joseph Philipp Arrighi, veröffentlichte ein Mandat. „Die göttliche Vorsehung," sagte der fromme Befehl, „wollte, daß wir in Zukunft die Unterthanen Napoleon's des Großen sein sollten. Die einer so hohen Ehre gewürdigte Insel Elba empfängt in ihrem Schooße den Gesalbten des Herrn. Wir befehlen, daß ein feierliches Tedeum als Dankopfer gesungen werde u. s. w."

Der Kaiser hatte an den General Dalesme, Commandanten der französischen Garnison, geschrieben, er möge den Bewohnern Elba's zu wissen thun, daß er sich in Berücksichtigung ihrer ansprechenden Sitten und ihres milden Klima's ihre Insel zum Aufenthalt erkoren habe. Unter der doppelten Begrüßung der englischen Fregatte, die ihn trug, und der Küstenbatterien setzte er in Porto-Ferrajo den Fuß an's Land. Von hier aus wurde er unter dem Traghimmel zur Kirche begleitet, wo man das Tedeum sang: Der Famulus des Küsters und zugleich Ceremonienmeister war ein kurzer, dicker Mann, der seine Hände nicht über seiner eigenen Person kreuzen konnte. Nachher wurde Napoleon in die Mairie geführt, wo ihm eine Wohnung bereitet war. Man entfaltete die neue kaiserliche Flagge, deren Grund weiß mit rothen Streifen und mit drei goldenen Bienen besät war. Drei Violinen und zwei Baßgeigen begleiteten ihn unter lustigem Gekratze. Der in der Eile im öffentlichen Ballsaal aufgeschlagene Thron war mit vergoldetem Papier und Scharlachfetzen ausgeschmückt. Die Komödiantenseite der Natur des Gefangenen fand sich mit diesem Aufzuge ganz gut ab; Napoleon spielte in der Kapelle, wie er seinen

Hof im Tullerienpalaste mit alten kleinen Spielen belustigte und nachher zum Zeitvertreib Menschen tödtete.

Er bildete seinen Hausstaat; dieser bestand aus vier Kammerherren, drei Ordonnanzoffizieren und zwei Palastfourieren. Er erklärte, daß er zweimal wöchentlich um acht Uhr Abends Damen empfangen werde. Er gab einen Ball. Er bemächtigte sich des für die Genieoffiziere bestimmten Sommerhauses und machte es zu seiner Residenz. Unablässig traf Bonaparte in seinem Leben die beiden Quellen an, aus denen er hervorgegangen war, die Demokratie und die königliche Gewalt; seine Macht verdankte er den bürgerlichen Massen, seinen Rang seinem Genie; man sieht ihn daher auch ohne welche Anstrengung vom öffentlichen Platze auf den Thron, von den Königen und Königinnen, die sich in Erfurt um ihn drängten, zu den Bäckern und Oelhändlern gehen, die in seiner Scheune in Porto-Ferrajo tanzten. Unter den Fürsten hatte er einen Anhauch vom Volke, unter dem Volke einen Anhauch vom Fürsten. Um fünf Uhr Morgens präsidirte er in seidenen Strümpfen und Schnallenschuhen seinen Maurern auf der Insel Elba.

In seinem Reiche eingerichtet, welches seit Virgil's Tagen unerschöpflich an Stahl ist:

Insula inexhaustis chalybum generosa metallis —

hatte Bonaparte die kürzlich erlittene Schmach nicht vergessen; er hatte nicht darauf verzichtet, sein Grabtuch zu zerreißen, doch hielt er für rathsam, begraben zu scheinen und sich nur als gespensterartige Erscheinung in der Gegend seines Monumentes zu zeigen. Deßhalb stieg er eifrig, als hätte er an nichts Anderes gedacht, in seine Gruben von krystallisirtem Eisen und Magnet hinab; man hätte ihn für einen alten Bergwerkinspector seiner ehemaligen Staaten halten können. Er bereute, einst die Einkünfte der Eisenhämmer von Illua für die Ehrenlegion bestimmt zu haben;

500,000 Franken schienen ihm jetzt von höherem Werthe, als ein in Blut gebadetes Kreuz auf der Brust seiner Grenadiere.

„Wo hatte ich nur den Kopf?" äußerte er sich hierüber; „doch habe ich mehrere dumme Decrete dieser Art erlassen."

Er schloß einen Handelsvertrag mit Livorno und nahm sich vor, einen solchen auch mit Genua zu schließen. Auf's Gerathe= wohl unternahm er den Bau der fünf bis sechs Klafter langen Strecke einer Hauptstraße und entwarf den Umriß der Baustelle von vier großen Städten, wie Dido die Grenzen von Karthago zeichnete. Als ein von den menschlichen Größen enttäuschter Phi= losoph erklärte er, künftig als Friedensrichter in einer Grafschaft von England leben zu wollen, und doch entfielen ihm bei Er= klimmung eines Hügels, der Porto=Ferrajo beherrscht, beim Anblick des am Fuß der steilen Gestade von allen Seiten sich ausdehnen= den Meeres die Worte: „Zum Teufel! Man muß gestehen, meine Insel ist sehr klein." In einigen Stunden konnte er sein Gebiet durchwandern; er wollte demselben noch einen Felsen, Pianosa genannt, beifügen. „Europa," sagte er lachend, „wird mich an= klagen, schon eine Eroberung gemacht zu haben." Die verbünde= ten Mächte freuten sich, ihm zum Hohn vierhundert Soldaten ge= lassen zu haben; er brauchte nicht mehr, um die Uebrigen alle unter die Fahne zu rufen.

Napoleon's Anwesenheit an den Küsten Italiens, das den Beginn seines Ruhmes gesehen hatte und sein Andenken bewahrt, brachte Alles in Aufregung. Murat befand sich in der Nachbar= schaft; seine Freunde und Fremde fanden sich heimlich oder öffent= lich in seiner Zurückgezogenheit ein; seine Mutter und seine Schwe= ster, die Prinzessin Pauline, besuchten ihn; man machte sich gefaßt, Marie Louise und seinen Sohn ebenfalls bald ankommen zu sehen. Und wirklich erschien auch eine Frau und ein Kind, die im größ= ten Geheimniß empfangen wurden; sie nahm ihre Wohnung in einer abgelegenen Villa im entferntesten Winkel der Insel. An dem Ufer von Ogygia sprach Kalypso dem Ulysses von ihrer

Liebe; diefer aber dachte, ftatt ihr zuzuhören, wie er ſich gegen
die Freier vertheidigen wolle. Nach zwei Ruhetagen tauchte der
Schwan des Nordens, fein Junges in feiner weißen Flügelbeu=
gung mitnehmend, wieder in's Meer, um zu den Myrien von
Bajä zu ſegeln.

Wäre unſer Vertrauen geringer geweſen, ſo hätten wir die
Annäherung einer Kataſtrophe leicht entdecken können. Bonaparte
war feiner Wiege und ſeinen Eroberungen zu nahe; fein Inſel=
grab mußte ferner und von mehr Wellen umringt fein. Man
kann ſich nicht erklären, wie die Verbündeten auf den Einfall
kamen, Napoleon auf dieſe Felſen zu verweiſen, um die Lehrzeit
des Exils hier durchzumachen. Wie, mußte man nicht annehmen,
daß beim Anblick der Apenninen, beim Pulvergeruch der Felder
von Motenotte, Arcole und Marengo, bei der Nähe von Venedig,
Rom und Neapel, feiner drei ſchönſten Sklavinnen, die unwider=
ſtehlichſten Verſuchungen ſich ſeines Herzens bemächtigen würden?
Hatte man vergeſſen, daß er die Erde umgekehrt, daß er überall
Bewunderer und Verpflichtete hatte, welche, die Einen wie die
Andern, feine Mitſchuldigen waren? Sein Ehrgeiz ſchlummerte
im Hintergrunde, er war nicht erloſchen; das Unglück und die
Rache fachten feine Flamme von Neuem an. Als der Fürſt der
Finſterniß vom Ufer des erſchaffenen Weltalls aus den Menſchen
und die Welt erblickte, beſchloß er, ſie zu verderben.

Vor dem Ausbruche nahm ſich der furchtbare Gefangene einige
Wochen lang zuſammen. Neben dem ungeheuren öffentlichen Pha=
rao, das er ſpielte, handelte fein Genie ein Vermögen oder ein
Königreich ein. Die Fouché, die Gusman d'Alfarache vermehr=
ten ſich. Der große Schauſpieler hatte ſeit langer Zeit in ſeiner
Polizei das Melodrama eingeführt und ſich das höhere Drama
ſelber vorbehalten; er ergötzte ſich an den gemeinen Opfern, die
in den Verſenkungen ſeines Theaters verſchwanden.

Im erſten Jahre der Reſtauration ging der Bonapartismus,
je nachdem feine Hoffnungen wuchſen und er den ſchwachen Charakter

der Bourbonen besser kennen lernte, vom bloßen Verlangen zur Hand =
lung über. Als die Intrigue von Außen geknüpft war, knüpfte
sie sich auch im Innern und die Verschwörung gedieh lustig. Unter
der geschickten Verwaltung des Herrn Ferrand führte Herr von
Lavalette die Correspondenz und die Curiere der Monarchie be=
förderten die Depeschen des Kaiserreichs. Man verbarg sich nicht
mehr, die Carricaturen verkündeten eine erwünschte Rückkehr; man
sah zu den Fenstern des Tuilerienschlosses wieder Adler ein = und
einen Trupp Truthähne durch die Thüren hinausziehen.

Es kamen Winke von allen Seiten; man wollte nicht daran
glauben. Die schweizerische Regierung hatte sich vergebens be=
müht, die königliche Regierung von den Schlichen Joseph Bona=
parte's zu benachrichtigen, der sich in's Wadtland zurückgezogen
hatte. Eine von der Insel Elba gekommene Frau erzählte mit
den genauesten Nebenumständen, was in Porto=Ferrajo vorging,
und die Polizei ließ sie in's Gefängniß werfen. Man nahm als
Gewißheit an, daß Napoleon vor dem Schluß des Congresses
Nichts wagen und seine Absichten in jedem Falle auf Italien ge=
richtet sein würden. Andere, noch klügere Leute wünschten, der
kleine Korporal, der Wehrwolf, der Gefangene möchte
an der französischen Küste landen; das wäre ein zu glückliches
Ereigniß; man würde ihm mit Einem Streiche den Garaus machen.
Herr Pozzo di Borgo erklärte in Wien, daß der Delinquent am
ersten besten Baume aufgehängt würde. Wenn man gewisse Pa=
piere erhalten könnte, so würde man den Beweis darin finden,
daß seit dem Jahre 1814 eine militärische Verschwörung angezet=
telt war und mit der politischen Verschwörung, welche der Fürst
Talleyrand auf Anstiften Fouché's in Wien leitete, parallel lief.
Napoleon's Freunde schrieben ihm, daß, wenn er seine Rückkehr
nicht beschleunige, er seinen Platz in den Tuilerien durch den
Herzog von Orleans besetzt finden werde. Sie meinen, diese Kunde
habe die Rückkehr des Kaisers beschleunigt. Ich bin vom Be=
stehen solcher Intriguen überzeugt, glaube aber ebenfalls, daß der

Grund, welcher Bonaparte bestimmte, ganz einfach in der Natur seines Genies lag.

Die Verschwörung Drouet's von Erlon und Lefebvre=Denouettes' brach aus. Einige Tage vor der Schilderhebung dieser Generäle speiste ich bei dem Marschall Soult, der am 3. December 1814 zum Kriegsminister ernannt worden war. Ein Einfalts= pinsel schilderte das Exil Ludwig's XVIII in Hartwell; der Mar= schall hörte zu und antwortete bei jedem Umstande mit den Wor= ten: „Das ist historisch." — „Man brachte Seiner Majestät die Pantoffeln." — „Das ist historisch!" — „Der König genoß an Festtagen drei rohe Eier vor dem Mittagessen." — „Das ist historisch!"

Diese Antwort fiel mir auf. Wenn der Bestand einer Re= gierung nicht dauerhaft ist, so wird jeder Mensch, der Nichts nach dem Gewissen fragt, je nach der größern oder geringern Energie seines Charakters zum vierten Theile, zur Hälfte, zu drei Vier= theilen zum Verschwörer; er wartet die Entscheidung des Schick= sals ab. Die Ereignisse machen mehr Verräther, als die Meinungen.

———

Durchgesehen im December 1846.

Beginn der hundert Tage. — Rückkehr von der Insel Elba.

Plötzlich kündete der Telegraph allen Tapferen und Ungläu= bigen die Landung des verwegenen Mannes an. Monsieur eilt mit dem Herzog von Orleans und dem Marschall Macdonald nach Lyon und kehrt alsobald wieder zurück. Der in der Deputirtenkam= mer verdächtigte Marschall Soult tritt am 11. März seinen Platz an den Herzog von Feltre ab. Bonaparte trifft als Kriegsminister Ludwig's XVIII im Jahr 1815 den General an, welcher sein letzter Kriegsminister im Jahr 1814 war.

171

Die Kühnheit des Unternehmens war eine unerhörte. Vom politischen Standpunkt aus konnte man dieses Unternehmen als das unverzeihlichste Verbrechen und den Hauptfehler Napoleon's ansehen. Er wußte, daß die noch beim Congresse versammelten Fürsten, daß das noch unter Waffen stehende Europa seine Wiedereinsetzung nicht dulden würden. Sein gesunder Verstand mußte ihm sagen, daß ein allfälliger Erfolg nur von kurzer Dauer sein könnte. Er opferte seiner Leidenschaft, wieder auf der Bühne zu erscheinen, die Ruhe eines Volkes, das sein Blut und seine Schätze an ihn verschwendet hatte; er setzte das Vaterland, von dem er Alles hatte, was er in der Vergangenheit gewesen und in der Zukunft sein wird, der Zerstückelung aus. In diesem phantastischen Einfalle lag ein wilder Egoismus, ein furchtbarer Mangel an Erkenntlichkeit und Großmuth gegen Frankreich.

Der praktischen Vernunft zufolge ist das Alles in Bezug auf einen Mann, bei dem das Herz die Oberhand über den Kopf gewinnt, richtig; allein bei Männern von Napoleon's Natur besteht ein Grund anderer Art; diese Geschöpfe von großem Rufe haben einen eigenen Gang; die Kometen beschreiben Kreise, die der Berechnung spotten; sie sind an Nichts gebunden, scheinen zu Nichts nütze; treffen sie einen Erdball auf ihrer Bahn, so zertrümmern sie ihn und kehren in die Abgründe des Himmels zurück; ihre Gesetze sind nur Gott bekannt. Die außerordentlichen Individuen sind die Monumente des menschlichen Verstandes, nicht aber eine Regel desselben.

Bonaparte wurde daher weniger durch die falschen Berichte seiner Freunde als durch den Drang seines Genies zu seinem Unternehmen verleitet; er schickte sich kraft des Glaubens, den er in sich trug, zum Kreuzzuge an. Es ist nicht genug, zum großen Manne geboren zu werden; man muß als solcher sterben. War die Insel Elba ein Endziel für Napoleon? Konnte er sich mit der Souveränität über einige Gemüsegärten begnügen, wie Diocletian in Salona. Hätte er mehr Chancen auf Erfolg gehabt, wenn er länger gewartet hätte, fein Andenken dann nicht mehr so leben= dig gewesen wäre, seine alten Soldaten die Armee verlassen hätten und die neuen socialen Stellungen eingenommen, gewesen wären?

Wohl, er unternahm einen Hauptstreich gegen die Welt. Bei seinem Auftreten mußte er glauben, sich in dem Zauber, den seine Macht ausübte, nicht getäuscht zu haben.

In der Nacht vom 25. auf den 26. Februar geht er nach einem Balle, den die Fürstin Borghese gab, in Begleitung des Sieges, lange Zeit sein Mitschuldiger und Kamerad, durch. Er durchschifft ein von unsern Flotten bedecktes Meer, trifft zwei Fregatten an, ein Linienschiff von 74 Kanonen und die Kriegs= brigg Zephyr, die beilegt und ihn anspricht. Er beantwortete in eigener Person die Fragen des Capitäns; das Meer und die Wellen grüßen ihn und er setzt seine Fahrt fort. Das Verdeck des Unbeständigen, seines kleinen Schiffes, dient ihm als Spazierplatz und Cabinet; er dictirt mitten im Winde und läßt auf dem ruhelosen Tische drei Proclamationen an die Armee und an Frankreich copiren. Einige Feluden mit seinen Genossen des Abenteuers beladen, umgeben sein Admiralschiff und tragen die weiße mit Sternen besäete Flagge.

Am 1. März landet er um drei Uhr Morgens an der fran= zösischen Küste im Golfe Juan zwischen Cannes und Antibes. Er steigt aus, wandelt am Ufer hin, pflückt Veilchen und bivouakirt in einer Olivenpflanzung. Die bestürzte Bevölkerung verkriecht sich. Er umgeht Antibes und wirft sich in die Gebirge von Grasse, zieht durch Serauon, Barrème, Digne und Gap. In Sisteron hätten zwanzig Mann ihn verhaften können und er findet Nie= mand. Er rückt ohne Hindernisse zwischen diesen Bewohnern vor, welche ihn einige Monate vorher hatten erwürgen wollen. Wenn in die Leere, die sich rings um seinen Riesenschatten bildet, einige Soldaten treten, so werden sie durch die unüberwindliche Anzie= hungskraft seiner Adler hingerissen. Seine mit Blindheit geschla= genen Feinde suchen ihn und sehen ihn nicht; er verbirgt sich in seinem Ruhme, wie der Löwe der Sahara sich in den Strahlen der Sonne verbirgt, um sich den Blicken der geblendeten Jäger zu entziehen. In einen glühenden Wirbel gehüllt, bilden die blutigen Gespenster von Arcole, Marengo, Austerlitz, Jena, Friedland, Eylau, von der Moskowa, von Lützen, Bautzen mit einer Million von Todten sein Gefolge. Aus dem Schooße dieser Feuer= und Wolken= säule erschallen am Eingang der Städte einige Trompetenstöße als Signale der einherflatternden dreifarbigen Fahne . . . und die Stadtthore fallen. Jenes Unternehmen, wo Napoleon den Niemen an der Spitze von viermalhunderttausend Infanteristen und hun= derttausend Pferden überschritt, um den Palast der Czaren in Moskau in die Luft zu sprengen, war nicht so staunenswürdig wie das, wo er seinen Bann brach, seine Fesseln den Königen in's Gesicht warf und allein von Cannes nach Paris kam, um fried= lich in den Tuilerien zu schlafen.

Entsetzen der Legitimität. — Artikel von Benjamin Constant. — Tagsbefehl des Marschall Soult. — Königliche Sitzung. — Petition der Rechtsschule an die Deputirtenkammer.

Neben das Wunder des Einfalls eines einzigen Mannes müssen wir noch ein anderes stellen, welches den Gegensatz zu dem ersten bildete; die Legitimität fiel in Erstarrung. Die Ohnmacht des Staatsherzens dehnte sich auch über die Glieder aus und machte Frankreich regungslos. Zwanzig Tage lang marschirt Bonaparte von Station zu Station; seine Adler fliegen von Thurm zu Thurm und auf einem Wege von zweihundert Stunden findet die Regie= rung, die über Alles Herr ist und über Geld und Armee zu ver= fügen hat, weder Zeit noch Mittel, auch nur eine Brücke abzu= werfen, um den Marsch eines Mannes, welchem sich die Bevölkerung nicht widersetzte, dem sie aber auch nicht folgte, um eine Stunde aufzuhalten.

Diese Erstarrung der Regierung schien um so beklagenswerther, als die öffentliche Stimmung in Paris sehr aufgeregt war; trotz der Abtrünnigkeit des Marschalls Ney hätte sie sich zu Allem hergegeben. Benjamin Constant schrieb in die Zeitungen:

„Nachdem er alle Geißeln über unser Vaterland ausgegossen, hat er den Boden Frankreichs verlassen. Wer hätte nicht gedacht, daß er ihn auf immer verlassen würde? Plötzlich steht er wieder da und verspricht den Franzosen neuerdings Freiheit, Sieg und Friede. Als Gründer der tyrannischsten Regierungsweise, welche je Frankreich beherrscht hat, spricht er heute von Freiheit! Er aber ist es, der seit vierzehn Jahren die Freiheit unterminirt und zerstört hat. Als Entschuldigung konnte er sich nicht auf Erinnerungen berufen, er besaß die Gewohnheit der Macht; er war nicht in Purpur geboren. Seine Mitbürger sind es, die er unterjocht hat, seines Gleichen hat er gefesselt. Er hatte die Macht ererbt; er hat die Tyrannei gewollt und systematisch durchgeführt. Welche Freiheit kann er versprechen? Sind wir nicht tausendmal freier als unter seinem Reiche? Er verspricht den Sieg und dreimal hat er seine Truppen im Stich gelassen, in Egypten, in Spanien und in Rußland, und seine Waffengefährten der dreifachen Todesqual der Kälte, des Elendes und der Verzweiflung preisgegeben. Er hat Frankreich die Schmach eines Einfalls zugezogen, er hat die Eroberungen verloren, die wir vor ihm gemacht hatten. Er verspricht Friede und sein bloßer Name schon ist ein Signal zum Kriege. Das Volk, das schon durch seine Herrschaft unglücklich genug wäre, würde wieder der Gegenstand des europäischen Hasses; sein Triumph wäre der Anfang eines Kampfes auf Tod und Leben gegen die civilisirte Welt ... Er hat daher weder Etwas zu fordern, noch Etwas zu bieten. Wen vermöchte er zu überzeugen oder wen zu verführen? Der innerliche Krieg der äußerliche Krieg, das sind die Geschenke, die er uns bringt."

Der Tagesbefehl des Marschall Soult vom 8. März 1815

wiederholt ungefähr die Gedanken Benjamin Constant's in einem Ergusse von Loyalität:

„Soldaten!

„Der Mann, welcher unlängst vor den Augen Europa's eine usurpirte Macht niederlegte, von der er einen so unseligen Gebrauch gemacht hatte, hat den französischen Boden, den er nicht wieder sehen sollte, nochmals betreten.

„Was will er? Den Bürgerkrieg. Was sucht er? Verräther. Wo wird er sie finden? Etwa unter diesen Soldaten, die er so oft getäuscht und geopfert, indem er ihre Tapferkeit mißbraucht hat? Etwa im Schooße der Familien, die sein bloßer Name noch mit Schrecken erfüllt?"

„Bonaparte verachtet uns genug, um zu glauben, daß wir einen rechtmäßigen und geliebten Monarchen verlassen können, um das Loos eines Mannes zu theilen, der nur noch ein Abenteurer ist. Er glaubt es, der Unsinnige! und durch diese letzte Handlung des Wahnsinns lernen wir ihn noch vollends kennen.

„Soldaten, die französische Armee ist die tapferste Armee Europa's; sie wird auch die treueste sein.

„Vereinigen wir uns unter dem Banner der Lilien, auf den Ruf dieses Vaters des Volkes, dieses würdigen Erben der Tugenden des großen Heinrich. Er hat Euch selbst die Pflichten vorgezeichnet, die Ihr zu erfüllen habt. Er stellt an Eure Spitze jenen Prinzen, das Muster der französischen Ritter, dessen glückliche Wiederkehr in unser Vaterland schon den Usurpator verjagt hat und der jetzt durch seine Gegenwart dessen einzige und letzte Hoffnung zerstören wird."

Ludwig XVIII fand sich am 16. März in der Deputirtenkammer ein; es handelte sich um das Geschick Frankreichs und der Welt. Als Se. Majestät eintrat, entblößten und erhoben sich die Deputirten und die Zuhörer auf den Tribünen; ein Freudengeschrei erschütterte die Wände des Saales. Ludwig XVIII besteigt langsam die Stufen seines Thrones; die Prinzen, die Marschälle und die Gardecapitäne stellen sich zu beiden Seiten des Königs auf. Die Zurufe hören auf, Alles schweigt; in diesem Zwischenraum des Schweigens glaubt man die fernen Schritte Napoleon's zu hören. Als sich Se. Majestät gesetzt hatte, überschaut er einen Augenblick die Versammlung und hält dann mit kräftiger Stimme folgende Rede:

„Meine Herren!

„In diesem Augenblick der Krisis, wo der öffentliche Feind in einen Theil meines Königreichs eingedrungen ist und die Freiheit des ganzen übrigen Reiches bedroht, komme ich in Eure Mitte, um die Bande, die Euch mit mir vereinigen und die Kraft des Staates ausmachen, noch fester zu knüpfen; ich komme, um, indem ich mich an Euch wende, ganz Frankreich meine Gesinnungen und Wünsche darzulegen.

„Ich habe mein Vaterland wieder gesehen; ich habe die verbündeten Mächte, die, bezweifeln Sie nicht, den Verträgen treu sein werden, welche uns den Frieden zurückgegeben haben, mit ihm ausgesöhnt; ich habe am Glück meines Volkes gearbeitet; täglich habe ich die rührendsten Beweise seiner Liebe empfangen und empfange sie noch; könnte ich im sechzigsten Jahre meine Laufbahn besser beschließen, als indem ich für seine Vertheidigung sterbe?

„Ich fürchte daher Nichts für mich, aber für Frankreich fürchte ich; der, welcher unter uns die Fackel des Bürgerkrieges anzuzünden kommt, bringt uns auch die Geißel des Kriegs mit den Fremden; er kommt, um unser Vaterland wieder unter sein eisernes Joch zu beugen; er kommt endlich, um die constitutionelle Charte zu zerstören, die ich Euch verliehen habe, diese Charte, mein schönster Titel in den Augen der Nachwelt, diese Charte, die allen Franzosen theuer ist und deren Aufrechterhaltung ich hier gelobe; schaaren wir uns daher mit vereinten Kräften um sie."

Der König sprach noch, als eine Wolke Dunkelheit im Saale verbreitete; die Augen aller Anwesenden richteten sich in die Höhe, um die Ursache dieser plötzlichen Nacht zu erforschen. Als der gesetzgebende Monarch zu sprechen aufhörte, begannen unter Thränen von Neuem die Rufe: Es lebe der König! — „Die Versammlung," sagt der Wahrheit getreu der Moniteur, „hatte sich, von den erhabenen Worten des Königs elektrisirt, erhoben und streckte die Hände gegen den Thron aus. Man hörte nur die Worte: Es lebe der König! Sterben für den König! Im Leben und Tode dem König! Und sie wurden mit einer Begeisterung wiederholt, die alle französischen Herzen theilen werden."

Das Schauspiel war in der That pathetisch; ein alter gebrechlicher König, der zum Lohne für die Ermordung seiner Familie und einer dreiundzwanzigjährigen Verbannung Frankreich den Frieden, die Freiheit, ein Vergessen aller Beleidigungen und alles Unglücks gebracht hatte; dieser Patriarch der Monarchen erklärte den Deputirten der Nation, daß er in seinem Alter, nachdem er sein Vaterland wieder gesehen habe, seine Laufbahn nicht besser beschließen könne, als indem er für die Vertheidigung seines Volkes sterbe! Die Prinzen schwuren der Charte Treue; als die Letzten traten dieser späten Eidesleistung der Prinz von Condé und der Vater des Herzogs von Enghien bei. Dieser heldenmüthige, dem Erlöschen nahe Stamm, dieser Stamm von patrizischem Degen, der in der Freiheit einen Schild gegen einen jüngeren, längeren und grausameren plebejischen Degen suchte, bot etwas äußerst Trauriges dar.

Die Rede Ludwig's XVIII, die im Volke bekannt wurde, erregte unaussprechliche Begeisterung. Paris war ganz royalistisch und blieb es auch während der hundert Tage. Besonders die Frauen waren Bourbonistinnen.

Die Jugend betet heutzutage Bonaparte's Andenken an, weil sie sich durch die Rolle, welche die jetzige Regierung Frankreich in Europa spielen läßt, gedemüthigt fühlt. Im Jahr 1814 begrüßte die Jugend die Restauration, weil sie den Despotismus zu Boden warf und der Freiheit wieder Bahn brach. In den Reihen der königlichen Freiwilligen zählte man Herrn Odilon Barrot, eine große Zahl von Zöglingen der Medicinschule und die ganze Rechtsschule; diese richtete am 13. März folgende Petition an die Deputirtenkammer:

„Meine Herren!

„Wir bieten uns dem König und dem Vaterlande an; die ganze Rechtsschule verlangt zu marschiren. Wir werden weder unsern Monarchen, noch unsere Constitution verlassen. Der französischen Ehre getreu, bitten wir Sie um Waffen. Die Liebe, die wir zu Ludwig XVIII hegen, bürgt Ihnen für die Beständigkeit unserer Hingebung. Wir wollen keine Ketten mehr, wir wollen Freiheit. Wir haben sie und man will sie uns wieder entreißen; wir werden sie bis zum Tode vertheidigen. Es lebe der König! Es lebe die Constitution!"

In dieser energischen, natürlichen und aufrichtigen Sprache macht sich der Edelmuth der Jugend und die Liebe zur Freiheit fühlbar, die welche uns heutzutage sagen, die Restauration sei von Frankreich mit Widerwillen und Schmerz aufgenommen worden, sind entweder Ehrgeizige, die eine Partie spielen, oder junge Leute, die den Druck Bonaparte's nicht gekannt haben, oder alte revolutionäre, kaiserlich gesinnte Lügner, welche, nachdem sie, wie die Andern, die Rückkehr der Bourbonen beklatscht haben, jetzt nach ihrer Gewohnheit schmähen, was gefallen ist, und wieder ihren Neigungen zum Morde, zur Polizei und zur Knechtschaft fröhnen möchten.

Vertheidigungsplan von Paris.

Die Rede des Königs hatte mich mit Hoffnung erfüllt. Bei dem Präsidenten der Abgeordnetenkammer, Herrn Lainé, wurden Conferenzen abgehalten. Ich traf Herrn von Lafayette daselbst an; diesen hatte ich stets nur von ferne und zwar zu einem andern Zeitpunkte, unter der constituirenden Versammlung gesehen. Die Vorschläge waren verschieden, die Mehrzahl schwach, wie es in der Gefahr meistens der Fall ist. Die Einen wollten, der König solle Paris verlassen und sich nach Havre zurückziehen; die Andern sprachen davon, ihn in die Vendée zu schaffen; diese stammelten endlose Phrasen, jene sagten, man müsse zuwarten und sehen, was kommen wolle; und doch war das, was kam, sehr sichtbar. Ich sprach eine ganz andere Ansicht aus. Sonderbar! Herr von Lafayette unterstützte sie und zwar mit Wärme. *) Auch Herr Lainé und der Marschall Marmont waren meiner Meinung. Ich sagte daher:

„Der König soll Wort halten und in seiner Hauptstadt bleiben. Die Nationalgarde ist für uns. Versichern wir uns Vincennes. Wir besitzen Waffen und Geld; mit dem Gelde gewinnen wir die Schwäche und Habsucht für uns. Wenn der König Paris verläßt, so wird Paris Bonaparte einlassen; als Herr von Paris ist Bonaparte Herr von Frankreich. Nicht die ganze Armee ist zu dem Feinde übergegangen, mehrere Regimenter, viele Generäle und Offiziere haben ihren Eid noch nicht gebrochen; bleiben wir fest, sie werden treu bleiben. Wir wollen die königliche Familie zerstreuen und nur den König bei uns behalten. Monsieur soll nach Havre, der Herzog von Berry nach Lille, der Herzog von Bourbon in die Vendée, der Herzog von Orleans nach Metz gehen; die Frau Herzogin und der Herr Herzog von Angoulême befinden sich schon im Süden. Unsere verschiedenen Widerstandspunkte werden Bonaparte verhindern, seine Kräfte zu concentriren. Ver=

---

*) In Memoiren, die in Bezug auf die mitgetheilten That=sachen kostbar sind und seit Herrn Lafayette's Tode veröffent=licht wurden, bestätigt dieser die sonderbare Uebereinstimmung seiner und meiner Meinung bei Bonaparte's Rückkehr. Herr von Lafayette liebte die Ehre und die Freiheit aufrichtig. (Note von Paris, 1840.)

12*

barricadiren wir uns in Paris. Schon kommen die National=
garden der benachbarten Departemente uns zu Hülfe. Mitten in
dieser Bewegung wird unser alter Monarch unter dem Schutze des
Testamentes Ludwig's XVI mit der Charte in der Hand ruhig auf
seinem Throne in den Tuilerien sitzen bleiben; das diplomatische
Corps wird sich um ihn reihen; die beiden Kammern sollen sich
in den beiden Pavillons des Schlosses versammeln, das Haus des
Königs soll auf dem Carrousselplatze und im Garten der Tuilerien
campiren. Wir werden die Quai's und die Wasserterrasse mit
Kanonen bekränzen; Bonaparte soll uns in dieser Stellung an=
greifen, er soll eine unserer Barricaden nach der andern wegneh=
men, er soll Paris bombardiren, wenn er will und Mörser hat;
er soll sich bei der ganzen Bevölkerung verhaßt machen und wir
wollen sehen, welche Resultate sein Unternehmen haben wird!
Leisten wir nur drei Tage Widerstand und der Sieg ist unser.
Vertheidigt sich der König in seinem Schlosse, so wird er eine
allgemeine Begeisterung verursachen. Und soll er zuletzt sterben,
so sterbe er seines Ranges würdig; Napoleon's letzte Heldenthat
sei die Erwürgung eines Greises. Indem Ludwig XVIII sein Leben
opfert, wird er die einzige Schlacht gewinnen, die er geliefert hat;
er wird sie zum Nutzen der Freiheit des menschlichen Geschlechtes
gewinnen."

So sprach ich. Man ist nie berechtigt, Alles verloren zu ge=
ben, wenn man Nichts gewagt hat. Was hätte es Schöneres
gegeben, als wenn ein alter Sohn des heiligen Ludwig mit den
Franzosen in einigen Augenblicken einen Mann gestürzt hätte, zu
dessen Bekämpfung alle gegen ihn verschworenen Könige Europa's
so manche Jahre gebraucht hatten.

Dieser scheinbar verzweifelte Entschluß war im Grunde sehr
vernünftig und bot nicht die geringste Gefahr. Ich werde immer
überzeugt bleiben, daß Bonaparte, wenn er Paris feindlich und
den König anwesend gefunden, nicht versucht hätte, sie anzugreifen.
Ohne Artillerie, ohne Lebensmittel, ohne Geld, hatte er nur Truppen

bei sich, die sich auf's Gerathewohl unter seiner Fahne gesammelt hatten und noch schwankend und zerstreut über ihren raschen Kokardenwechsel und ihre auf dem Wege so unbedachtsam geleisteten Eide waren. Einige Stunden Widerstand hätten Napoleon zu Grunde gerichtet; es bedurfte nur einigen Muthes. Man konnte sogar schon auf einen Theil der Armee zählen, die beiden Schweizerregimenter blieben ihrem Eide treu; ließ nicht der Marschall Gouvion Saint=Cyr die Garnison von Orleans zwei Tage nach dem Einzuge Bonaparte's in Paris wieder die weiße Kokarde aufstecken? Den ganzen März hindurch anerkannte von Marseille bis Bordeaux Alles die Autorität des Königs; in Bordeaux zögerten die Truppen; sie wären der Frau Herzogin von Angoulème geblieben, wenn man vernommen hätte, daß der König sich in den Tullerien befinde und Paris sich vertheidige. Die Städte der Provinzen hätten Paris nachgeahmt. Das zehnte Linienregiment schlug sich sehr gut unter dem Herzog von Angoulème; Massena zeigte sich hinterlistig und unschlüssig; in Lille folgte die Garnison der feurigen Proclamation des Marschall Mortier. Wenn trotz einer Flucht alle diese Beweise einer möglichen Treue stattfanden, wie groß wären sie nicht im Falle eines Widerstandes gewesen?

Wäre mein Plan angenommen worden, so hätten die Fremden nicht neuerdings Frankreich verheert; unsere Prinzen wären nicht mit den feindlichen Armeen zurückgekehrt; die Legitimität wäre durch sich selbst gerettet worden. Nach dem Erfolge wäre nur Etwas zu befürchten gewesen, das allzu große Vertrauen des Königthums in seine Kräfte und demzufolge Unternehmungen auf die Rechte der Nation.

Warum bin ich in eine Epoche gefallen, wo ich so schlecht am Platze war? Warum war ich Royalist gegen meinen Instinct, in einer Zeit, wo eine elende Hofrace mich weder hören noch verstehen konnte? Warum wurde ich in diesen Trupp von Mittelmäßigkeiten geworfen, die mich für einen Verrückten hielten, wenn ich von Muth, für einen Revolutionär, wenn ich von Freiheit sprach?

Es handelte sich wohl um Vertheidigung! Der König hatte keine Furcht und mein Plan gefiel ihm einer gewissen Größe à la Ludwig XIV wegen sehr gut; aber es gab andere lange Gesichter. Man packte die Krondiamanten (einst aus den Privatgeldern der Monarchen angeschafft) ein und ließ dreißig Millionen Thaler im Schatze und vierzig Millionen an Staatspapieren zurück. Diese fünfundsiebenzig Millionen waren der Ertrag der Auflage; warum gab man sie nicht lieber dem Volke zurück, als sie der Tyrannei zu lassen?

Eine doppelte Procession stieg die Treppen des Florapavillons hinauf und hinab; man erkundigte sich, was man zu thun habe . . . Keine Antwort. Man wandte sich an den Gardecapitän; man fragte die Kaplane, die Sänger, die Almosenier . . . Nichts. Leeres Geschwätz, eitle Neuigkeitskrämereien! Ich sah junge Leute vor Wuth weinen, indem sie vergeblich um Befehle und Waffen baten; ich sah Frauen, denen vor Zorn und Verachtung übel wurde. Zum König zu gelangen, war unmöglich; die Etikette hielt den Zugang verschlossen.

Die große gegen Bonaparte erlassene Maßregel war, auf ihn loszugehen. Ludwig XVIII, ohne Beine, wollte auf den Eroberer losgehen, der über die Erde wegschritt. Die Erneuerung dieser alten Gesetzformel bei dieser Gelegenheit reicht hin, den Geist der Staatsmänner dieser Epoche zu zeigen. Im Jahr 1815 auf Einen loszugehen! Auf Einen losgehen! Und auf wen? Auf einen Wolf? Auf einen Räuberhauptmann? Auf einen grausamen Herrn? Nein . . . auf Napoleon, der auf die Könige losgegangen war, sie ergriffen und ihren Nacken auf immer mit seinem unauslöschlichen N gestempelt hatte!

Näher betrachtet, ging aus dieser Verordnung eine politische Wahrheit hervor, die Niemand sah. Der legitime Stamm, der Nation seit dreiundzwanzig Jahren fremd, war bei dem Tage und auf dem Platze stehen geblieben, wo die Revolution ihn überrascht hatte, während die Nation in der Zeit und im Raum fortgeschritten war. Daher die Unmöglichkeit, sich zu verstehen und zu vereinigen; Religion, Ideen, Interessen, Sprache, Erde und Himmel, Alles war beim Volke und dem König verschieden, weil sie sich auf ihrem Wege nicht mehr auf dem nämlichen Punkte befanden, weil sie durch ein Vierteljahrhundert, was Jahrhunderten gleichkommt, getrennt waren.

Wenn aber auch der Befehl, auf Einen loszugehen, durch die Erhaltung des alten Ausdrucks des Gesetzes seltsam erscheint, hatte Bonaparte Anfangs die Absicht, besser zu handeln, indem er eine neue Sprache gebrauchte? Die durch Herrn Artaud inventirten Papiere des Herrn Hauterive beweisen, daß man trotz des officiellen Artikels des Moniteurs, eines Prunkartikels, der uns geblieben ist, viel Mühe hatte, Napoleon zu verhindern, den Herzog von Angoulême erschießen zu lassen; er fand es unrecht, daß dieser Prinz sich vertheidigt hatte. Und doch hatte der Flüchtling von der Insel Elba, als er Fontainebleau verließ, den Soldaten anbefohlen, dem Monarchen treu zu sein, den Frankreich sich erwählt habe. Bonaparte's Familie war geschont worden; die Königin Hortensia hatte von Ludwig XVIII den Titel einer Herzogin von Saint-Leu angenommen; Murat, welcher noch in Neapel regierte, sah sein Königreich erst während des Wiener Congresses durch Herrn von Talleyrand verkauft. Diese Epoche, wo es Allen an Redlichkeit gebrach, schnürt das Herz zusammen. Jeder warf gleichsam als einen Paßirschein, um die Schwierigkeit des Tages zu überschreiten, und nach überschrittener Schwierigkeit im Stande zu sein, wieder eine andere Richtung einzuschlagen, sein Glaubensbekenntniß vor sich her. Die Jugend allein war aufrichtig, weil sie ihrer Wiege noch nahe stand. Bonaparte erklärt feierlich, daß er auf die Krone verzichtet; er reist ab und kommt nach Verfluß von neun Monaten wieder. Benjamin Constant läßt seine energische Protestation gegen den Tyrannen drucken und sattelt binnen vierundzwanzig Stunden um. Man wird später, in einem andern Buche dieser Memoiren sehen, wer ihm diese edle Regung einflößte,

welcher treu zu bleiben die Beweglichkeit seiner Natur ihm nicht
gestattete. Der Marschall Soult reizt die Truppen gegen ihren
alten Feldherrn auf; einige Tage später lacht er in Napoleon's
Cabinet in den Tuilerieen hellauf über seine Proclamation und wird
Generalmajor der Armee bei Waterloo. Der Marschall Ney küßt dem
König die Hände und schwört, ihm Bonaparte in einem eisernen Käfig
zu bringen, und er liefert diesem alle Truppencorps aus, die er
verlangt. Ach, und der König von Frankreich? ... Er erklärt,
er könne im sechzigsten Jahre seine Laufbahn nicht besser beschließen,
als wenn er für die Vertheidigung seines Volkes sterbe ... und er
flieht nach Gent! Bei einer solchen Unmöglichkeit von Wahrheit
der Gesinnungen, bei einem solchen Mangel an Uebereinstimmung
zwischen den Worten und Handlungen fühlt man sich vom Eckel
gegen das Menschengeschlecht erfaßt.

Am 20. März erklärte Ludwig XVIII, in Frankreich sterben
zu wollen. Hätte er Wort gehalten, so konnte die Legitimität
noch ein Jahrhundert dauern; die Natur selbst schien dem alten
König die Fähigkeit benommen zu haben, sich wegzugeben, in=
dem sie ihn durch ersprießliche Gebrechlichkeiten fesselte; allein die
künftigen Geschicke des Menschengeschlechts wären durch die Aus=
führung des Beschlusses des Gründers der Charte gehemmt wor=
den. Bonaparte eilte der Zukunft zu Hülfe; dieser Christus des
Bösen nahm den neuen Gichtbrüchigen bei der Hand und sagte
zu ihm: Stehe auf, nimm Dein Bett und wandle! Surge, tolle
lectum tuum."

Flucht des Königs. — Ich reise mit Frau von Chateaubriand
ab. — Verlegenheit auf dem Wege. — Der Herzog von
Orleans und der Prinz von Condé. — Tournai, Brüssel. —
Erinnerungen. — Der Herzog von Richelieu. — Der König
ruft mich zu sich nach Gent.

Augenscheinlich dachte man an's Durchbrennen. In der Befürchtung, zurückgehalten zu werden, benachrichtigte man nicht
einmal Die davon, welche, wie ich, eine Stunde nach Napoleon's
Einzug in Paris erschossen worden wären. Ich begegnete dem
Herzog von Richelieu in den Elysäischen Feldern. „Man hintergeht uns," sagt er zu mir, „ich ziehe hier auf die Wache, denn
ich habe nicht im Sinn, ganz allein den Kaiser in den Tuilerieen
zu erwarten."

Frau von Chateaubriand hatte am Abend des 19. einen Bedienten auf den Carrousselplatz geschickt, mit dem Befehl, erst nachdem er die Gewißheit von der Flucht des Königs haben würde,
zurückzukehren. Um Mitternacht war der Bediente noch nicht
heimgekommen und ich legte mich zu Bette. Kaum befand ich
mich darin, so trat Herr Clausel von Coussergues ein. Er theilte
uns mit, daß Se. Majestät abgereist sei und sich nach Lille wende.
Er brachte mir diese Nachricht von Seiten des Kanzlers, welcher,
da er mich in Gefahr wußte, um meinetwillen das Geheimniß
verletzte und mir zwölftausend Franken als rückständigen Gehalt
meines schwedischen Gesandtschaftspostens sandte. Ich wollte beharrlich bleiben und Paris erst verlassen, wenn ich mich persönlich
von der königllchen Räumung des Platzes überzeugt haben würde.
Der zur Entdeckung ausgesandte Bediente kam zurück; er hatte
die Wagen aus dem Hofe fahren sehen. Am 20. März um vier
Uhr Morgens stieß mich Frau von Chateaubriand in ihren Wagen.
Ich befand mich in einem solchen Anfall von Wuth, daß ich
weder wußte, wohin ich ging, noch was ich that.

Wir fuhren zur Barrière Saint-Martin hinaus. Bei der
Morgendämmerung stiegen die Raben friedlich von den kleinen,
längs der Hauptstraße befindlichen Buchen herab, auf welchen sie
die Nacht zugebracht hatten, um, unbekümmert um Ludwig XVIII
und Napoleon, ihr Morgenbrot einzunehmen. Sie waren nicht
genöthigt, ihr Vaterland zu verlassen, und machten sich, Dank
ihren Schwingen, Nichts aus dem schlechten Wege, auf welchem
ich so derb zusammengerüttelt wurde. Alte Freunde von Comburg,
wir hatten mehr mit einander gemein, als wir vormals bei Tagesanbruch in unsern Gebüschen der Bretagne Brombeeren mit einander frühstückten!

Die Landstraße war bodenlos, das Wetter regnerisch, Frau
von Chateaubriand leidend; alle Augenblicke schaute sie durch
das im Hintergrunde des Wagens befindliche Fensterchen, ob wir
nicht verfolgt würden. Wir übernachteten in Amiens, dem Ge-
burtsorte Du Cange's; dann in Arras, der Vaterstadt Robespierre's. Hier wurde ich erkannt, als ich am Morgen des 22.
nach Pferden schickte, gab der Postmeister vor, sie seien für einen
General bestimmt, der die Nachricht von dem triumphiren-
den Einzuge des Kaisers und Königs in Paris nach
Lille bringe. Frau von Chateaubriand starb fast vor Angst, nicht
um ihret-, sondern um meinetwillen. Ich eilte auf die Post, und
mit Geld vermochte ich die Schwierigkeit zu heben.

Als wir am 23. um zwei Uhr Morgens bei den Wällen von
Lille ankamen, fanden wir die Thore verschlossen, es war Befehl
ertheilt worden, sie Niemanden, wer es auch sei, zu öffnen. Man
konnte oder wollte uns nicht sagen, ob der König in der Stadt sei.
Mittelst einiger Louisd'or vermochte ich den Postillon, außerhalb
des Glacis die andere Seite des Platzes zu gewinnen und uns
nach Tournay zu führen. Im Jahr 1792 hatte ich mit meinem
Bruder diesen nämlichen Weg zu Fuß und bei Nachtzeit gemacht.

In Tournay angekommen, vernahm ich mit Gewißheit, daß
Ludwig XVIII sich mit dem Marschall Mortier in Lille befinde

und sich dort zu vertheidigen gedenke. Ich sandte einen Curier an Herrn von Blacas ab und bat ihn, mir einen Einlaßschein zu schicken. Mein Curier kam zwar mit einem Erlaubnißschein zurück, aber ohne ein Wort von Herrn von Blacas. Ich ließ Frau von Chateaubriand in Tournay und bestieg wieder den Wagen, um mich nach Lille zu begeben, als der Prinz von Condé ankam. Durch diesen erfuhren wir, daß der König abgereist sei und der Marschall Mortier ihn bis zur Gränze habe begleiten lassen. Diesen Erklärungen zufolge war es bewiesen, daß Ludwig XVIII nicht mehr in Lille war, als mein Brief daselbst ankam.

Der Herzog von Orleans folgte dem Prinzen von Condé auf dem Fuße, dem Anscheine nach unzufrieden, war er im Grunde froh, sich außerhalb des Tumultes zu befinden; die Zweideutigkeit seiner Erklärung und seines Benehmens trugen das Gepräge seines Charakters. Was den alten Prinzen von Condé betrifft, so war die Emigration sein Hausgott. Er fürchtete sich nicht vor Herrn von Bonaparte; er schlug sich, wenn man wollte, er ging fort, wenn man wollte; die Dinge waren in seinem Kopfe ein Bischen verworren: er wußte nicht recht, ob er in Rocroi anhalten sollte, um dort eine Schlacht zu liefern, oder ob er im Grand-Cerf zu Mittag speisen sollte. Er brach einige Stunden vor uns seine Zelte ab und beauftragte mich, den Kaffee des Gasthofes Denjenigen seines Hauses zu empfehlen, die hinter ihm herkamen. Er wußte nicht, daß ich beim Tode seines Enkels meine Entlassung eingereicht hatte; er war nicht ganz gewiß, ob er einen Enkel gehabt habe; er fühlte in seinem Namen nur einen Zuwachs von Ruhm, der wohl von irgend einem Condé herrühren mochte, den er sich nicht mehr in's Gedächtniß zurückrufen konnte.

Erinnert man sich meiner ersten Reise durch Tournay mit meinem Bruder, zur Zeit meiner ersten Emigration? Erinnert man sich bei dieser Gelegenheit des in einen Esel verwandelten Menschen, der Tochter der Pflugohren, aus welcher Getreideähren herausfielen, des Regens von Raben, die überall Feuer anlegten?

Im Jahr 1815 waren wohl wir selbst ein Regen von Raben, legten aber nirgends Feuer an. Ach, mein unglücklicher Bruder war nicht mehr bei mir! Zwischen den Jahren 1792 und 1815 waren die Republik und das Kaiserreich vorübergezogen, und welche Revolutionen hatten sich auch in meinem Leben ereignet! Die Zeit hatte mich verheert, wie alles Uebrige. Und ihr, ihr jungen Generationen des Augenblicks, laßt noch dreiundzwanzig Jahre vorbeigehen und sagt dann meinem Grabe, wie es mit eurer Liebe und euren Täuschungen von heutzutage stehe.

Auch die beiden Brüder Bertin waren nach Tournay gekommen. Herr Bertin de Veaux kehrte nach Paris zurück; der andere Bertin, der ältere, war mein Freund. Man weiß aus diesen Memoiren, was mich an ihn fesselte.

Von Tournay gingen wir nach Brüssel; hier traf ich weder den Baron von Breteuil, noch Rivarol, noch alle die jungen Abjutanten, welche entweder gestorben oder alt geworden sind, was eines und dasselbe ist. Von dem Barbier, der mir Asyl gegeben hatte, konnte ich Nichts erfahren. Ich ergriff nicht die Muskete, sondern die Feder; aus einem Soldaten war ich ein Papierverschmierer geworden. Ich suchte Ludwig XVIII; er war in Gent, wohin ihn die Herren von Blacas und von Duras geführt hatten; ihre Absicht war Anfangs gewesen, den König nach England einzuschiffen. Wenn der König in diesen Plan gewilligt hätte, so würde er den Thron nie wieder bestiegen haben.

Als ich mich zur Besichtigung einer Wohnung in ein Hôtel garni begab, traf ich den Herzog von Richelieu daselbst, welcher halb liegend auf einem Sopha im Hintergrund eines dunkeln Zimmers rauchte. Er äußerte sich auf die roheste Weise über die Prinzen und erklärte, daß er nach Rußland gehe und von diesen Leuten Nichts mehr wissen wolle. Die Frau Herzogin von Duras, welche nach Brüssel gekommen war, hatte den Schmerz, dort ihre Nichte zu verlieren.

Vor der Hauptstadt von Brabant habe ich einen Abscheu;

fie hat mir in meinen Verbannungen stets nur zum Durchpaß gedient und mir oder meinen Freunden immer Unglück gebracht.

Ein Befehl des Königs rief mich nach Gent. Die königlichen Freiwilligen und die kleine Armee des Herzogs von Berry waren in Bethune mitten im Kothe und den Unfällen einer militärischen Räumung abgedankt worden; man hat sich ein rührendes Lebewohl gesagt. Zweihundert männliche Angehörige des königlichen Hauses blieben und wurden in Aloft cantonnirt; meine beiden Neffen, Ludwig und Christian von Chateaubriand, gehörten zu diesem Corps.

Die hundert Tage in Gent. — Der König und sein Rath. — Ich werde Interimsminister des Innern. — Herr von Lally-Tollendal. — Die Frau Herzogin von Duras. — Der Marschall Victor. — Der Abbé Louis und der Graf Brugnot. — Der Abbé von Montesquiou. — Fischessen; Tischgenossen.

Man hatte mir ein Logisbillet gegeben, doch machte ich keinen Gebrauch davon. Eine Baronesse, deren Namen ich vergessen habe, besuchte Frau von Chateaubriand im Gasthofe und bot uns eine Wohnung bei ihr an. Sie bat uns gar anmuthig! „Sie müssen nicht beachten," sagte sie zu uns, „was mein Mann Ihnen erzählen wird; sein Kopf ist .... Sie verstehen? Auch meine Tochter ist ein Bischen wunderlich; sie hat fürchterliche Augenblicke, das arme Kind! Doch ist sie übrigens sanft wie ein Lamm. Ach, aber nicht die verursacht mir den meisten Kummer, sondern mein Sohn Ludwig, das jüngste meiner Kinder. Wenn Gott hier seine Hand nicht zeigt, so wird er schlimmer als sein Vater." Frau von Chateaubriand lehnte es höflich ab, bei so vernünftigen Leuten zu wohnen.

Als der König gehörig logirt war und seinen Dienst und

seine Wachen wieder um sich halte, bildete er seinen Rath. Das Reich dieses großen Monarchen bestand aus einem Hause im Königreich der Niederlande, welches Haus in einer Stadt lag, die, obwohl Karl's des Fünften Geburtsstadt, der Hauptort einer Präfectur Bonaparte's gewesen war. Diese Namen machen eine ziemlich große Zahl von Ereignissen und Jahrhunderten aus.

Da sich der Abbé von Montesquiou in London befand, so ernannte mich Ludwig XVIII zum Interims minister des Innern. Mein Verkehr mit den Departements machte mir nicht viel Arbeit; ich erhielt meine Correspondenz mit den Präfecten, Unterpräfecten, Maires und Abjuncten unserer guten Städte innerhalb unserer Gränzen leicht auf dem Laufenden; ich unternahm keine großen Straßenausbesserungen und ließ die Thürme einfallen. Mein Budget bereicherte mich nicht, ich hatte keine geheimen Fonds; in Folge eines schreienden Mißbrauchs häufte ich mehrere Aemter auf mich; ich war immer noch bevollmächtigter Gesandter Sr. Majestät bei dem König von Schweden, der wie sein Landsmann Heinrich IV, wenn nicht kraft des Rechtes der Geburt, doch kraft des Eroberungsrechtes regierte. Unsere Verhandlungen wurden an einem mit einem grünen Teppich bedeckten Tische im Cabinet des Königs gepflogen. Herr von Lally-Tollendal, der, glaub' ich, Minister des öffentlichen Unterrichts war, hielt Reden, die noch breiter und strotzender als seine Person waren; er citirte seine erlauchten Vorfahren, die Könige von Irland, und warf den Prozeß seines Vaters mit dem Karl's I und Ludwig's XVI unter einander. Abends ruhte er von den Thränen, dem Schweiß und dem Wortschwall, die er im Rathe vergossen, bei einer Dame aus, welche vor Begeisterung für sein Genie aus Paris herbeigeeilt war; er suchte, tugendhaft, sie zu heilen, allein seine Beredtsamkeit täuschte seine Tugend und trieb den Pfeil nur noch tiefer ein.

Die Frau Herzogin von Duras hatte sich zu dem Herrn Herzog von Duras begeben, der sich unter den Verbannten befand. Ich will nicht mehr mit dem Unglück grollen, da es mir einen dreimonatlichen Umgang mit dieser trefflichen Frau schenkte, in welchem wir Alles besprachen, was redliche Geister und Herzen in einer Uebereinstimmung des Geschmacks, der Ideen, Grundsätze und Gefühle finden können. Frau von Duras war zu meinen Gunsten ehrgeizig; sie allein gewahrte gleich Anfangs, was ich in der Politik werth sein möchte; sie war immer untröstlich über den Neid und die Verblendung, die mich von dem Rathe des Königs fern hielten, allein noch untröstlicher war sie über die Hindernisse, die mein Charakter meinem Glück in den Weg legte. Sie schalt mich, sie wollte mich von meiner Sorglosigkeit, von meinem Freimuth, meinem ungekünstelten Wesen heilen und mir Gewohnheiten beibringen, die sie selbst nicht ausstehen konnte. Nichts veranlaßt wohl mehr zur Anhänglichkeit und Erkenntlichkeit, als sich unter dem Schutze einer höhern Freundschaft zu fühlen, die kraft ihrer Gewalt über die Gesellschaft unsere Fehler als gute Eigenschaften, unsere Unvollkommenheiten als Reize hinzustellen weiß. Ein Mann beschützt uns vermöge seines Werthes, eine Frau vermöge unsers Werthes; deßhalb ist von diesen zwei Herrschaften die eine so unangenehm, die andere so süß.

Seit ich diese so hochherzige Person mit der edeln Seele und dem Geiste, der Etwas von der Gedankenkraft der Frau von Staël mit dem anmuthigen Talente der Frau von Lafayette in sich vereinigte, verloren habe, muß ich mir, während ich sie beweine, unaufhörlich die Launen zum Vorwurf machen, durch welche ich zuweilen die mir ergebenen Herzen betrüben konnte. Wir sollten sehr über unsern Charakter wachen und bedenken, daß wir bei einer innigen Anhänglichkeit nichtsdestoweniger ein Leben vergiften können, das wir mit dem Preise all unsers Blutes wieder erkaufen möchten! Womit können wir unser Unrecht gut machen, wenn unsere Freunde im Grabe ruhen? Helfen unsere nutzlosen Klagen, unsere vergebliche Reue dem ihnen verursachten Schmerze ab? Ein Lächeln von uns bei ihren Lebzeiten wäre ihnen lieber gewesen, als alle unsere Thränen nach ihrem Tode.

Die reizende Clara (die Frau Herzogin von Rauzan) befand sich mit ihrer Mutter in Gent. Wir Zwei machten unter uns schlechte Verse nach der Melodie der Tyrolienne. Ich habe manche schöne Enkelin auf meinen Knieen geschaukelt, die jetzt junge Großmütter sind. Hat man eine Frau, deren Hochzeit im sechszehnten Jahre man beigewohnt, seither nicht mehr gesehen und kommt man nach sechszehn Jahren wieder, so wird man sie im gleichen Alter finden. Sagt man: „Ach, Madame, Sie sind um keinen Tag älter geworden!" so erhält man zur Antwort: „Unstreitig, aber das soll wohl der Tochter gelten, der Tochter, die Sie auch wieder zum Altar führen werden." — Wir aber, die traurigen Zeugen der beiden Hymen, wir stecken die sechszehn Jahre, die wir bei jeder Verbindung erhalten haben, als ein Hochzeitgeschenk ein, das unsere eigene Heirath mit einer bleichen und ziemlich magern Dame beschleunigen wird.

Der Marschall Victor hatte sich mit einer bewunderungswürdigen Einfachheit neben uns in Gent niedergelassen; er verlangte Nichts; belästigte den König nie mit seinem Diensteifer; man sah ihn selten; ich weiß nicht, ob man ihm nur je die Ehre und die Gnade erwies, ihn zu Sr. Majestät Tafel zu laden. Ich traf den Marschall Victor später wieder, war sein College im Ministerium, und immer schien er mir die gleiche treffliche Natur. Im Jahr 1823 benahm sich der Dauphin mit großer Härte gegen diesen ehrenwerthen Militär; der Herzog von Belluna war doch sehr gut, daß er eine so bequeme Undankbarkeit mit einer so bescheidenen Hingebung bezahlte! Die Redlichkeit reißt mich hin und rührt mich selbst dann, wenn sie bei gewissen Gelegenheiten in Ausdrücke von höchster Naivetät verfällt. So hat mir der Marschall den Tod seiner Frau in wahrer Soldatensprache erzählt und mich zum Weinen gebracht; er sprach anstößige Worte so schnell aus und veränderte sie mit solcher Keuschheit, daß man sie sogar hätte schreiben können.

Herr von Vaublanc und Herr Capelle fanden sich auch wieder

bei uns ein. Ersterer behauptete, von Allem Etwas in seinem
Portefeuille zu haben. Wollt Ihr etwas Montesquiou? Hier; ...
etwas Bossuet? Da. Je nachdem die Partie diese oder jene Gestalt
annehmen zu wollen schien, langten auch verschiedene Reisende
bei uns an.

Der Abbé Louis und der Herr Graf Beugnot stiegen in dem
Gasthof ab, wo ich wohnte. Frau von Chateaubriand hatte
schreckliche Beklemmungen, ich wachte daher bei ihr. Die beiden
Neuangekommenen nahmen ein Zimmer in Beschlag, das nur durch
eine dünne Bretterwand von dem meiner Frau getrennt war. Um
Nichts zu verstehen, hätte man sich durchaus die Ohren verstopfen
müssen. Zwischen elf und zwölf Uhr Nachts erhoben nun die
Abgesetzten ihre Stimme. Der Abbé Louis, der wie ein Wolf
und stoßweise brüllte, sagte zu Herrn Beugnot:

„Du, Minister? Du wirst es nie mehr! Du hast nur Dumm=
heiten gemacht!"

Ich verstand die Antwort des Herrn Grafen Beugnot nicht
deutlich, doch sprach er von 33 im königlichen Schatze zurückge=
lassenen Millionen. Der Abbé stieß, vermuthlich im Zorn, so
heftig an einen Stuhl, daß dieser umfiel. Bei dem Gepolter
vernahm ich die Worte:

„Der Herzog von Angoulême? Er muß Nationalgut an der
Barrière von Paris kaufen. Ich werde den Rest der Staatswal=
dungen verkaufen. Ich werde Alles abschneiden, die Ulmen an
der Heerstraße, das Wäldchen von Boulogne, das Gehölze der
elysäischen Felder. Zu was nützt das? he!"

Die Rohheit war das Hauptverdienst des Herrn Louis, sein
Talent war eine dünne Liebe für materielle Interessen. Wenn
der Finanzminister die Wälder nach sich schleppte, besaß er ohne
Zweifel ein anderes Geheimniß, als Orpheus, der mittelst
seiner schönen Leier die Wälder hinter sich herzog.
Im Rothwälsch der Zeit nannte man Herrn Louis einen Haupt=
kerl; sein finanzielles Hauptstück war, das Geld der Steuerpflichtigen

Chateaubriand's Memoiren. IV.   13

in der Schatzkammer aufzuhäufen, um sich daffelbe durch Bonaparte nehmen zu laffen. Höchstens für das Directorium tauglich,
hatte Napoleon Nichts von diesem Hauptkerl wiffen wollen, der
keineswegs ein einziger Mann war.

Der Abbé Louis war nach Gent gekommen, um sein Ministerium wieder zu fordern; er stand sehr gut mit Herrn von
Talleyrand, mit dem er bei der ersten Föderation auf dem Marsfelde feierlichen Gottesdienst gehalten hatte. Der Bischof machte
den Priester, der Abbé Louis den Diaconus und der Abbé d'Er-
naud den Unterdiaconus. Als Herr von Talleyrand sich einst
dieser bewunderungswürdigen Entweihung erinnerie, sagte er zu
dem Baron Louis: „Abbé, Du warst doch sehr schön als Diaconus auf dem Marsfelde!"

Wir haben diese Schmach unter Bonaparte's großer Tyrannei
erdulbet; mußten wir sie auch später noch erdulden?

Der allerchristlichste König hatte sich vor jedem Vor-
wurfe der Scheinheiligkeit sicher gestellt; er besaß in seinem Rathe
einen verheirateten Bischof, Herrn von Talleyrand, einen im Con-
cubinat lebenden Priester, Herrn Louis, einen wenig functioniren-
den Abbé, Herrn von Motesquiou.

Dieser Letztere, hitzig, wie ein mit der Brustkrankheit behaf-
teter Mensch, besaß bei einer gewiffen Leichtigkeit im Reden ein
engherziges und verleumberisches Wesen, ein feindseliges Gemüth,
einen bittern Charakter. Als ich eines Tages in Luxemburg für
die Preßfreiheit geredet hatte, ging der Abkömmling von Chlodwig, der nur von dem Bretagner Mormoran herstammte, an mir
vorbei und versetzte mir mit dem Kniee einen derben Stoß in den
Schenkel, was gar nicht von gutem Geschmacke zeugte; ich gab
ihm denselben zurück, was auch nicht höflich war, kurz, wir
spielten Coadjutor und Herzog von La Rochefoucauld. Der Abbé
von Montesquiou nannte lächerlicherweise den Herrn von Lally-
Tolendal „ein Thier à l'anglaise."

Man fängt in dem Fluß von Gent einen äußerst belicaten

Weißfisch. In Erwartung der Schlachten und des Endes des Kaiserreichs gingen wir tutti quanti oft in eine Schenke, um uns an diesem trefflichen Fische zu laben. Auch Herr von Laborie fehlte nicht dabei; ich hatte ihn zum ersten Mal in Savigny angetroffen, als er, vor Bonaparte fliehend, durch ein Fenster zu Frau von Beaumont hineinstieg und sich durch ein anderes flüchtete. Unermüdlich bei der Arbeit, vervielfältigte er seine Gänge wie seine Billete und erwies so gerne Dienste, als Andere sie empfangen. Er ist verleumdet worden; die Verleumdung ist aber keine Anklage des Verleumdeten, sondern eine Entschuldigung des Verleumbers. Ich sah, daß man Versprechungen, an denen Herr Laborie reich war, müde ward; aber warum? Die Chimären sind wie die Tortur; sie vertreiben uns immer eine oder zwei Stunden die Zeit. Ich habe oft mit einem goldenen Zügel alte Mähren von Erinnerungen, die sich nicht aufrecht halten konnten, und welche ich für junge lustige Hoffnungen hielt, an der Hand geführt.

Bei den Fischessen sah ich auch Herrn Mounier, einen vernünftigen und biedern Mann. Herr Guizot geruhte ebenfalls, uns mit seiner Gegenwart zu beehren.

Fortsetzung der hundert Tage in Gent. — Moniteur von Gent. — Mein Bericht an den König. — Der Eindruck, den dieser Bericht in Paris machte. — Fälschung.

Man hatte in Gent einen Moniteur errichtet. Mein Bericht an den König, der in dieses Journal eingerückt wurde, beweist, daß meine Gesinnungen über die Preßfreiheit und die fremde Oberherrschaft zu allen Zeiten die nämlichen waren. Ich darf diese Stellen heutzutage wohl anführen; sie strafen mein Leben nicht Lügen:

13 *

„Sire, Sie schickten sich an, die Institutionen zu krönen, deren Grundstein Sie gelegt haben . . . Sie hatten einen Zeitpunkt für den Beginn der erblichen Pairswürde festgesetzt; das Ministerium hätte mehr Einigkeit erlangt; die Minister wären, nach dem Geist der Charte selbst, Mitglieder der beiden Kammern geworden; es wäre ein Gesetz erlassen worden, wornach man vor dem vierzigsten Jahre zum Mitglied der Deputirtenkammer hätte gewählt werden können und woburch den Bürgern eine wirkliche politische Laufbahn eröffnet worden wäre. Man wollte sich mit einem Strafcoder für die Preßvergehen beschäftigen und es wäre die Presse nach der Annahme seiner Gesetze gänzlich frei gewesen; diese Freiheit aber ist von jeder Repräsentativregierung unzertrennlich . . . .

„Sire, hier bietet sich die Gelegenheit, es feierlichst zu bekräftigen; alle Minister, alle Glieder ihres Rathes sind an die unverletzlichen Grundsätze einer weisen Freiheit gebunden; sie schöpfen aus ihnen jene Liebe zu den Gesetzen, zur Ordnung und Gerechtigkeit, ohne die es für ein Volk kein Glück gibt. Sire, es sei uns erlaubt, Ihnen zu sagen, daß wir bereit sind, den letzten Tropfen unseres Blutes für Sie zu vergießen. Ihnen an's Ende der Erde zu folgen, die Trübsal mit Ihnen zu theilen, die Ihnen zu schicken dem Allmächtigen gefallen wird, weil wir vor Gott glauben, daß Sie die Constitution, die Sie Ihrem Volke gegeben, aufrecht erhalten werden und daß der aufrichtigste Wunsch Ihrer königlichen Seele die Freiheit der Franzosen ist. Wäre dem anders gewesen, Sire, so wären wir zwar immerhin zu Ihren Füßen für die Vertheidigung Ihrer geheiligten Person gestorben; allein wir wären nur noch Ihre Soldaten gewesen, wir hätten aufgehört, Ihre Räthe und Minister zu sein.

. . . .

„Sire, wir theilen in diesem Augenblicke Ihre königliche Traurigkeit; jeder Ihrer Räthe und Ihrer Minister würde sein Leben geben, um einer Invasion in Frankreich zuvorzukommen! Sire,

Sie sind Franzose, wir sind Franzosen. Die Ehre unseres Vaterlandes hochhaltend, stolz auf den Ruhm unserer Waffen, Bewunderer des Muthes unserer Soldaten, möchten wir mitten in ihren Bataillonen den letzten Tropfen unseres Blutes vergießen, um sie zu ihrer Pflicht zurückzuführen oder rechtmäßige Triumphe mit Ihnen zu theilen. Nur mit dem tiefsten Schmerze sehen wir, welche Uebel über unser Land hereinzubrechen drohen."

Ich machte also in Gent den Vorschlag, der Charte das ihr noch Mangelnde zu verleihen, und zeigte meinen Schmerz über den neuen Einfall, der Frankreich bedrohte. Und doch war ich nur ein Verbannter, dessen Wünsche mit den Thaten, die mir die Thüren meines Vaterlandes wieder öffnen konnten, im Widerspruch standen. Diese Seiten wurden in den Staaten der verbündeten Monarchen unter Königen und Emigranten geschrieben, denen die Preßfreiheit ein Gräuel war, mitten unter Armeen, die auf Eroberungen marschirten und deren Gefangene wir so zu sagen waren. Diese Umstände leihen vielleicht den Gesinnungen, die ich auszudrücken wagte, noch etwas mehr Kraft.

Mein nach Paris gelangter Bericht fand großen Anklang daselbst; er wurde durch Herrn Le Normant, Sohn, nachgedruckt, der bei dieser Gelegenheit sein Leben auf's Spiel setzte und für den das armselige Patent eines königlichen Hofbuchdruckers zu erhalten ich mir alle erdenkliche Mühe geben mußte. Bonaparte handelte oder ließ in Bezug auf meinen Bericht auf eine seiner nicht sehr würdige Weise handeln; man that, was das Directorium beim Erscheinen der Memoiren von Cléry gethan hatte: man verfälschte Bruchstücke desselben. Man unterschob mir die Dummheiten, ich hätte Ludwig XVIII den Vorschlag zur Wiederherstellung der Feudalrechte, der Zehnten für die Geistlichkeit, zur Wiedereinziehung der Nationalgüter gemacht, als würde der Druck des Originalartikels im Moniteur von Gent mit dem bestimmten und bekannten Datum nicht den Betrug an's Licht bringen; doch man bedurfte für eine Stunde einer Lüge. Der mit der Abfassung

diefes aller Wahrheit entbehrenden Pamphletes beauftragte Pfeu=
bonym war eine Militärperson von ziemlich hohem Range; er
wurde nach den hundert Tagen abgesetzt; man begründete seine
Absetzung durch das Benehmen, das er sich gegen mich zu Schul=
den kommen ließ. Er schickte seine Freunde zu mir, diese ersuch=
ten mich um meine Vermittlung, damit ein Mann von Verdienst
nicht seine einzigen Existenzmittel verliere. Ich schrieb an den
Kriegsminister und erhielt einen Ruhegehalt für diesen Offizier.
Er ist jetzt todt; die Frau dieses Offiziers aber ist der Frau von
Chateaubriand mit einer Erkenntlichkeit anhänglich geblieben, auf
die ich im Entferntesten keine Rechte hatte. Gewisse Verfahrungs=
weisen werden viel zu hoch geschätzt und die gewöhnlichsten Per=
sonen sind für den Edelmuth empfänglich. Man verschafft sich
mit geringer Mühe einen Ruf von Tugend; die edelste Seele ist
nicht die, welche verzeiht, sondern die, welche keiner Verzeihung
bedarf.

Ich weiß nicht, wie Bonaparte auf St. Helena finden konnte,
daß ich in Gent wesentliche Dienste geleistet hätte.
Wenn er meine Rolle allzu günstig beurtheilte, so lag in diesem
Urtheil doch wenigstens eine Würdigung meines politischen Werthes.

Fortsetzung der hundert Tage in Gent. — Das Beguinenkloster.
— Wie ich empfangen wurde. — Großes Mittagessen. —
Reise der Frau von Chateaubriand nach Ostende. — Ant-
werpen. — Ein Stotterer. — Tod einer jungen Engländerin.

Ich hielt mich in Gent, so viel ich konnte, von den Intri=
guen fern, die meinem Charakter zuwider und meinen Augen ver=
ächtlich waren, denn im Grund erblickte ich in unserer kleinlichen
Katastrophe eine Katastrophe der Gesellschaft. Mein Zufluchtsort
gegen die Müßiggänger und Laffen war der Hof des Beguinen=

Klosters. Ich durchwanderte diese kleine Welt von Frauen im Nonnenschleier, welche sich verschiedenen christlichen Werken geweiht hatten; es war eine friedliche Region mitten in den Stürmen, gleich den beweglichen afrikanischen Sandbänken. Keine Ungereimtheit verletzte hier meine Ideen, denn das religiöse Gefühl ist so stark, daß es den ernstesten Revolutionen nie fremd bleibt. Die Einsiedler von Thebais und die Barbaren, die Zerstörer der römischen Welt, sind keine unharmonischen Thatsachen und Existenzen, die sich ausschließen.

Als Verfasser des **Geistes des Christenthums** wurde ich im Kloster sehr zuvorkommend empfangen. Ueberall unter den Christen, wo ich hinkomme, kommen mir die Geistlichen entgegen, dann bringen mir die Mütter ihre Kinder und Andere sagen mir mein Kapitel über **die erste Communion** her. Auch Unglückliche finden sich ein und sagen mir, welche Wohlthat ihnen zu erweisen ich das Glück hatte. Meine Durchreise durch eine katholische Stadt wird angekündigt als die eines Missionärs und Arztes. Dieser doppelte Ruf rührt mich; er ist die einzige angenehme Erinnerung, die ich von meiner Person beibehalten habe; meine ganze übrige Persönlichkeit und mein Ruf mißfallen mir.

Ich wurde ziemlich oft von Herrn und Frau von Ops zu Familienfesten eingeladen. Dieses ehrwürdige Elternpaar sah sich von ungefähr dreißig Nachkommen an Kindern, Enkeln und Urenkeln umringt. Eine Gala, die ich bei Herrn Coppens anzunehmen genöthigt war, dauerte von ein Uhr Mittags bis Abends acht Uhr. Ich zählte neun Service, man begann mit eingemachten Früchten und endigte mit Coteletten. Nur die Franzosen verstehen mit Methode zu speisen, wie auch sie allein ein Buch zu schreiben verstehen.

Mein Ministerium hielt mich in Gent zurück; Frau von Chateaubriand, die weniger beschäftigt war, besuchte Ostende, wo ich mich im Jahr 1792 nach Jersey einschiffte. Verbannt und dem Tode nahe war ich diese nämlichen Kanäle hinabgefahren,

an deren Ufer ich jetzt wieder verbannt, aber in vollkommener Ge=
sundheit spazierte. Immer Fabeln in meiner Laufbahn! Das
Elend und die Freuden meiner ersten Emigration lebten wieder
in meinem Gedächtniß auf; ich sah England, meine Unglücks=
gefährten und jene Charlotte wieder, die ich noch einmal erblicken
sollte. Niemand schafft sich, wie ich, durch Aufrufung von Schat=
ten eine wirkliche Gesellschaft und zwar in dem Grabe, daß das
Gefühl meines wirklichen Lebens ganz in dem Leben meiner Er=
innerungen verschwindet. Selbst Personen, mit denen ich mich
nie beschäftigt habe, bemächtigen sich meines Gedächtnisses, wenn
sie sterben; es ist, als könnte Niemand mein Gefährte werden,
wenn er nicht in's Grab gestiegen ist, was mich fast auf den
Glauben bringt, ich sei ein Todter. Wo die Anderen eine ewige
Trennung finden, finde ich eine ewige Vereinigung; einer meiner
Freunde braucht nur die Erde zu verlassen, so ist es, als ob er seine
Wohnung an meinem Herde nehme; er verläßt mich nicht mehr.
Je mehr die gegenwärtige Welt entschwindet, desto näher tritt mir
die vergangene Welt. Wenn die jetzigen Generationen die gealter=
ten Generationen geringschätzen, so ist der Aufwand ihrer Ver=
achtung, so weit er mich angeht, verloren; ich bemerke nicht einmal
ihr Dasein.

Mein goldenes Bließ war noch nicht in Brügge, Frau von
Chateaubriand brachte mir dasselbe nicht. Im Jahr 1426
lebte in Brügge ein Mann, Namens Johann, der die
Oelmalerei erfand oder vervollkommnete. Zollen wir diesem Johann
von Brügge Dank; ohne die Verbreitung seiner Methode wären
Raphel's Meisterstücke jetzt erloschen. Wo haben die flämischen
Maler das Licht hergenommen, das sie über ihre Gemälde ergießen?
Welcher Strahl Griechenlands hat sich an das Ufer von Batavia
verirrt?

Nach ihrer Reise nach Ostende machte Frau von Chateau=
briand einen Ausflug nach Antwerpen. Dort sah sie auf einem
Kirchhofe die Darstellung von Seelen im Fegefeuer, die aus Gyps

gebildet und ganz schwarz und feuerroth überschmiert waren. In Louvain gewann sie mir einen stotternden Gast, einen gelehrten Professor, der eigens nach Gent kam, um sich einen so außerordentlichen Mann, wie den Gatten meiner Frau, anzusehen. Er redete mich an: „Bebebebe . . . rrüüü . . . mttt . . ."; das Wort versagte seiner Bewunderung, und ich lud ihn zu Tische. Als der Hellenist Curaçao getrunken hatte, löste sich seine Zunge. Wir kamen auf die Verdienste des Thucydides zu sprechen und fanden sie beim Wein klar wie Wasser. Da ich meinem Gaste weidlich zutrank, redete ich, glaub ich, zuletzt Holländisch; wenigstens verstand ich mich nicht mehr.

Frau von Chateaubriand brachte in Antwerpen eine traurige Nacht zu; eine junge Engländerin kam nieder und starb. Zwei Stunden lang stöhnte sie heftig, dann ward ihre Stimme schwächer und ihr letztes Seufzen, einem fremden Ohre kaum vernehmlich, verlor sich in ewigem Schweigen. Das Wehgeschrei dieser einsam stehenden und verlassenen Reisenden schien zu den tausend Stimmen des Todes, welche sich bald nachher in Waterloo erheben sollten, das Präludium zu bilden.

Fortsetzung der hundert Tage in Gent. — Ungewöhnliche Bewegung in Gent. — Der Herzog von Wellington. — Monsieur. — Ludwig XVIII.

Die gewöhnliche Einsamkeit von Gent wurde noch weit fühlbarer, als die Fremdenmasse, welche für einige Zeit diese Stadt belebte, sich verlief. Belgische und englische Rekruten wurden auf den Plätzen und unter den Bäumen der Promenaden einexercirt; Kanoniere, Lieferanten, Dragoner landeten mit Artillerietrains, Ochsenheerden, Pferden, die in der Luft von sich schlugen, während man sie, in Tragriemen hängend, auf den Boden hinabließ.

Marketenderinnen landeten mit Säcken, Kindern und den Flinten
ihrer Männer; Alles das begab sich, ohne zu wissen warum und ohne
das geringste Interesse dabei zu haben, zu dem großen Zerstörungs=
Rendez=vous, das ihnen Bonaparte gegeben hatte. Man sah Po=
litiker an einem Kanal neben einem unbeweglichen Fischer gesticu=
liren, Emigranten von dem Könige zu Monsieur und von Monsieur
zu dem König traben. Der Kanzler von Frankreich, Herr d'Am=
bray, begab sich in grünem Kleide, rundem Hute, mit einem alten
Roman unter dem Arme in den Rath, um die Charte zu ver=
bessern. Der Herzog von Levis ging in alten, abgetretenen Schuhen,
die er von den Füßen verlor, auf's Courmachen; als ein sehr
tapferer Mann war er nämlich, ein neuer Achilles, in die Ferse
verwundet worden. Er war voller Geist, was man aus seiner
Gedankensammlung beurtheilen kann.

Von Zeit zu Zeit kam der Herzog von Wellington, um Mu=
sterung zu halten. Ludwig XVIII fuhr alle Nachmittage in einem
sechsspännigen Wagen mit seinen ersten Kammerherren und seinen
Wachen durch Gent, ganz als wäre er in Paris gewesen. Traf er
auf seinem Wege den Herzog von Wellington, so bedachte er diesen
im Vorbeifahren mit einem leichten, huldreichen Kopfnicken.

Ludwig XVIII verlor die Erinnerung an den Rang seiner
Wiege nie; er war überall König, wie Gott überall Gott ist, in
einer Krippe oder im Tempel, auf einem goldenen oder thönernen
Altare. Nie vermochte ihn das Unglück nur zu der geringsten
Concession zu bringen; sein Hochmuth wuchs nach dem Maße seiner
Erniedrigung; sein Diadem war sein Name; er schien zu sagen:
„Tödtet mich, aber die auf meiner Stirne geschriebenen Jahrhun=
derte werdet Ihr nicht tödten." Es kümmerte ihn wenig, ob man
seine Wappen im Louvre abgekratzt habe; waren sie nicht auf der
Weltkugel eingegraben? Hatte man in alle Winkel der Welt Com=
missäre gesandt, um sie abzukratzen. Hatte man sie in Indien,
in Pondichery, in Amerika, in Lima und in Mexiko, im Orient,
in Antiochia, in Jerusalem, in Saint=Jean=d'Acre, in Kairo, in

Constantinopel, in Rhodus, auf Morea, im Abendlande, auf den Mauern Roms, auf den Zimmerdecken in Caserta und im Escurial, an der Wölbung der Säle in Regensburg und Westminster, im Wappenschilde aller Könige ausgelöscht? Hatte man sie aus der Magnetnadel gerissen, wo sie den verschiedenen Regionen der Erde die Herrschaft der Lilien zu verkünden scheinen?

Die fixe Idee von der Größe, dem Alter, der Würde und der Majestät seines Stammes schuf Ludwig XVIII ein wirkliches Reich. Man fühlte die Herrschaft derselben, selbst Bonaparte's Generäle gestanden sie zu. Sie wurden durch diesen gebrechlichen Greis mehr eingeschüchtert, als durch den schrecklichen Gebieter, der sie in hundert Schlachten befehligt hatte. Als Ludwig XVIII den siegreichen Monarchen in Paris die Ehre erwies, sie an seiner Tafel speisen zu lassen, ging er ohne Umstände diesen Prinzen voraus, deren Soldaten im Hof des Louvre campirten; er behandelte sie wie Vasallen, die bloß ihre Pflicht gethan, indem sie ihrem Oberlehnsherrn Streiter zugeführt hatten. In Europa gibt es nur eine Monarchie, Frankreich; das Schicksal der anderen Monarchien ist mit dem Loose dieser Monarchie verknüpft. Alle Königsstämme sind neben dem Stamme von Hugo Capet von gestern her und fast alle Abkömmlinge davon. Unsere alte königliche Macht war das alte Königreich der Welt; von der Verbannung der Capet's her wird sich die Aera von der Vertreibung der Könige datiren. Das war die Idee Ludwig's XVIII.

Je unpolitischer dieser Hochmuth des Abkömmlings des heiligen Ludwig war (seinen Erben brachte er Unheil), desto mehr gefiel er dem Nationalstolze; es war den Franzosen ein Genuß, Monarchen zu sehen, welche, besiegt, die Fesseln eines Mannes getragen hatten und nun als Sieger das Joch eines Stammes trugen.

Der unerschütterliche Glaube Ludwig's XVIII an sein Blut ist die wirkliche Macht, die ihm den Scepter zurückgab; dieser Glaube ist es, der zu zwei wiederholten Malen eine Krone auf

sein Haupt fallen ließ, für welche Europa seine Völker und seine
Schätze nicht erschöpfen wollte, noch zu erschöpfen glaubte. Der
Verbannte ohne Soldaten fand sich immer wieder am Ende aller
Schlachten, die er nicht geliefert hatte. Ludwig XVIII ward die
eingefleischte Legitimität; als er verschwand, hörte sie auf, sichtbar
zu sein.

Fortsetzung der hundert Tage in Gent. — Erinnerungen aus
    der Geschichte Gents. — Die Frau Herzogin von Angoulême
    kommt in Gent an. — Frau von Sèze. — Die Frau Her-
    zogin von Levis.

In Gent, wie überall, unternahm ich kleine Streifzüge. Die
über die schmalen Kanäle hingleitenden Barken, welche zehn bis
zwölf Stunden lang zwischen Wiesen hindurch fahren müssen, um
in's Meer zu gelangen, schienen auf dem Grase zu verschwimmen
und gemahnten mich an die Kähne der Wilden in den mit taubem
Hafer bewachsenen Morästen des Missouri. Am Ufer stehend,
schweiften meine Augen über die Thürme der Stadt und in den
Wolken des Himmels erschien mir ihre Geschichte.

Die Genter lehnen sich gegen Heinrich von Chatillon, den
französischen Gouverneur, auf; die Gemahlin Eduard's III bringt
John von Gaunt, den Stammvater des Hauses Lancaster, zur
Welt. Das Volksregiment Jakob's von Artevelde. „Ihr guten
Leute, wer belügt Euch? Warum seid Ihr so aufgebracht über
mich? Womit kann ich Euch erzürnt haben?" — „Ihr müßt sterben!" rief das Volk. — Das ruft die Zeit uns Allen zu. Später
sah ich die Herzoge von Burgund; die Spanier kamen. Dann
die Herstellung des Friedens, die Belagerungen und die Einnah-
men von Gent.

Als ich mich so in die Jahrhunderte hineingeträumt hatte,
weckte mich der Schall eines kleinen Klarins oder einer schottischen

Sackpfeife. Ich erblickte lebendige Soldaten, welche herbeieilten, um sich zu den in Batavia begrabenen Bataillonen zu gesellen. Immer Zerstörungen, darniedergeschmetterte Gewalten und, das Ende vom Liede, einige hingeschwundene Schatten und vergangene Namen!

Das seeumspülte Flandern war eines der ersten Cantonnements der Gefährten von Clodion und Chlodwig. Gent, Brügge und ihre Bezirke lieferten beinahe ein Zehntel der Grenadiere der alten Garde. Diese schreckliche Miliz wurde theilweise aus der Wiege unserer Väter gezogen und kam dann, um sich bei dieser Wiege vertilgen zu lassen. Hat die Lilie ihre Blume den Wappen unserer Könige geschenkt?

Die spanischen Sitten hinterlassen ihre Spuren; die Gebäude von Gent ermahnten mich an die von Granada, der Himmel aber minder an den der Vega. Eine große Stadt fast ohne Bewohner, veröbte Straßen, ebenso veröbte Kanäle . . .; sechsundzwanzig durch diese Kanäle gebildete Inseln, die aber keine Kanäle von Venedig waren, ein ungeheurer Artilleriepark des Mittelalters, das ersetzte in Gent die Stadt der Zegris, den Duero und den Xenil, den Generaliph und das Alhambra. Meine alten Träume, werde ich euch je wiedersehen?

Die Frau Herzogin von Angoulême hatte sich auf der Gironde eingeschifft und kam über England zu uns in Begleitung des Generals Donnadieu und des Herrn von Sèze, welcher mit seinem blauen Ordensband über der Weste den Ocean durchschifft hatte. Nach der Prinzessin kamen der Herzog und die Herzogin von Levis, die den Eilwagen bestiegen und sich auf der Straße von Bordeaux aus Paris geflüchtet hatten. Ihre Mitreisenden politisirten. „Dieser Schurke von Chateaubriand," sagte der Eine, „ist nicht so dumm! Seit drei Tagen stand sein Wagen bepackt in seinem Hofe; der Vogel ist ausgeflogen. Ha, wenn Napoleon ihn erwischt hätte.

Die Frau Herzogin von Levis war eine sehr schöne und sehr gute Person und so ruhig, als die Frau Herzogin von Duras

unruhig war. Sie verließ Frau von Chateaubriand nicht und
war in Gent unsere beständige Gefährtin. Niemand hat mehr
Ruhe über mein Leben verbreitet, was ich sehr nöthig habe. Die
ungetrübtesten Augenblicke meines Daseins sind die, welche ich in
Noisiel bei dieser Frau zugebracht habe, deren Worte und Gesinnungen sich der Seele bemächtigten, um einen reinen Frieden über
sie auszugießen. Mit Sehnsucht rufe ich mir jene unter den großen
Kastanienbäumen von Noisiel verlebten Augenblicke zurück! Mit
beschwichtigtem Gemüthe, genesendem Herzen betrachtete ich die Ruinen der Abtei von Chelles und die Lichtchen in den unter den
Weiden der Marne anhaltenden Barken.

Die Erinnerung an die Frau von Levis ist für mich die eines
stillen Herbstabends. Sie war in wenig Stunden dahin, sie hat
sich mit dem Tode als mit der Quelle aller Ruhe vermischt. Ich
sah sie geräuschlos in ihr Grab auf dem Kirchhof des Père-La-
chaise hinabsteigen; sie liegt oberhalb Herrn von Fontanes und
dieser schläft neben seinem im Zweikampf getödteten Sohn Saint-
Marcellin. Indem ich mich somit über das Grabmal der Frau
von Levis beugte, stieß ich an zwei andere Gräber. Der Mensch
kann keinen Schmerz wach rufen, ohne noch einen andern zu
wecken; die verschiedenen Blumen, welche sich nur im Schatten
öffnen, brechen bei Nachtzeit auf.

Mit der wohlwollenden Güte der Frau von Levis gegen mich
vereinigte sich noch die Freundschaft des Herrn Herzogs von Levis,
des Vaters; ich darf nur noch nach Generationen rechnen. Herr
von Levis schrieb gut; er hatte eine lebhafte und furchtbare Einbildungskraft, der man seine edle Abkunft anmerkte, wie man sie
auch in Quiberon in seinem am Ufer vergossenen Blute wahr-
nahm.

Doch hiebei sollte es nicht seine Bewandtniß haben; dieses
Freundschaftsgefühl ging auf die zweite Generation über. Der
Herr Herzog von Levis, Sohn, jetzt Begleiter des Herrn Grafen
von Chambord, hat sich mir genähert; meine erbliche Zuneigung

wird ihm so wenig fehlen, als meine Treue seinem erhabenen Ge=
bieter. Die neue und reizende Herzogin von Levis, seine Frau,
vereinigt mit dem großen Namen einer d'Aubusson die glänzend=
sten Eigenschaften des Geistes und Herzens. Man hat wohl Stoff,
wenn die Grazien der Geschichte ihre unermüdlichen Schwingen
leihen!

———

Fortsetzung der hundert Tage in Gent. — Pavillon Marsan in
Gent. — Herr Gaillard, Rath beim königlichen Hofe. —
Geheimer Besuch der Frau Baronesse von Vitrolles. — Hand=
billet Monsieurs. — Fouché.

Der Pavillon Marsan bestand in Gent wie in Paris. Jeder
Tag brachte Monsieur Nachrichten, die durch das Interesse oder
die Einbildungskraft erzeugt wurden.

Herr Gaillard, ein alter Redner, Rath beim königlichen Hofe
und vertrauter Freund Fouché's, kam ebenfalls in unsere Mitte;
er ließ sich melden und wurde mit Herrn Capelle in Verbindung
gesetzt.

Wenn ich mich zu Monsieur begab, was selten war, so unter=
hielt mich seine Umgebung mit verdeckten Worten und manchen
Seufzern von einem Manne, der (man mußte es zugeben)
sich trefflich benahm; er hemmte alle Operationen
des Kaisers, er vertheidigte die Vorstadt Saint=Ger=
main u. s. f. u. s. f. Auch der treue Marschall Soult war ein
Gegenstand der Vorliebe Monsieurs und nach Fouché der loyalste
Mann Frankreichs.

Eines Tages hält ein Wagen vor der Thüre meines Gast=
hofes; ich sehe die Frau Baronesse von Vitrolles aussteigen; sie kam
mit Vollmachten von dem Herzog von Otranto. Sie kehrte mit
einem Handbillet Monsieurs zurück, in welchem der Prinz erklärte,

demjenigen, welcher den Herrn von Vitrolles retten würde, ewig erkenntlich zu sein.

Fouché verlangte nicht mehr; mit diesem Billet bewaffnet, war im Fall einer Restauration seine Zukunft gesichert. Von diesem Augenblicke an war in Gent nur noch die Rede von den ungeheuren Verpflichtungen, die man gegen den trefflichen Herrn Fouché von Nantes habe, von der Unmöglichkeit, ohne den Willen dieses Gerechten wieder nach Frankreich zurückkehren zu können; man war nur in Verlegenheit, wie man dem König Geschmack an diesem neuen Erlöser der Monarchie beibringen solle.

Nach den hundert Tagen zwang mich Frau von Custine, mit Fouché bei ihr zu speisen. Ich hatte ihn fünf Jahre früher bei Gelegenheit der Verurtheilung meines armen Vetters Armand ein= mal gesehen. Der ehemalige Minister wußte, daß ich mich seiner Ernennung in Roye, in Gonesse, in Arnouville widersetzt hatte und da er mich für mächtig hielt, so wollte er Frieden mit mir schließen. Das Beste an ihm war, der Tod Ludwig's XVI; der Königsmord war seine Unschuld. Ein Schwätzer, wie alle Revolutionäre, und mit leeren Phrasen im Blauen herumfechtend, brachte er eine Menge Gemeinplätze vor, gespickt mit Schicksal, Nothwendigkeit, Recht der Thatsachen, und vermischte mit diesem philosophi= schen Unsinn Unsinn über den Fortschritt und den Gang der Ge= sellschaft, schamlose Grundsätze zum Vortheil des Starken gegen den Schwachen, ließ es nicht an frechen Geständnissen über die Gerechtigkeit der Erfolge, den geringen Werth eines fallenden Kopfes, die Billigkeit dessen, was glückt, die Unbill dessen, was leidet, fehlen, stellte sich, als könne er von dem fürchterlichsten Unglück mit Leichtsinn und Gleichgültigkeit als ein über solche Albernheiten erhabenes Genie reden. Es entfiel ihm, über was man auch sprechen mochte, nicht eine gewählte Idee, nicht eine merkwürdige Darstellung. Ich entfernte mich mit Achselzucken von dem Verbrechen.

Herr Fouché hat mir meine Trockenheit und den geringen

Einbruck, ben er auf mich machte, nie verziehen. Er hatte mich
zu bestricken geglaubt, indem er vor meinen Augen wie eine Glorie
vom Sinai das kurze, breite Messer des unseligen Instrumentes
auf= unb absteigen ließ; er hatte sich eingebilbet, ich werbe ben
Beseßenen für einen Koloß halten, ber von Lyons Boden rebenb,
gesagt hatte: „Dieser Boben wird umgewühlt werben; auf ben
Trümmern bieser stolzen .unb aufrührerischen Stabt werben sich
zerstreute Strohhütten erheben, bie zu bewohnen bie Freunbe ber
Gleichheit sich beeifern werben. . . . .
. . . . Wir werben ben energischen Muth haben,
bie weiten Grabhöhlen ber Verschwörer zu burchwanbern . . . .
Ihre blutigen, in bie Rhone geworfenen Leichen sollen an ben
beiten Ufern unb an ihrer Münbung einen Einbruck des Ent=
seßens hervorbringen unb ein Bilb von ber Allmacht bes Volkes
geben . . . .
. . . . Wir werben ben Sieg von Toulon feiern;
biesen Abenb werben wir zweihunbertunbfünfzig Rebellen unter
bas blißenbe Eisen schicken.“

Diese fürchterlichen Pläne imponirten mir nicht, weil ber Herr
von Nantes republikanische Missethaten im kaiserlichen Kothe
abgewaschen hatte. Daß ber in einen Herzog umgewanbelte Sans=
culotte ben Laternenstrick in bas Orbensbanb ber Ehrenlegion ge=
wickelt hatte, schien mir weber von besonberer Geschicklichkeit, noch
von besonberer Größe zu zeugen. Die Jakobiner haßen bie, welche
Nichts auf ihre Grausamkeiten halten unb ihre Morbe verachten;
ihr Stolz ist verletzt, wie ber ber Autoren, beren Talent bestritten
wirb.

———

Die Angelegenheiten in Wien. — Unterhandlungen des Herrn von Saint-Leon, des Abgesandten Fouché's. — Vorschlag in Bezug auf den Herrn Herzog von Orleans. — Herr [von Talleyrand. — Unzufriedenheit Alexander's mit Ludwig[XVIII. — Verschiedene Prätendenten. — Bericht ¡Besnardière's. — Unerwarteter Vorschlag Alexander's beim Congresse. — Lord Clancarthy macht ihn scheitern. — Herr von Talleyrand kehrt um. — Seine Depesche an Ludwig XVIII. — Erklärung der Allianz, in dem officiellen Frankfurter Journal verstümmelt. — Herr von Talleyrand will, der König solle in den südöstlichen Provinzen Frankreich wieder betreten. — Verschiedene Mäkeleien des Fürsten von Benevent in Wien. — Er schreibt mir nach Gent. — Sein Brief.

Zu gleicher Zeit, als Fouché Herrn Gaillard nach Gent sandte, um mit dem Bruder Ludwig's XVI zu unterhandeln, nahmen seine Agenten in Basel Rücksprache mit denen des Fürsten Metternich in Bezug auf Napoleon II, und von eben diesem Fouché abgesandt, kam Herr von Saint-Leon in Wien an, um über die Möglichkeit einer Throngelangung des Herzogs von Orleans zu unterhandeln. Die Freunde des Herzogs von Otranto konnten so wenig auf ihn zählen, als seine Feinde. Bei der Rückkehr der legitimen Prinzen ließ er seinen ehemaligen Collegen, Herrn Thibaudeau, auf der Liste der Verbannten stehen, während Herr von Talleyrand diesen oder jenen Geächteten je nach seiner Laune aus der Liste strich oder auf dieselbe setzte. Hatte die Vorstadt Saint-Germain nicht vollkommen Recht, an Herrn Fouché zu glauben?

Herr von Saint-Leon brachte drei Billete nach Wien, deren eines an Herrn von Talleyrand adressirt war. Der Herzog von Otranto machte dem Gesandten Ludwig's XVIII den Vorschlag, den Sohn Egalité's auf den Thron zu schieben, wenn er einen Vortheil darin erblicken sollte. Welche Redlichkeit in diesen Unterhandlungen! Wie glücklich war man, mit so rechtschaffenen Leuten zu thun zu haben! Und doch haben wir diese Cartouche bewundert, gesegnet, ihnen Weihrauch gestreut; wir haben ihnen den Hof gemacht, wir haben sie Monsieur genannt! Das erklärt die jetzige Welt. Als Zuwachs kommt nach Herrn von Saint-Leon noch Herr von Montrond.

Der Herr Herzog von Orleans conspirirte nicht activ, wohl aber passiv. Er ließ die revolutionären Verwandtschaften intriguiren; eine herzige Gesellschaft! Der Bevollmächtigte des Königs von Frankreich lieh also unter der Decke den Zumuthungen Fouché's das Ohr.

Bei Anlaß der Verhaftnehmung des Herrn von Talleyrand an der Barrière d'Enfer sagte ich, was bis damals die fixe Idee des Herrn von Talleyrand hinsichtlich der Regentschaft Marie Louisens war. Er war genöthigt, zufolge der Ereignisse der Eventualität der Bourbonen beizutreten, aber es war ihm immer unbehaglich, denn es schien ihm, ein verheiratheter Bischof sei unter den Leibeserben des heiligen Ludwig seines Platzes nie sicher. Die Idee, die jüngere Linie an die Stelle der älteren zu schieben, leuchtete ihm daher ein, um so mehr, als er ehemals in Beziehungen zu dem Palais-Royal gestanden war.

Nachdem sein Entschluß gefaßt war, wagte er, ohne sich jedoch ganz zu entdecken, einige Worte von Fouché's Plan gegen Alexander. Der Czar interessirte sich nicht mehr für Ludwig XVIII, da dieser ihn in Paris durch seine Sucht, mit seinem hohen Stamme zu prunken, verletzt hatte und wieder verletzte, als er die Heirath des Herzogs von Berry mit einer Schwester des Kaisers von sich wies. Man wollte die Prinzessin aus drei Gründen nicht. Sie gehörte einer abtrünnigen Kirche an; ihr Stamm war nicht alt genug, sie war aus einer Narrenfamilie. Alle diese Gründe wurden zwar nicht offen, aber deutlich genug dargelegt und beleidigten Alexander dreifach. Als letzten Beschwerdegrund gegen den alten Monarchen des Exils brachte der Czar die im Plan liegende

14*

Allianz zwischen England, Frankreich und Oestreich vor. Uebrigens schien die Erbfolge offen; Jedermann glaubte, die Söhne Ludwig's XIV erben zu können. Benjamin Constant vertheidigte im Namen der Madame Murat die Rechte, welche Napoleon's Schwester an das Königreich Neapel zu haben glaubte; Bernadotte warf von ferne seinen Blick auf Versailles, vermuthlich weil der König von Schweden von Pau gebürtig war.

La Besnardière, Divisionschef im auswärtigen Ministerium, ging zu Herrn von Caulaincourt über; er entwarf einen Bericht über die Beschwerden und Widersprüche Frankreichs in Sachen der Legitimität. Herr von Talleyrand fand das Mittel, Alexander den Bericht mitzutheilen. Das Pamphlet de la Besnardière's verfehlte seine Wirkung bei dem mißvergnügten und erregbaren Selbstherrscher nicht. Plötzlich wirft der Czar zu Jedermanns Erstaunen im Congresse die Frage auf, ob die Idee, in wiefern der Herzog von Orleans Frankreich und Europa als König zusagen könnte, nicht der Berathung werth wäre. Es ist dieß vielleicht einer der überraschendsten Umstände dieser außerordentlichen Zeiten und vielleicht ist es noch auffallender, daß man so wenig davon gesprochen hat. *) Lord Clancarthy machte den russischen Vorschlag scheitern; Se. Herrlichkeit erklärte, keine Vollmachten zur Verhandlung einer so ernsten Frage zu haben.

„Was mich betrifft," äußerte er sich als bloße Privatperson „so halte ich dafür, daß, wenn man den Herrn Herzog von Orleans auf den französischen Thron setzte, man eine militärische Usurpation mit einer Familienusurpation vertauschen würde, die den Monarchen weit gefährlicher wäre, als alle andern Usurpationen."

Die Mitglieder des Congresses begaben sich zu Tische und

---

*) Eine so eben erschienene Brochüre, betitelt: Briefe aus der Fremde, die von einem gewandten und wohlunterrichteten Diplomaten geschrieben scheint, weist ebenfalls auf diese seltsame russische Verhandlung in Wien hin. (Paris, Note von 1840.)

bezeichneten mit dem Scepter des heiligen Ludwig wie mit einem Strohhälmchen das Blatt, bei welchem sie in ihren Protocollen geblieben waren.

Als der Czar solche Hindernisse traf, machte Herr von Talley= rand eine ganze Schwenkung und da er voraussah, daß die Sache Lärm machen werde, so erstattete er Ludwig XVIII in einer Depesche, die ich gesehen habe und welche die Nummer 25 oder 27 trug, Bericht über diese außerordentliche Sitzung des Congresses; *) er glaubte sich verpflichtet, Se. Majestät von einem so exorbitanten Schritte zu unterrichten, da diese Nachricht, wie er sagte, unge= säumt zu den Ohren des Königs gelangen werde. Eine seltsame Offenherzigkeit von dem Herrn Fürsten von Talleyrand!

Es war von einer Erklärung der heiligen Allianz die Rede ge= wesen, um der Welt zu wissen zu thun, daß man nur gegen Napoleon auftreten wolle, daß man Frankreich weder eine Regierungsform noch einen Monarchen, der nicht seine eigene Wahl sei, aufzu= zwingen gedenke. Dieser letztere Theil der Erklärung wurde unter= drückt, aber in dem officiellen Frankfurter Journal positiv ange= kündigt. In seinen Unterhandlungen mit den Cabinetten bedient sich England immer dieser freisinnigen Sprache, die nur eine Vor= sichtsmaßregel gegen die parlamentarische Tribüne ist.

Man sieht, daß die Verbündeten sich bei der zweiten Restau= ration so wenig als bei der ersten um die Wiederherstellung der Legitimität kümmerten; die Ereignisse allein haben Alles gemacht. Was lag den so kurzsichtigen Monarchen daran, ob die Mutter der europäischen Monarchien hingewürgt werde? Könnte das sie hindern, Feste zu geben und Wachen zu haben? Heutzutage sitzen

---

*) Man behauptet, Herr von Talleyrand habe im Jahr 1830 seine Correspondenz mit Ludwig XVIII aus den Privat= archiven der Krone entfernen lassen, so wie er aus den Reichs= archiven Alles, was er, Herr von Talleyrand, in Bezug auf den Tod des Herzogs von Enghien und die spanischen Ange= legenheiten schrieb, wegschaffen ließ. (Paris, Note von 1840.)

die Monarchen so fest, mit der Weltkugel in der einen, dem Schwert in der andern Hand!

Herr von Talleyrand, dessen Interessen damals in Wien waren, fürchtete, die Engländer, die keine so günstige Meinung mehr von ihm hatten, möchten die militärische Partie ergreifen, bevor alle Armeen aufgestellt wären, und so das Cabinet von Saint=James das Uebergewicht erhalten. Deßhalb suchte er den König zu be= wegen, in den südöstlichen Provinzen Frankreichs einzuziehen, um sich unter der Vormundschaft der Reichstruppen und des östrei= chischen Cabinettes zu befinden. Der Herzog von Wellington hatte den bestimmten Befehl ertheilt, keine Feindseligkeiten zu beginnen; Napoleon selbst hat die Schlacht von Waterloo gewollt. Man hält die Geschicke einer solchen Natur nicht auf.

Diese historischen Thatsachen, die merkwürdigsten der Welt, waren im Allgemeinen nicht bekannt; ebenso hat man sich eine irrige Meinung von den auf Frankreich bezüglichen Verträgen von Wien gebildet; man hielt sie für ein unbilliges Machwerk eines Trupps siegreicher und auf unsern Untergang erpichter Monarchen. Wenn sie hart sind, so wurden sie unglücklicherweise durch eine französische Hand vergiftet. Macht Herr von Talleyrand keine Verschwörungen, so treibt er Handel.

Preußen wollte Sachsen haben, das früher oder später seine Beute sein wird. Frankreich mußte diesen Wunsch begünstigen, denn wenn Sachsen in dem Rheingebiete eine Entschädigung er= hielt, so blieb uns Landau mit seinen Bezirken; Koblenz und andere Festungen fielen auf einen kleinen uns befreundeten Staat, der, zwischen uns und Preußen liegend, alle Berührungspunkte ab= schnitt, und die Schlüssel Frankreichs wurden dem Schatten Fried= rich's nicht ausgeliefert. Für drei Millionen, die es Sachsen kostete, trat Herr von Talleyrand den Berechnungen des Berliner Cabinets entgegen; um aber die Zustimmung Alexander's zum Fortbestand des alten Sachsen zu erhalten, war unser Gesandter genöthigt, Polen dem Czaren zu überlassen, obwohl die anderen Mächte wünschten, es möchte irgend ein Polen den Bewegungen des Moscowiten im Norden einigermaßen einen Damm entgegensehen. Die Bourbonen von Neapel erkauften sich, wie der Monarch in Dresden, ihre Reiche mit Geld. Herr von Talleyrand behauptete, für sein Herzogthum von Benevent Anspruch auf eine Geldentschädigung zu haben; indem er seinen Gebieter verließ, verkaufte er seine Livrée. Da Frankreich so viel verlor, hätte Herr von Talleyrand nicht auch Etwas verlieren können? Ueberdieß gehörte Benevent nicht dem Großkämmerer; vermöge der Wiederherstellung der alten Verträge wurde dieses Fürstenthum wieder Eigenthum des Kirchenstaats.

Das waren die diplomatischen Vergleiche, die, während wir in Gent waren, in Wien zur Sprache kamen. In der ersteren Residenz erhielt ich von Herrn von Talleyrand folgenden Brief:

"Wien, den 4. Mai.

"Ich habe mit großem Vergnügen vernommen, mein Herr, daß Sie sich in Gent befinden, denn die Umstände fordern, daß der König von starken und unabhängigen Männern umgeben sei.

"Sie werden gewiß auch gedacht haben, daß es nützlich wäre, durch wohlbegründete Veröffentlichungen die ganze neue Doctrin zu widerlegen, die man in den officiellen Artikeln, welche in Frankreich erscheinen, aufstellen will.

"Es wäre vonnöthen, daß Etwas erschiene, was sich zur Aufgabe machen würde, zu zeigen, daß die am 24. März in Paris von den Verbündeten abgegebene Erklärung, daß die Absetzung, daß die Abdankung, daß der Vertrag vom 11. April, der die Folge davon war, vorläufige, unerläßliche und absolute Bedingungen zu dem Vertrage vom 30. Mai sind; das heißt, daß ohne diese vorgängigen Bedingungen der Vertrag nicht gemacht worden wäre. Dieß festgesetzt, bricht der, welcher die besagten Bedingungen verletzt oder zu deren Verletzung hilft, den Frieden, den dieser Vertrag hergestellt hat. Er und seine Mitschuldigen sind es daher, welche Europa den Krieg erklären.

„Eine in diesem Sinne abgefaßte Erörterung müßte im Auslande wie im Inlande Nutzen stiften; nur muß sie gut geschrieben sein, daher nehmen Sie es über sich.

„Genehmigen Sie, mein Herr, die Huldigung meiner aufrichtigen Anhänglichkeit und meiner hohen Achtung.

„Talleyrand.

„Ich hoffe, die Ehre zu haben, Sie Ende des Monats zu sehen."

Unser Minister in Wien war seinem Hasse gegen die große, den Schatten entwischte Chimäre getreu; er fürchtete einen Schlag von ihrem Flügel. Dieser Brief zeigt übrigens, was Herr von Talleyrand Alles zu thun fähig war, wenn er allein schrieb. Er hatte die Güte, mir das Thema anzugeben, und verließ sich dann auf meine Ausschmückungen. Es handelte sich wohl um einige diplomatische Phrasen über Absetzung, Abdankung, über den Vertrag vom 11. April und 30. Mai, um Napoleon aufzuhalten. Ich war wegen des mir ertheilten Patentes als starker Mann sehr erkenntlich für diese Instructionen, befolgte sie aber nicht. Als Gesandter in petto mischte ich mich in diesem Augenblick nicht in die auswärtigen Angelegenheiten, sondern beschäftigte mich nur mit meinem Interimsministerium des Innern.

Aber was ging in Paris vor?

———

Die hundert Tage in Paris. — Wirkung der Legitimität in
Frankreich. — Bonaparte's Verwunderung. — Er ist [ge-
nöthigt, mit den Ideen, die er unterdrückt glaubte, zu capituliren. — Sein neues System. — Drei ungeheure Spieler
zurückgeblieben. — Hirngespinnste der Liberalen. — Clubs
und Föderirte. — Taschenspielerei der Republik. — Zusatz
zur Verfassung. — Die Repräsentantenkammer einberufen. —
Unnützes Maifeld.

Ich lasse die Rückseite der Ereignisse sehen, welche die Geschichte nicht zeigt; die Geschichte stellt nur die Vorderseite zur
Schau. Die Memoiren haben den Vortheil, die eine und die
andere Seite des Gewebes darzustellen; in dieser Beziehung schildern sie die sämmtliche Menschheit besser, wenn sie wie Shakspeare's
Tragödien die niederen und hohen Scenen vor Augen führen.
Neben einem Palast ist überall eine Strohhütte, neben einem Wei-
nenden ein Lachender, ein Lumpensammler mit seiner Butte neben
einem König, der seinen Thron verliert; was machte sich der in der
Schlacht von Arbela anwesende Sklave aus dem Fall des Darius?
Gent war somit nur eine Kleiderkammer hinter den Coulissen
des in Paris eröffneten Schauspiels. Es blieben noch mehr berühmte Personen in Europa. Im Jahr 1800 hatte ich meine
Laufbahn mit Alexander und Napoleon begonnen, warum war ich
diesen ersten Schauspielern, meinen Zeitgenossen, nicht auf das große
Theater gefolgt? Warum allein in Gent? Weil der Himmel uns
hinwirft, wo er will. Gehen wir von den kleinen hundert
Tagen in Gent zu den großen hundert Tagen in Paris über.
Ich habe die Gründe schon auseinandergesetzt, welche Napoleon auf der Insel Elba hätten festhalten sollen, und die über-
wiegenden Gründe oder vielmehr die aus seiner Natur entsprun-
gene Nothwendigkeit, welche ihn zwangen, das Eril zu verlassen.
Allein der Marsch von Cannes nach Paris erschöpfte, was vom

alten Menschen an ihm geblieben war. In Paris wurde der Talisman gebrochen.

Die wenigen Augenblicke, in welchen die Gesetzlichkeit wieder erschienen war, waren hinreichend, um die Wiedereinsetzung des unumschränkten Herrn unmöglich zu machen. Der Despotismus legt den Massen einen Maulkorb an und befreit die Individuen innerhalb einer gewissen Grenze. Die Anarchie entfesselt die Massen und unterjocht die individuelle Unabhängigkeit. Daher gleicht der Despotismus der Freiheit, wenn er auf die Anarchie folgt; er bleibt, was er wirklich ist, wenn er die Freiheit ersetzt. Nach der Directorial-Constitution war Bonaparte ein Befreier, nach der Charte ein Bedrücker. Er fühlte das so gut, daß er sich genöthigt glaubte, weiter zu gehen, als Ludwig XVIII, und zu den Quellen der Nationalsouveränität zurückzukehren. Er, der das Volk als Gebieter unter die Füße getreten hatte, mußte sich jetzt zum Volkstribun aufwerfen, um die Gunst der Vorstädte buhlen, die revolutionäre Kindheit parodiren, eine alte Sprache von Freiheit stammeln, bei der seine Lippen Grimassen schnitten und bei deren jeder Sylbe sein Degen vor Wuth zuckte.

Sein Schicksal, wie seine Macht, ging in der That so ganz zu Ende, daß man während der hundert Tage das Genie Napoleon's nicht mehr erkannte. Dieses Genie war das des Gelingens und der Ordnung, nicht das der Niederlage und der Freiheit; somit vermochte er Nichts durch den Sieg, der ihn verrathen hatte, Nichts durch die Ordnung, weil sie ohne ihn bestand. In seiner Verwunderung darüber, äußerte er sich: „Wie haben mir die Bourbonen Frankreich in einigen Monaten zugerichtet! Ich werde Jahre brauchen, um es wieder herzustellen.

Was der Eroberer sah, war nicht das Werk der Legitimität, sondern das Werk der Charte; er hatte Frankreich stumm und am Boden liegend verlassen, nun fand er es aufrecht und redend. In der Naivetät seines unumschränkten Geistes hielt er die Freiheit für die Unordnung.

Und doch ist Bonaparte genöthigt, mit den Ideen zu capituli=
ren, die er auf den ersten Anlauf nicht besiegen kann. Aus Man=
gel an wirklicher Popularität finden sich nach dem Feierabend
Arbeiter, die per Kopf mit vierzig Sous bezahlt werden, auf dem
Carrousselplatz ein, um Es lebe der Kaiser! zu schreien. Man
hieß das auf's Schreien gehen. Proclamationen verkünden
Anfangs ein Wunder von Vergessen und Verzeihen; alle Indivi=
duen, die Nation, die Presse werden frei erklärt; man will nur
den Frieden, die Unabhängigkeit und das Glück des Volkes;
das ganze kaiserliche System ist verändert, das goldene Zeitalter
wird anbrechen. Um das Praktische mit der Theorie in Ueber=
einstimmung zu bringen, theilt man Frankreich in sieben große
Polizeibistrikte, die sieben Lieutenants werden mit der gleichen Macht
bekleidet, welche die Generaldirectoren unter dem Consulat und
dem Kaiserreich hatten. Man weiß, was diese Beschützer der in=
dividuellen Freiheit in Lyon, in Bordeaux, in Mailand, Florenz,
Lissabon, Hamburg und Amsterdam waren. Ueber diese Lieute=
nants stellt Bonaparte in einer der Freiheit immer günsti=
geren Hierarchie außerordentliche Commissäre auf nach Art der
Volksrepräsentanten unter dem Convent.

Die Polizei, welche Fouché leitet, verkündet der Welt in feier=
lichen Proclamationen, daß sie nur noch zur Verbreitung der
Philosophie dienen und nach Grundsätzen der Tugend handeln
werde.

Bonaparte stellt durch ein Decret die Nationalgarde des König=
reichs wieder her, deren bloßer Name ihm früher Schwindel machte.
Er sieht sich genöthigt, die unter dem Kaiserreiche ausgesprochene
Trennung des Despotismus und der Demagogie zu annulliren und
ihren neuen Bund zu begünstigen. Aus diesem Hymen soll auf
dem Maifelde eine Freiheit entstehen mit rother Mütze und dem
Turban auf dem Kopfe, mit dem Mameluckensäbel im Gürtel und
dem Revolutionsbeil in der Hand, eine Freiheit, umschwebt von
den Schatten jener tausend und tausend auf den Schaffoten oder

in den glühenden Steppen Spaniens oder den eisigen Wüsten Rußlands gefallenen Opfern. Vor dem Gelingen sind die Mamelucken Jakobiner, nach dem Gelingen werden die Jakobiner Mamelucken. Sparta ist für den Augenblick der Gefahr, Constantinopel für den des Triumphes.

Bonaparte hätte sich der Autorität gern wieder für sich allein bemächtigt, doch das war ihm nicht möglich; er fand Leute, die geneigt waren, sie ihm streitig zu machen. Da waren die aufrichtigen Republikaner, welche, von den Fesseln des Despotismus und den Gesetzen der Monarchie befreit, eine Unabhängigkeit zu bewahren wünschten, die vielleicht nur ein edler Irrthum ist; dann kamen die Wüthenden der ehemaligen Faction des Berges; gedemüthigt, unter dem Kaiserreiche nur die Polizeispione eines Despoten gewesen zu sein, schienen diese Letzteren entschlossen, sich auf eigene Rechnung jene Freiheit, Alles zu thun, deren Privilegium sie fünfzehn Jahre lang einem Gebieter überlassen hatten, wieder anzueignen.

Aber weder die Republikaner, noch die Revolutionäre, noch die Satelliten Bonaparte's waren stark genug, um ihrer getrennten Macht Geltung zu verschaffen oder sich gegenseitig zu unterjochen. Von Außen mit einem Einfall bedroht, im Inlande von der öffentlichen Meinung verfolgt, sahen sie ein, daß sie verloren wären, wenn sie sich trennten. Um der Gefahr zu entgehen, ließen sie ihren Streit fallen, die Einen brachten zu der gemeinsamen Vertheidigung ihre Systeme und ihre Chimäre, die Andern ihren Schrecken und ihre Verkehrtheit mit. Keiner war aufrichtig bei dem Vertrage. Jeder nahm sich vor, denselben, wenn die Krisis vorüber wäre, zu seinem Vortheil zu drehen; Alle suchten sich zum Voraus der Resultate des Sieges zu versichern. In diesem schrecklichen Trente-et-un waren drei ungeheure Spieler abwechselnd die Bankhalter: die Freiheit, die Anarchie, der Despotismus, welche alle drei betrogen und sich bemühten, eine für Alle verlorene Partie zu gewinnen.

Voll von diesem Gedanken, verfuhren sie nicht strenge gegen einige verlorene Kinder, welche die revolutionären Maßregeln beschleunigten. In den Vorstädten hatten sich Föderirte gebildet und Bünde organisirten sich unter strengen Eiden in der Bretagne, dem Anjou, dem Lyonnais und Burgund; man hörte die Marseillaise und die Carmagnole singen; ein in Paris bestehender Club correspondirte mit anderen Clubs in den Provinzen; man fündigte die Wiedererstehung des Journals der Patrioten an. Aber welches Vertrauen konnten von dieser Seite die Auferstandenen vom Jahr 1793 einflößen? Wußte man nicht, wie sie die Freiheit, die Gleichheit, die Menschenrechte erklärten? Waren sie moralischer, weiser, aufrichtiger nach als vor ihren Abscheulichkeiten? Waren sie aller Tugenden fähig geworden, weil sie sich mit allen Lastern befleckt hatten? Man legt das Laster nicht so leicht ab, wie eine Krone; die Stirne, um welche sich das schreckliche Band schlingt, behält einen unvertilgbaren Abbruck davon.

Die Idee, ein ehrgeiziges Genie vom Range des Kaisers in den Stand eines Generalissimus oder Präsidenten der Republik hinabsteigen zu lassen, war eine Chimäre; die rothe Mütze, welche man während der hundert Tage seinen Büsten aufsetzte, hätte Bonaparte nur die Wiedererlangung des Diadems verfündigt, wenn es diesen Athleten, welche die Welt durchziehen, gestattet wäre, zweimal die nämliche Laufbahn zurückzulegen.

Immerhin versprachen sich Liberale von Bedeutung den Sieg. Irregeführte Männer, wie Benjamin Constant, Einfaltspinsel, wie Herr Sismonde-Sismondi, sprachen davon, das Ministerium des Innern mit dem Fürsten von Canino, das Kriegsministerium mit dem General-Lieutenant Graf Carnot, das Justizministerium mit dem Grafen Merlin zu besetzen. Scheinbar kraftlos, setzte Bonaparte demokratischen Bewegungen, welche als letztes Ergebniß seiner Armee Conscribirte lieferten, keinen Widerstand entgegen. Er ließ sich in Pamphleten angreifen, Carricaturen wiederholten ihm: Insel Elba, wie die Papageien Ludwig XI zuriefen: Peronne. Man predigte dem Ausreißer, indem man ihn bußte, Freiheit und

Gleichheit; er hörte diese Ermahnungen mit einer Miene der Zer=
knirschung an. Plötzlich zerreißt er die Bande, womit man ihn
zu umschlingen gedacht, und verkündet seine eigene Obergewalt,
und zwar nicht mit einer plebejischen, sondern mit einer aristo=
kratischen Constitution, mit einem der Constitution des Kaiserreiches
angehängten Zusatz.

Die geträumte Republik verwandelt sich durch diese geschickte
Taschenspielerei in die alte kaiserliche Regierung, verjüngt durch
das Feudalsystem. Der angehängte Zusatz entführt Bona=
parte die republikanische Partei und macht fast in allen anderen
Parteien Mißvergnügte. In Paris herrscht Zügellosigkeit, in den
Provinzen Anarchie, die Civil= und Militärbehörden bekämpfen
sich; hier droht man die Schlösser zu verbrennen und die Priester
zu erwürgen, dort steckt man die weiße Fahne auf und ruft: Es
lebe der König! Angegriffen, weicht Bonaparte zurück; er
entzieht seinen außerordentlichen Commissären die Ernennung der
Maires in den Gemeinden und überläßt diese Ernennung wieder
dem Volke. Erschrocken über die vielfachen verneinenden Boten
gegen den angehängten Zusatz, gibt er seine thatsächliche
Dictatur auf und ruft kraft dieses noch nicht angenommenen Zu=
satzes die Repräsentantenkammer zusammen. Von Klippe zu Klippe
irrend, stößt er, kaum von einer Gefahr befreit, auf eine andere.
Wie kann der Monarch eines Tages eine erbliche Pairswürde ein=
setzen, die der Geist der Gleichheit von sich weist? Wie soll er die
beiden Kammern regieren? Werden sie einen passiven Gehorsam
zeigen? Welches sind die Beziehungen dieser Kammern zu der auf
dem Maifelde projectirten Versammlung, die keinen wirklichen
Zweck mehr hat, weil der angehängte Zusatz in Ausführung gesetzt
wurde, bevor die Stimmen gezählt waren. Wird sich diese aus
dreißigtausend Wählern bestehende Versammlung nicht für die
Nationalversammlung halten?

Dieses so prunkvoll angekündigte und am 1. Juni gefeierte
Maifeld löst sich in ein einfaches Defiliren der Truppen und in

eine Austheilung von Fahnen vor einem verachteten Altar auf.
Von seinen Brüdern, den Würdenträgern des Staates, den Mar=
schällen, den Civil= und Justizbehörden umgeben, verkündet Napo=
leon die Volkssouveränität, an die er nicht glaubte. Die Bürger
hatten sich eingebildet, an diesem feierlichen Tage selbst eine Con=
stitution zu fabriciren; der friedlichere Theil derselben erwartete,
man werde die Abdankung Napoleons zu Gunsten seines Sohnes
erklären, eine Abdankung, welche in Basel zwischen den Agenten
Fouché's und des Fürsten von Metternich listig betrieben wurde.
Das Ganze war Nichts als eine lächerliche politische Farce. Uebri=
gens war der angehängte Zusatz gleichsam eine Huldigung
der Legitimität; einige Verschiedenheiten, besonders die Abschaf=
fung der Confiscation abgerechnet, war er die Charte.

Fortsetzung der hundert Tage in Paris. — Sorgen und Verdrießlichkeiten Bonaparte's.

Diese plötzliche Veränderung, dieser Wirrwarr in allen Din=
gen kündeten an, daß der Despotismus in den letzten Zügen lag.
Dennoch kann der Kaiser im Innern den tödtlichen Streich nicht
empfangen, denn die Macht, die ihn bekämpft, ist so entkräftet als
er. Der revolutionäre Titan, den Napoleon einst zu Boden warf,
hatte seine angeborne Energie nicht wieder erlangt; die beiden
Riesen versetzten sich jetzt unnütze Streiche; es ist nur noch ein
Kampf von zwei Schatten.

Zu diesen allgemeinen Unmöglichkeiten gesellen sich für Bona=
parte häusliche Trübsal und Palastsorgen. Er verkündete Frank=
reich die Rückkehr der Kaiserin und des Königs von Rom, und
weder die Eine noch der Andere kamen. In Bezug auf die Kö=
nigin von Holland, welche von Ludwig XVIII zur Herzogin von
Saint=Leu ernannt worden war, äußerte er sich:

„Wenn man das Glück einer Familie genoß, so muß man auch das Unglück mit ihr theilen.

Joseph, welcher aus der Schweiz herbeigeeilt war, wollte nur Geld von ihm; Lucian beunruhigte ihn durch seine liberalen Verbindungen. Murat, der sich Anfangs gegen seinen Schwager verschworen, hatte sich, zu diesem zurückkehrend, nur zu sehr beeilt, die Oesterreicher anzugreifen. Des Königreichs Neapel beraubt und ein Unglücksprophet von einem Flüchtling, erwartete er in der Nähe von Marseille im Arrest die Katastrophe, die ich Euch später erzählen werde.

Und zudem, konnte der Kaiser seinen ehemaligen Parteigängern und seinen angeblichen Freunden trauen? Hatten sie ihn im Augenblicke seines Falles nicht schmachvoll im Stich gelassen? Hatte jener Senat, der zu seinen Füßen kroch und jetzt in der Pairskammer hockte, nicht die Absetzung seines Wohlthäters decretirt? Konnte er diesen Menschen glauben, wenn sie ihm sagten: „Frankreichs Vortheil ist von dem Ihrigen unzertrennlich? Wenn das Glück Ihren Bemühungen untreu werden sollte, Sire, so werden auch Mißgeschicke unsere Ausdauer nicht schwächen und unsere Anhänglichkeit zu Ihnen nur verdoppeln.“

Eure Ausdauer! Eure Anhänglichkeit verdoppelt durch das Unglück! Ihr sagtet das am 11. Juni 1815; was hattet ihr am 9. April 1814 gesagt? Was werdet ihr einige Wochen später, am 19. Juli 1815, sagen?

Der kaiserliche Polizeiminister correspondirte, wie man gesehen hat, mit Gent, Wien und Basel. Die Marschälle, denen Bonaparte den Oberbefehl über seine Soldaten ertheilen mußte, hatten noch vor Kurzem Ludwig XVIII den Eid geleistet; sie hatten gegen ihn, Bonaparte, die heftigsten Proclamationen erlassen;*) allerdings hatten sie sich jetzt wieder mit ihrem Sultan vermählt; wenn er aber in Grenoble verhaftet worden wäre, was hätten sie mit ihm

---

*) Man sehe weiter oben die des Marschall Soult.

angefangen? Genügt es, einen Eid zu brechen, um einen andern
verletzten Eid wieder in volle Kraft treten zu lassen? Wiegen zwei
Meineide die Treue auf?

Noch einige Tage, und die, welche auf dem Maifelbe den
Schwur leisteten, werden Ludwig XVIII in den Sälen der Tuile=
rien ihrer Ergebenheit versichern; sie werden sich der heiligen Tafel
des Friedensgottes nähern, um sich bei den Banketten des Krieges
zu Ministern ernennen zu lassen. Wappenherolde und Träger der
königlichen Insignien bei Bonaparte's Krönung, werden sie bei der
Krönung Karls X die gleichen Functionen verrichten. Als Com=
missäre einer andern Macht werden sie später diesen König als
Gefangenen nach Cherbourg führen, indem sie in ihrem Gewissen
mit Noth ein freies Winkelchen finden, um den Schild ihres neuen
Eides darin anzubringen. Es ist hart, in Epochen der Unredlich=
keit geboren zu werden und in Tagen zu leben, wo zwei mit ein=
ander redende Menschen, aus Furcht sich zu beleidigen und gegen=
seitig zu erröthen, darauf bedacht sein müssen, Worte aus der
Sprache wegzulassen.

Werden die, welche Napoleon um seines bloßen Ruhmes wil=
len nicht anhänglich sein konnten, die nicht aus Erkenntlichkeit
dem Wohlthäter zugethan zu sein vermochten, von dem sie ihre
Reichthümer, ihre Ehrentitel und sogar ihre Namen empfangen
hatten, sich jetzt für seine armen Hoffnungen aufopfern? Werden
die Undankbaren, die ein durch unerhörte Erfolge und den sechs=
zehnjährigen Besitz von Siegen dauerhaft gewordenes Glück nicht
zu fesseln vermochte, sich jetzt an ein prekäres und wiederbegin=
nendes Glück ketten? So viel Chrysaliden, welche zwischen zwei
Frühlingen die Haut des Legitimisten und des Revolutionärs, des
Napoleonisten und des Bourbonisten abgestreift und angezogen,
abgelegt und wieder angenommen hatten; so viel gegebene und
gebrochene Worte, so viele Kreuze, die von der Brust des Ritters
an den Schweif des Pferdes und von dem Schweif des Pferdes
an die Brust des Ritters gewandert waren, so viele Tapfere, welche

die Flagge änderten und den Kampfplatz mit ihren Pfändern er-
logener Treue besäeten; so viele edle Damen, wechselweise im
Gefolge Maria Luisens und Maria Karolinens, mußten in Napoleon's Seele nur Mißtrauen, Abscheu und Verachtung pflanzen.
Dieser große, gealterte Mann befand sich mitten unter allen diesen
Verräthern, diesen Menschen und bei diesem Loose allein auf einer
schwankenden Erde, unter einem feindlichen Himmel, seinem erfüll-
ten Geschicke und dem Gerichte Gottes gegenüber.

Welchen Entschluß man in Wien faßt. — Bewegung in Paris.

Napoleon hatte auf seinem Marsche weniger Getreue gefunden, als Gespenster seines früheren Ruhmes. Sie geleiteten ihn,
wie ich erzählt habe, von dem Ort seiner Landung an bis in die
Hauptstadt Frankreichs.

Allein die Adler, welche von Cannes bis Paris von Kirchthurm zu Kirchthurm geflogen, ließen sich ermüdet auf den
Rauchfängen der Tuilerien nieder und vermochten nicht weiterzu-
fliegen.

Napoleon warf sich nicht sofort mit den aufgeregten Völker-
schaaren auf Belgien, er ließ einer englisch-preußischen Armee
Zeit, sich dort zu sammeln. Er zögert, er versucht mit Europa
zu unterhandeln und sucht demüthig die Verträge der Legitimität
aufrecht zu erhalten. Der Wiener Congreß hält dem Herzog von
Vicenza die Abdankungsurkunde vom 11. April 1814 entgegen.
In dieser Abdankungsurkunde hatte Bonaparte anerkannt, daß er
das einzige Hinderniß der Wiederherstellung des europäischen Friedens sei, und in Folge dessen hatte er für
sich und seine Erben auf die Throne von Frankreich
und Italien Verzicht geleistet. Indem er sich nun abermals der Gewalt bemächtigt, verletzt er offenkundig den Vertrag

von Paris und verſetzt ſich wieder in die politiſche Lage, wie ſie
vor dem 31. März 1814 geweſen. Demnach iſt es Bonaparte,
welcher Europa den Krieg erklärt, und nicht Europa, welches ihn
Bonaparte erklärt. Dieſe Logik der diplomatiſchen Procuratoren,
wie ich ſie ſchon bei Erwähnung des Briefes des Herrn von
Talleyrand angedeutet, hatten vor dem Kampf einen oder keinen
Werth.

Die Nachricht von Bonaparte's Landung zu Cannes war am
3. März nach Wien gelangt. Man vernahm ſie mitten in einem
Feſt, wo man ſich mit der Vorſtellung der Götterverſammlung des
Olymps und des Parnaſſos beluſtigte.

Alexander war kurz zuvor dem Project einer Allianz zwiſchen
Frankreich, Oeſterreich und England auf die Spur gekommen.
Er ſchwankte einen Augenblick zwiſchen den Eindrücken dieſer beiden Neuigkeiten. Dann ſagte er: „Es handelt ſich nicht um mich,
ſondern um das Heil der Welt.“ Und eine Eſtafette ging nach
Petersburg ab, um den Befehl zum Ausmarſch der Garden zu
überbringen.

Die auf ihrem Rückzug begriffenen Armeen der Verbündeten
ſtellen ihren Marſch ein, ihre lange Linie macht plötzlich Kehrt
und achtmalhunderttauſend Feinde kehren ihr Geſicht wieder Frankreich zu.

Napoleon rüſtet ſich zum Krieg. Neue catalauniſche Felder *)
erwarten ihn. Gott beruft ihn zu einer Schlacht, welche dem
Regiment der Schlachten ein Ende machen ſoll.

Die Wärme der Fittige des Ruhmes von Marengo und
Auſterlitz hatte hingereicht, Heere auszubrüten in dieſem Frankreich, welches nur ein großes Neſt von Soldaten iſt. Bonaparte

---

*) Auf den catalauniſchen Feldern, da, wo jetzt Chalons ſur
Marne ſteht, wurde bekanntlich Attila, die „Geißel Gottes“,
im Jahre 451 von den verbündeten Römern und Weſtgothen
geſchlagen.   Anm. d. Ueberſ.

15*

hatte seinen Legionen ihre alten Ehrennamen wieder gegeben: die Unbesiegliche, die Schreckliche, die Unvergleichliche. Fünf Armeen erhielten wieder die Namen: Pyrenäen = Armee, Alpen = Armee, Jura = Armee, Mosel = Armee, Rhein = Armee, große Erinnerungen, welche nicht vorhandenen Truppen gleichsam zu Cadres, Siegeshoffnungen dienten. Eine wirkliche Armee war um Paris und Laon concentrirt. Hundertundfünfzig bespannte Batterien, zehntausend in die Garde getretene Elite=Krieger, achtzehntausend bei Lützen und Bautzen berühmt gewordene Seesoldaten, dreißigtausend Veteranen, Offiziere und Unteroffiziere, welche in den festen Plätzen garnisonirten, sieben Departements des Osten und Westen, bereit, in Masse sich zu erheben, hundertundachtzigtausend Mann mobil gemachter Nationalgarden, Freicorps in Lothringen, im Elsaß und in der Freigraffschaft, Föderirte, welche ihre Piken und ihre Arme anboten, Paris, welches Tag für Tag dreitausend Gewehre fertigte: das waren die Hülfsmittel des Kaisers. Vielleicht wäre es ihm noch einmal gelungen, die Welt umzukehren, wenn er sich hätte entschließen können, dem Vaterland die Freiheit zu geben und zugleich auch die fremden Nationen zur Freiheit aufzurufen. Der Augenblick hiezu war sehr günstig; denn die Könige, welche ihren Unterthanen constitutionelle Regierungen versprochen hatten, brachen schmachvoll ihr Wort. Aber die Freiheit war Napoleon's Antipathie, seit er aus dem Becher der Gewalt getrunken. Er wollte lieber mit den Soldaten besiegt werden, als mit den Völkern siegen. Die Truppencorps, welche er nach und nach gegen die Niederlande vorschob, waren zusammen siebzigtausend Mann stark.

Was wir in Gent thaten. — Herr von Blacas.

Was uns Emigranten angeht, so machten wir's in der Stadt Karl's V wie die Frauen dieser Stadt. Hinter ihren Fenstern fitzend, fahen fie in einen kleinen Spiegel reflectirt Soldaten durch die Straßen ziehen.

Ludwig XVIII faß gänzlich vergeffen hinter dem Ofen. Kaum daß er von Zeit zu Zeit von dem aus Wien zurückkehrenden Für= ften von Talleyrand ein Billet erhielt oder ein paar Zeilen von Mitgliedern des diplomatischen Corps, welche fich in der Eigen= fchaft von Commiffären bei dem Herzog von Wellington befanden, wie die Herren Pozzo di Borgo, von Vincent u. A. Ei, man hatte ganz andere Dinge zu thun, als an uns zu denken! Ein der Politik fremder Menfch würde nie geglaubt haben, daß der an dem Geftade der Lys machtlofe Verborgene auf den Thron zurück= gefchleudert werden würde durch den Zufammenftoß von Taufenden von Soldaten, die bereit waren, fich zu würgen, von Soldaten, denen er weder König noch General war, die nicht an ihn dachten, die weder feinen Namen noch feine Exiftenz kannten. Von zwei benachbarten Orten, wie Gent und Waterloo, war der eine nie fo dunkel, der andere nie fo hell. Die Legitimität lag in der Remife wie ein alter zerbrochener Fourgon.

Wir wußten, daß Bonaparte's Truppen fich näherten, und hatten zu unferer Bedeckung nur zwei kleine Compagnien unter dem Commando des Herzogs von Berry, eines Prinzen, deffen Geblüt uns wenig helfen konnte, denn es war fchon anderwärts in Anfpruch genommen. Taufend Pferde, welche die franzöfifche Armee detachirte, hätten uns binnen wenigen Stunden aufgehoben. Die Feftungswerke von Gent waren gefchleift; die noch übrig gebliebene Ringmauer aber wäre um fo leichter zu forciren gewe= fen, als uns die Bevölkerung Belgiens keineswegs mit günftigen Augen betrachtete. Die Scene, deren Augenzeuge ich in den Tuilerien gewefen war, wiederholte fich jetzt. Man rüftete insge= heim die Wagen Seiner Majeftät und beftellte die Pferde. Wir als getreue Minifter des Königs, mußten ihm, Gott fei Dank, hinterdrein patfchen. Monfieur ging nach Brüffel, mit dem Auf= trag, die Ereigniffe in der Nähe zu überwachen.

Herr von Blacas war sorgenvoll und traurig geworden; ich armer Mensch tröstete ihn. Zu Wien war man ihm nicht hold, Herr von Talleyrand machte sich über ihn lustig, die Royalisten gaben ihm die Rückkehr Napoleon's schuld. Im einen oder andern Falle also war kein ehrenvolles Exil mehr in England, war keine der ersten Stellen mehr in Frankreich für ihn möglich; ich blieb seine einzige Stütze. Ich traf ihn ziemlich oft auf dem Pferde= markt, wo er allein einhertrabte; ich spannte mich sodann an seine Seite und ging auf seine traurigen Gedanken ein. Dieser Mann, den ich in Gent und in England vertheidigt habe, den ich nach den hundert Tagen und bis zu der Vorrede der Monarchie nach der Charte vertheidigte, dieser Mann war mir immer ent= gegen, was Nichts zu bedeuten hätte, wenn es nicht von Unheil für die Monarchie gewesen wäre. Ich bereue meine frühere Ein= fältigkeit nicht, muß aber in diesen Memoiren die auf meine Urtheilskraft oder mein gutes Herz unternommene Ueberrumpelung rächen.

Schlacht von Waterloo.

Am 18. Juni 1815 begab ich mich durch das Thor von Brüssel außerhalb der Stadt Gent und machte allein einen Spazier= gang auf der Landstraße. Ich hatte Cäsar's Commentare bei mir und wandelte, in meine Lectüre vertieft, langsam einher. Schon war ich mehr als eine Wegstunde von der Stadt entfernt, als ich ein dumpfes Rollen zu hören glaubte. Ich stand stille, betrachtete den ziemlich mit Wolken bedeckten Himmel und berath= schlagte bei mir selbst, ob ich noch weiter gehen oder in der Be= fürchtung eines Gewitters mich wieder Gent nähern wolle. Ich horchte aufmerksamer, hörte aber Nichts weiter, als das Geschrei eines im Schilfe sich bergenden Wasserhuhns und den Schall einer Dorfuhr. Ich setzte meinen Weg fort, hatte aber noch nicht

dreißig Schritte zurückgelegt, als das Rollen bald in kurzen, bald
in längeren und ungleichen Zwischenräumen von Neuem begann.
Zuweilen, so sehr war es entfernt, war es nur durch ein Beben
der Luft bemerkbar, das sich dem Boden dieser unermeßlichen Ebenen mittheilte. Dieses Getöse, welches weniger gedehnt, weniger
schwellend, weniger ineinandergreifend als das des Donners war,
brachte mich auf den Gedanken, es könnte ein Kampf stattfinden.
Ich befand mich vor einer in die Ecke eines Hopfenfeldes gepflanz-
ten Pappel. Ich schritt quer über die Straße und lehnte mich
stehend an den Stamm eines Baumes, das Gesicht der Gegend
von Brüssel zugewandt. Der Südwind, der sich erhoben, trug
mir das Getöse der Artillerie deutlicher zu. Diese große, noch
namenlose Schlacht, auf deren Wiederhall ich am Fuße einer
Pappel horchte und deren verhängnißvolle Stunde die Dorfuhr so
eben geschlagen, war die Schlacht von Waterloo!

Ich wäre weniger ergriffen gewesen, als ich es hier als stiller
und einsamer Zuhörer des furchtbaren Schicksalsspruches war,
wenn ich mich im Handgemenge selbst befunden hätte, die Gefahr,
das Feuer, das Gewühl des Todes hätten mir nicht Zeit zum
Nachsinnen gelassen; nun ich mich aber allein unter einem Baume
in der Landschaft von Gent und nur von Hirten mit ihren wei-
denden Heerden umgeben befand, unterlag ich fast der Wucht von
Betrachtungen. Was für ein Kampf mochte das sein? War er
entscheidend? Befand sich Napoleon in Person dabei? Wurde
über die Welt, wie über das Gewand Christi das Loos geworfen?
Beim Glück oder Unglück der einen oder andern Armee, welche
Folgen würde das Ereigniß für die Völker haben, die Freiheit
oder die Sklaverei? Aber was für Blut floß? War nicht jeder
Ton, der an mein Ohr gelangte, von dem letzten Seufzer eines
Franzosen begleitet? Ward etwa den unversöhnlichsten Feinden
Frankreichs die Freude zu Theil, ein neues Crécy, ein neues
Poitiers, ein neues Azincourt zu sehen? Wenn sie siegten, war
unser Ruhm nicht verloren? Trug Napoleon den Sieg davon,

was ward aus unserer Freiheit? Obwohl ein Sieg Napoleon's mich zu ewigem Exil verdammte, gewann doch das Vaterland in diesem Augenblick die Oberhand in meinem Herzen; meine Wünsche begleiteten den Bedrücker Frankreichs, damit er unsere Ehre rette und uns fremder Oberherrschaft entreiße.

Triumphirte Wellington? Dann würde die Legitimität hinter jenen rothen Uniformen, die ihren Purpur von Neuem im Blute der Franzosen färbten, wieder in Paris einziehen! Die mit unseren verstümmelten Grenadieren angefüllten Lazarethwagen würden dann den Krönungszug des Königthums bilden! Was wäre eine unter solchen Auspicien zu Stande gekommene Restauration?....

Das war nur ein ganz kleiner Theil der Ideen, die mich quälten. Jeder Kanonenschuß gab mir einen Stoß und verdoppelte mein Herzklopfen. Einige Stunden von mir weg fand eine ungeheure Katastrophe statt und ich sah sie nicht, ich konnte das große, von Minute zu Minute anwachsende Trauermonument bei Waterloo nicht berühren, wie ich vom Strande des Bulak, am Ufer des Nils, vergeblich meine Arme nach den Pyramiden ausstreckte.

Kein Reisender erschien; einige in den Feldern zerstreute Frauen, die friedlich ihre Bohnenbeete jäteten, schienen das Getöse, dem ich mein Ohr lieh, nicht zu hören. Doch jetzt sah ich einen Courier kommen. Ich verlasse meinen Baum und stelle mich mitten auf der Straße auf, halte den Courier an und befrage ihn. Er gehörte dem Herzog von Berry an und kam von Alost. Er sagte mir: „Bonaparte ist gestern, am 17. Juni, nach einem blutigen Kampfe in Brüssel eingezogen. Die Schlacht sollte heute, den 18., wieder beginnen. Man glaubt mit Bestimmtheit an die Niederlage der Verbündeten und bereits ist Befehl zum Rückzug gegeben." Der Courier setzte seinen Weg fort.

Ich folgte ihm eiligst. Ein Kaufmann, der mit der Post mit seiner Familie floh, holte mich ein und bestätigte mir die Erzählung des Couriers.

Bestürzung in Gent. — Verlauf der Schlacht von Waterloo.

Als ich Gent wieder betrat, fand ich Alles in Bestürzung; man schloß die Stadtthore und ließ nur die Pförtchen halb geöffnet. Schlechtbewaffnete Bürger und einige Soldaten des Depots standen Schildwache. Ich begab mich zu dem König.

Monsieur war so eben auf einem Umwege angelangt; er hatte auf die falsche Nachricht hin, daß Bonaparte in Brüssel einziehen werde und eine erste verlorene Schlacht keine Hoffnung auf Gewinn einer zweiten lasse, letztere Stadt verlassen. Man erzählte sich, daß, da die Preußen sich nicht in der Schlachtlinie befunden hätten, die Engländer aufgerieben worden seien.

In Folge dieser Bülletins wurde das Rette sich, wer kann allgemein; wer einige Hülfsquellen besaß, reiste ab. Ich, der ich gewöhnlich Nichts habe, ich stand immer bereit und zur Verfügung. Ich wollte Frau von Chateaubriand, eine eifrige Bonapartistin, aber keine Freundin vom Kanoniren, vorher fortspediren, allein sie wollte mich nicht verlassen.

Abends fand eine Berathung bei Sr. Majestät statt; wir hörten die Berichte Monsieurs und die beim Platzcommandanten oder dem Baron von Eckstein vernommenen man sagt von Neuem. Der Wagen mit den Kronbiamanten war bespannt; ich brauchte keinen, um meinen Schatz fortzuschaffen. Ich legte mein schwarzseidenes Tuch, in das ich Nachts meinen Kopf einwickle, in mein inhaltloses Portefeuille des Ministeriums der auswärtigen Angelegenheiten und stellte mich mit diesem wichtigen Documente der Angelegenheiten der Legitimität dem König zur Verfügung. Ich war reicher bei meiner ersten Emigration, wo mein Habersack mir statt Kissen und Atala als Pfühl diente; im Jahr 1815 war jedoch Atala ein großes, schmächtiges verblühtes Mädchen von 13 bis 14 Jahren, das ganz allein die Welt durchwanderte und für die Ehre seines Vaters zu viel von sich sprechen gemacht hatte.

Am 19. Juni langte um ein Uhr Morgens eine Staffete mit einem Brief des Herrn Pozzo an den König an, welcher wahren Aufschluß über den Stand der Dinge gab. Bonaparte war nicht in Brüssel eingezogen; er hatte unbestreitbar die Schlacht von Waterloo verloren. Am 12. Juni von Paris abgereist, langte er am 14. bei seiner Armee an. Am 15. wirft er die feindlichen Linien an der Sambre. Am 16. schlägt er die Preußen in jenen Feldern von Fleurus, wo der Sieg den Franzosen immer getreu zu sein scheint. Die Dörfer von Ligny und von Saint-Amand werden genommen. Bei Quatre-Bras neues Glück; der Herzog von Braunschweig bleibt unter den Todten. Der in vollem Rückzug begriffene Blücher zieht sich auf eine Reserve von 30,000 Mann unter den Befehlen des Generals von Bülow zurück; der Herzog von Wellington lehnt sich mit den Engländern und Holländern an Brüssel an.

Am Morgen des 18. erklärte der Herzog von Wellington, bevor noch die ersten Kanonenschüsse abgefeuert wurden, daß er sich bis drei Uhr halten könne, daß er aber dann, Falls die Preußen nicht erschienen, unvermeidlich vernichtet werden würde, da, auf Planchenois und Brüssel zugedrängt, ihm jeder Rückzug abgeschnitten wäre. Wurde er von Napoleon überrumpelt, so war seine militärische Position eine abscheuliche; er hatte sie angenommen, aber nicht selbst gewählt.

Die Franzosen nahmen Anfangs auf dem linken Flügel des Feindes die Höhen, welche das Schloß von Hougoumont bis zu den Pachthöfen von la Hai-Sainte und Papelotte beherrschen; auf dem rechten Flügel griffen sie das Dorf Mont-Saint-Jean an; die Meierei von la Hai-Sainte wird im Centrum durch den Prinzen Jerome genommen. Allein gegen sechs Uhr Abends erscheint die preußische Reserve in der Gegend von Saint-Lambert, ein neuer und wüthender Angriff findet auf das Dorf la Hai-Sainte statt; Blücher langt mit frischen Truppen an und trennt die Carrées der kaiserlichen Garde von dem Rest unserer schon durchbrochenen Truppen. Rings um diese unsterbliche Phalanx reißt der Strom der Fliehenden mitten unter Staubwolken, glühendem Pulverdampf und Kartätschenhagel, in einem von congrevischen Raketen durchfurchten Dunkel, unter dem Gebrüll von dreihundert Artilleriegeschossen und dem rasenden Galopp von fünfundzwanzigtausend Pferden Alles mit sich fort; es war gleichsam der Hauptinhalt aller Schlachten des Kaiserreichs. Zweimal schrieen die Franzosen Sieg! und zweimal wird ihr Geschrei unter dem Drucke der feindlichen Colonnen erstickt. Das Feuer unserer Linien erlöscht, die Kartätschen sind erschöpft; mitten unter dreißigtausend Todten, hunderttausend blutigen, erkalteten und zu ihren Füßen aufgehäuften Kugeln, bleiben noch einige verwundete Grenadiere, auf ihre Muskete mit dem zerbrochenen Bajonnet und dem ungeladenen Laufe gestützt, stehen. Unweit von ihnen horcht der Mann der Schlachten mit stierem Blicke dem letzten Kanonenschuß, den er in seinem Leben hören sollte. Noch kämpfte auf diesen blutgetränkten Feldern sein Bruder Jerome mit seinen der Uebermacht unterliegenden Bataillonen, allein sein Muth vermochte den Sieg nicht zurückzubringen.

Die Zahl der Todten auf Seite der Verbündeten wurde auf achtzehntausend, auf Seite der Franzosen auf fünfundzwanzigtausend Mann geschätzt; zwölfhundert englische Offiziere waren umgekommen, fast alle Adjutanten des Herzogs von Wellington getödtet oder verwundet; es gab in England nicht eine Familie, die nicht in Trauer versetzt wurde. Der Prinz von Oranien war durch eine Kugel in die Achsel getroffen, dem Baron von Vincent, östreichischen Gesandten, die Hand durchbohrt worden. Die Engländer verdankten ihre Erfolge den Irländern und der Brigade der Bergschotten, welche die Angriffe unserer Cavallerie nicht zu durchbrechen vermochten. Da das Corps des Generals Grouchy nicht vorgerückt war, so hatte es sich nicht im Gefechte befunden. Die beiden Armeen ließen Eisen und Feuer mit einer Tapferkeit und einer Erbitterung unter sich kreuzen, die eine Jahrtausende andauernde Nationalfeindschaft erweckte. Als Lord Castlereagh der Kammer der Lords Bericht über die Schlacht von Waterloo erstattete, sagte er: „Nach der Schlacht wuschen die englischen und die französischen Soldaten ihre blutigen Hände in dem nämlichen Bache und gratulirten sich von einem Ufer zum andern herüber gegenseitig zu dem bewiesenen Muthe."

Wellington war Bonaparte immer verderblich oder vielmehr das nebenbuhlerische Genie Frankreichs, das englische Genie gewesen, das dem Siege den Weg versperrte. Heutzutage machen die Preußen den Engländern die Ehre des entscheidenden Kampfes streitig; allein im Kriege macht nicht die vollbrachte Handlung, sondern der Name den Sieger; die wirkliche Schlacht von Jena hat nicht Napoleon gewonnen.

Die Franzosen hatten bedeutende Fehler gemacht; sie täuschten sich in feindlichen oder befreundeten Corps, besetzten die Position von Quatre-Bras zu spät; der Marschall Grouchy, der beauftragt war, die Preußen mit seinen sechsunddreißigtausend Mann zurückzuhalten, ließ sie passiren, ohne es zu bemerken. Daher die Vorwürfe, welche unsere Generäle gegenseitig an einander richteten. Bonaparte griff nach seiner Gewohnheit in der Front an, statt die Engländer zu umgehen, und gedachte mit dem Dünkel des Meisters, einem Feinde, der nicht besiegt war, den Rückzug abzuschneiden.

Ueber diese Katastrophe sind viele Lügen, aber auch einige ziemlich merkwürdige Wahrheiten verbreitet worden. Das Wort: Die Garde stirbt und ergibt sich nicht, ist eine Erfindung, die man nicht mehr vertheidigen darf. Gewiß scheint, daß bei Beginn des Kampfes Soult dem Kaiser einige strategische Bemerkungen machte. „Weil Wellington Sie geschlagen hat," antwortete ihm trocken Napoleon, „so meinen Sie immer, er sei ein großer General." Gegen Ende der Schlacht drang Herr von Türenne in Bonaparte, sich zurückzuziehen, um nicht in die Hände des Feindes zu fallen. Bonaparte, der aus seinen Gedanken wie aus einem Traum erwacht, wird Anfangs unwillig, schwingt sich aber während seines Zornes plötzlich auf sein Pferd und flieht.

Rückkehr des Kaisers. — Wiedererscheinen Lafayette's. — Neue Abdankung Bonaparte's. — Stürmische Sitzungen der Pairskammer. — Bedrohliche Vorzeichen für die zweite Restauration.

Am 19. Juni hatten hundert Kanonenschüsse vom Invalidenhause die glücklichen Erfolge bei Ligny, Charleroi und Quatre-Bras verkündigt; man feierte Siege, die Tags zuvor in Waterloo hingestorben waren. Der erste Courier, welcher die Nachricht dieser Niederlage, vermöge ihrer Resultate eine der größten in der Geschichte, nach Paris brachte, war Napoleon selbst. Er fuhr in der Nacht des 21. durch die Barrieren ein; es war, als kehrten seine Manen zurück, um seine Freunde zu benachrichtigen, daß er nicht mehr sei. Er stieg im Elysée-Bourbon ab. Als er von der Insel Elba kam, war er in den Tuilerien abgestiegen; diese instinktmäßig gewählten zwei Asyle verkündeten die Veränderung seines Schicksals.

Im Ausland in einem edeln Kampfe unterlegen, hatte Napoleon in Paris die Angriffe der Advokaten zu ertragen, die ihn in seinem Unglück in die Enge treiben wollten. Er bereute, die Kammer vor seiner Abreise zur Armee nicht aufgelöst zu haben, wie er oft bereute, daß er Fouché und Talleyrand nicht hatte erschießen lassen. So viel ist jedoch gewiß, daß Bonaparte sich nach der Schlacht von Waterloo aller Heftigkeit enthielt, sei es, daß er der gewohnten Ruhe seines Temperamentes gehorchte, sei es, daß das Verhängniß ihn bändigte. Er sagte nicht mehr, wie vor seiner ersten Abdankung: „Man wird sehen, was der Tod eines großen Mannes heißt." Diese Narrheit war vorbei. Der Freiheit abhold, ließ er sich beikommen, jene Repräsentantenkammer, welcher Lanjulnais präsidirte', aufzulösen; vom Bürger zum Senator, vom Senator zum Pairs und dann wieder zum Bürger geworden, sollte er vom Bürger wieder Pair werden. General Lafayette las als Deputirter auf der Tribüne einen Antrag, welcher lautete:

„Die Kammer erklärt sich permanent und jeder Versuch zu ihrer Auflösung als Verbrechen des Hochverraths, daher Jeder, der sich desselben schuldig macht, als Verräther am Vaterlande zu verurtheilen ist." (Am 21. Juni 1815.)

Die Rede des Generals begann folgendermaßen:

„Meine Herren, wenn ich seit vielen Jahren zum ersten Mal eine Stimme erhebe, welche die alten Freunde der Freiheit noch erkennen werden, so fühle ich mich berufen, Ihnen von der Gefahr des Vaterlandes zu sprechen . . . .
. . . . Der Augenblick ist da, uns wieder um die dreifarbige Fahne, die Fahne vom Jahr 89, die Fahne der Freiheit, der Gleichheit und der öffentlichen Ordnung, zu schaaren."

Der Anachronismus dieser Rede verursachte eine augenblickliche Illusion, man glaubte die in Lafayette personificirte Revolution dem Grabe entsteigen und bleich und runzelig sich auf der Tribüne präsentiren zu sehen. Allein diese Mirabeau nachgeahmten Ordnungsmotionen waren nur noch außer Gebrauch gesetzte, aus einem alten Arsenal hervorgeholte Waffen. Wenn Lafayette Ende und Anfang seines Lebens auf edle Weise mit einander vereinigte, so lag es doch nicht in seiner Macht, die beiden Enden der von der Zeit zerbrochenen Kette zu löthen.

Benjamin Constant begab sich zum Kaiser in's Elysée-Bourbon; er fand ihn in seinem Garten. Die Menge belagerte die Allee von Marigny und rief: Es lebe der Kaiser! Ein rührender Ruf aus dem Volksherzen, an den Besiegten gerichtet! Bonaparte sagte zu Benjamin Constant: „Was verdanken mir diese? Ich habe sie arm gefunden und arm gelassen!"

Das ist vielleicht das einzige Wort, das ihm vom Herzen gekommen ist, wenn wenigstens die Gemüthsbewegung des Deputirten dessen Ohr nicht getäuscht hat. Bonaparte, welcher das Ereigniß voraussah, kam der Aufforderung, die man an ihn ergehen lassen wollte, zuvor. Er dankte ab, um nicht zur Abdankung gezwungen zu werden.

„Mein politisches Leben ist beendigt," sagte er; „ich erkläre meinen Sohn unter dem Namen Napoleon II zum Kaiser der Franzosen." Eine nutzlose Verfügung, wie die Karl's X zu Gunsten Heinrich's V! Man verleiht nur Kronen, wenn man sie besitzt, die Menschen erklären das Testament des Unglücks für nichtig. Zudem meinte es der Kaiser bei dieser zweiten Thronentsagung nicht aufrichtiger, als bei der ersten; als daher auch die französischen Commissäre dem Herzog von Wellington die Nachricht von Napoleon's Abdankung überbrachten, antwortete er ihnen: „Ich wußte es schon vor einem Jahre."

Die Repräsentantenkammer nahm nach einigen Debatten, in welchen Manuel das Wort ergriff, die neue Abdankung ihres Monarchen an, zwar nur unbestimmt und ohne eine Regentschaft zu ernennen.

Es wird eine Vollziehungscommission geschaffen, in welcher der Herzog von Otranto präsidirt und die aus drei Ministern, einem Staatsrath und einem kaiserlichen General besteht, die von Neuem ihren Herrn ausziehen. Das waren Fouché, Caulaincourt, Carnot, Quinette und Grenier.

Während dieser Vergleiche gestaltete Napoleon seine Ideen in seinem Kopfe um. „Ich habe keine Armee mehr," sagte er, „ich habe nur noch Flüchtlinge. Die Majorität der Deputirtenkammer ist gut; ich habe bloß Lafayette, Lanjuinais und einige Andere gegen mich. Wenn die Nation sich erhebt, so wird der Feind zerschmettert; wenn man statt einer allgemeinen Erhebung sich herumzankt, so ist Alles verloren. Die Nation hat die Deputirten nicht geschickt, um mich zu stürzen, sondern um mir Beistand zu leisten.

Ich fürchte sie nicht, was sie auch thun mögen; ich werde immer das Idol des Volkes und der Armee sein; auf ein Wort von mir, würden sie umgebracht. Wenn wir aber streiten, statt uns zu verständigen, so werden wir das Loos des römischen Kaiserthums in seinem Versinken haben."

Als ihn eine Deputation der Repräsentantenkammer zu seiner neuen Abbankung beglückwünschte, antwortete er: „Ich danke Euch, ich wünsche, meine Abbankung möge Frankreich zum Glück gereichen, hoffe es aber nicht."

Er bereute sie bald nachher, als er vernahm, daß die Repräsentantenkammer eine aus fünf Mitgliedern bestehende Regierungscommission ernannt habe. Er sagte zu den Ministern: „Ich habe nicht zu Gunsten eines neuen Directoriums, sondern zu Gunsten meines Sohnes abgedankt; wird er nicht proclamirt, so ist meine Abbankung null und ungeschehen. Die Kammern werden die Verbündeten nicht zwingen, die Nationalunabhängigkeit anzuerkennen, wenn sie sich knieend und mit gesenkten Ohren vor ihnen präsentiren."

Er beklagte sich, daß Lafayette, Sebastiani, Pontecoulant, Benjamin Constant gegen ihn conspirirt und zudem die Kammern nicht genug Energie hätten. Er behauptete, er allein könnte Alles wieder gut machen, die Führer würden jedoch nicht einwilligen, sondern sich lieber in dem Abgrund begraben, als mit ihm, Napoleon, vereinigen, um ihn stark zu machen.

Am 27. Juni schrieb er in Malmaison jenen erhabenen Brief, in welchem er sagt: „Indem ich die Macht niederlege, habe ich nicht auf das edelste Recht des Bürgers, auf das Recht verzichtet, mein Land zu vertheidigen. In diesen ernsten Verhältnissen biete ich meine Dienste als General an, indem ich mich immer noch als den ersten Soldaten des Vaterlandes betrachte."

Als ihm der Herzog von Bassano vorgestellt hatte, daß die Kammern nicht für ihn wären, sagte er: „Dann sehe ich wohl, daß ich immer nachgeben muß. Dieser niederträchtige Fouché hintergeht Euch; nur Caulaincourt und Carnot taugen Etwas; aber was können sie machen mit einem Verräther, Fouché, zwei Einfaltspinseln, Quinette und Grenier, und zwei Kammern, die nicht wissen, was sie wollen? Ihr glaubt Alle, gleich Dummköpfen, an die schönen Versprechungen der Fremden; Ihr glaubt, sie werden Euch die Henne in den Topf legen und einen Fürsten nach ihrem Schnitte geben, nicht wahr? Ihr täuscht Euch." *)

Es wurden Bevollmächtigte an die Verbündeten abgesandt. Napoleon suchte am 29. um zwei bei Rochefort stationirte Fregatten an, die ihn außer Landes bringen sollten; inzwischen hatte er sich nach Malmaison zurückgezogen.

In der Pairskammer fanden lebhafte Discussionen statt. Seit langer Zeit ein Feind Bonaparte's, hatte Carnot, welcher den Befehl zu den Hinrichtungen in Avignon unterzeichnete, ohne Zeit zu haben, denselben zu lesen, während der hundert Tage Zeit gehabt; seinen Republikanismus dem Grafentitel aufzuopfern. Am 22. Juni hatte er im Luxemburg einen Brief des Kriegsministers gelesen, welcher einen übertriebenen Bericht über die militärischen Hülfsquellen Frankreichs enthielt. Ney, der kurz zuvor angekommen war, konnte diesen Bericht nicht ohne Zorn anhören. In seinen Bülletins hatte Napoleon von dem Marschall mit einer schlecht verhehlten Unzufriedenheit gesprochen, und Gourgaud beschuldigte Ney, die Hauptursache von dem Verlust der Schlacht bei Waterloo gewesen zu sein. Ney erhob sich und sagte:

"Dieser Bericht ist falsch, falsch in allen Beziehungen, Grouchy kann höchstens zwanzig bis fünfundzwanzig tausend Mann unter seinen Befehlen haben. Nicht ein einziger Soldat der Garde ist hinzuzurechnen; ich befehligte sie und sah sie vollständig hingemetzelt, bevor ich das Schlachtfeld verließ. Der Feind steht mit achtzigtausend Mann bei Nivelle, er kann in sechs Tagen in Paris

---

*) Man sehe Napoleon's Werke, erster Theil, die letzten Seiten.

sein. Ihr habt kein anderes Mittel, das Vaterland zu retten, als Unterhandlungen."

Der Adjutant Flahaut wollte den Bericht des Kriegsministers vertheidigen; Ney erwiederte mit neuer Heftigkeit: „Ich wiederhole Euch, es verbleibt Euch kein anderer Weg zur Rettung, als die Unterhandlung. Ihr müßt die Bourbonen zurückrufen. Was mich betrifft, so werde ich mich in die Vereinigten Staaten zurückziehen."

Auf diese Worte hin überhäuften Lafayette und Carnot den Marschall mit Vorwürfen; Ney antwortete ihnen höhnisch: „Ich gehöre nicht zu jenen Menschen, welche nur Sinn für ihr eigenes Interesse haben; was würde ich bei der Rückkehr Ludwig's XVIII gewinnen? Für das Verbrechen der Desertion erschossen zu werden. Ich bin aber meinem Lande Wahrheit schuldig."

In der Sitzung der Pairs vom 23. brachte der General Drouot diese Scene wieder zur Sprache und sagte: „Ich habe gestern mit Bekümmerniß vernommen, was gesprochen wurde, um den Ruhm unserer Waffen zu verringern. Mein Erstaunen war um so größer, als diese Behauptungen von einem ausgezeichneten General (Ney), der durch seine große Tapferkeit und seine militärischen Kenntnisse so oft den Dank der Nation verdient hat, aufgestellt wurden."

In der Sitzung des 22. brach in Folge des ersten Sturmes ein zweiter aus; es handelte sich um Bonaparte's Abdankung. Lucian drang darauf, daß man seinen Neffen als Kaiser anerkenne. Herr von Pontecoulant unterbrach den Redner und fragte, mit welchem Rechte Lucian, als Ausländer und römischer Prinz, sich erlaube, Frankreich einen Monarchen zu geben. „Wie," fügte er hinzu, „ein Kind anerkennen, das im Auslande wohnt?"

Auf diese Frage hin erhob sich La Bedoyère stürmisch von seinem Sitze und sagte: „Ich habe in der Umgebung des Thrones des glücklichen Monarchen Stimmen gehört, die sich jetzt, wo er im Unglück ist, von ihm entfernen. Es gibt Leute, die Napoleon II nicht anerkennen wollen, weil sie das Gesetz vom Ausland, dem sie den Namen der Verbündeten geben, empfangen wollen."

„Bonaparte's Abbankung ist unantastbar. Will man seinen Sohn nicht anerkennen, so muß er, umgeben von Franzosen, die ihr Blut für ihn vergossen haben und noch über und über mit Wunden bedeckt sind, das Schwert führen.

„Er wird von schlechten Generalen, die ihn schon einmal verrathen haben, verlassen werden.

„Wenn man aber erklärt, daß jeder Franzose, der seine Fahne verläßt, der Schande und Verachtung preisgegeben, daß sein Haus dem Erdboden gleich gemacht, seine Familie geächtet wird, dann gibt es keine Verräther, keine dergleichen Manöver mehr, welche die letzten Katastrophen herbeiführten und wovon vielleicht einige Urheber hier sitzen."

Die Kammer erhebt sich mit Tumult. „Zur Ordnung! zur Ordnung! zur Ordnung!" brüllt man, von dem Hiebe getroffen. „Junger Mann, Sie vergessen sich!" rief Massena. „Sie glauben wohl, Sie seien noch bei der Garde?" sagte Lameth.

Alle Vorzeichen zu der zweiten Restauration waren bedrohlich, Bonaparte war an der Spitze von vierhundert Franzosen zurückgekehrt. Ludwig XVIII kehrte hinter viermal hunderttausend Fremden zurück; er kam bei dem Blutsumpfe von Waterloo vorbei, um nach Saint-Denis gleichsam in seine Gruft zu gehen.

Während die Legitimität solchergestalt anrückte, wiederhallte die Pairskammer von Interpellationen. Es kamen, ich weiß nicht welche von jenen fürchterlichen Revolutionsscenen darin vor, wo in den großen Tagen unsers Unglücks im Gerichtssaal der Dolch von einer Hand der Opfer zur andern ging. Einige Militärpersonen, deren unheilvolle Bestrickung durch die Veranlassung eines zweiten Einfalls der Fremden Frankreichs Ruin herbeigeführt hatte, zankten sich auf der Schwelle des Palastes; ihre prophetische Verzweiflung, ihre Geberden, ihre Grabesworte schienen einen dreifachen Tod anzukündigen, ihren eigenen Tod, den Tod des Mannes, den sie gepriesen, den Tod des Stammes, den sie geächtet hatten.

16*

244

Abreise von Gent. — Ankunft in Mons. — Ich verfehle die erste Gelegenheit, um in der politischen Laufbahn mein Glück zu machen. — Herr von Talleyrand in Mons. — Scene mit dem König. — Ich interessire mich dummerweise für Herrn von Talleyrand.

Während Bonaparte sich mit dem zu Ende gegangenen Kaiserreiche nach Malmaison zurückzog, reisten wir mit der wieder beginnenden Monarchie von Gent ab. Pozzo, welcher wußte, wie wenig es sich höheren Ortes um die Legitimität handle, beeilte sich, Ludwig XVIII zu schreiben, er müsse schleunigst abreisen und sich hieher begeben, wenn er regieren wolle, bevor sein Platz eingenommen sei. Diesem Schreiben verdankte Ludwig XVIII seine Krone im Jahr 1815.

In Mons verfehlte ich die erste Gelegenheit, um in der politischen Laufbahn mein Glück zu machen; ich war mein eigenes Hinderniß und war mir unablässig im Wege. Dießmal spielten mir meine guten Eigenschaften den schlechten Streich, den mir meine Fehler hätten bereiten können.

In dem ganzen Stolz auf eine Unterhandlung, die ihn bereichert hatte, behauptete Herr von Talleyrand, der Legitimität die größten Dienste erwiesen zu haben, und kehrte als Gebieter zurück. Erstaunt, daß man zur Rückkehr nach Paris schon nicht mehr den von ihm vorgezeichneten Weg eingeschlagen habe, war er noch viel unzufriedener, Herrn von Blacas wieder bei dem König zu finden. Er betrachtete Herrn von Blacas als die Geißel der Monarchie, doch das war nicht der wahre Grund seines Widerwillens gegen ihn. Er sah in Herrn von Blacas den Günstling und demzufolge einen Nebenbuhler; er fürchtete auch Monsieur und war unwillig geworden, als Monsieur ihm vierzehn Tage zuvor sein Hotel an der Lys hatte anbieten lassen. Nichts war natürlicher, als um die Entfernung des Herrn von Blacas zu bitten; sie fordern, hieß zu sehr an Bonaparte erinnern.

Herr von Talleyrand traf gegen sechs Uhr Abends, vom Abbé Louis begleitet, in Mons ein; Herr von Ricé, Herr von Jaucourt und einige andere Genossen flogen zu ihm. In einer üblen Laune, wie man noch keine an ihm gesehen hatte, in der üblen Laune eines Königs, der seine Autorität mißachtet glaubt, weigerte er sich Anfangs, zu Ludwig XVIII zu gehen, und ant= wortete Denen, welche deßhalb in ihn drangen, mit seiner prah= lerischen Phrase: „Ich pressire niemals; es ist morgen noch Zeit dazu."

Ich besuchte ihn, er verschwendete alle jene Schmeicheleien an mich, mit welchen er die kleinen Ehrgeizigen und die wichtig= thuenden Einfaltspinsel verführte. Er nahm mich beim Arm, lehnte sich auf mich hin und ließ sich in Vertraulichkeiten ein, die von hoher Gunst zeugen sollten und berechnet waren, mir den Kopf zu verdrehen, bei mir aber gänzlich verloren waren; ich verstand ihn nicht einmal. Ich lud ihn ein, zu dem König zu kommen, wohin ich mich ebenfalls begab.

Ludwig XVIII befand sich in schmerzvoller Lage; es handelte sich darum, sich von Herrn von Blacas zu trennen. Dieser konnte nicht nach Frankreich zurückkehren; die öffentliche Meinung hatte sich gegen ihn erhoben. Obwohl ich mich in Paris über den Günstling zu beklagen gehabt, hatte ich ihm in Gent keinerlei Groll gezeigt. Der König hatte mir für mein Benehmen Dank gewußt; in seiner Rührung behandelte er mich trefflich. Man hatte ihm die Aeußerungen des Herrn von Talleyrand schon hinter= bracht. „Er rühmt sich," sagte er zu mir, „mir zum zweiten Mal die Krone auf das Haupt gesetzt zu haben, und droht mir, wieder nach Deutschland zurückzukehren. Was halten Sie davon Herr von Chateaubriand?" Ich antwortete: „Ew. Majestät wird falsch berichtet sein; Herr von Talleyrand ist bloß ermüdet. Wenn der König einwilligt, so will ich zu dem Minister zurückkehren."

Der König schien froh darüber; was ihm am meisten zuwider
war, das waren dergleichen Stänkereien; er wünschte Ruhe, selbst
auf Unkosten seiner Neigungen.

Herr von Talleyrand war in Mitte seiner Schmeichler hochfahrender als je. Ich stellte ihm vor, daß er in einem so kritischen Augenblicke an eine Entfernung nicht denken dürfe. Pozzo
predigte ihm in eben diesem Sinne; obwohl er nicht die geringste
Neigung zu ihm spürte, sah er ihn in diesem Augenblick als einen
alten Bekannten gern bei den Verhandlungen zugegen; zudem
vermuthete er, daß er beim Czaren in Gunsten stehe. Ich vermochte Herrn von Talleyrand nicht umzustimmen, die Spieß-
gesellen des Fürsten bekämpften meine Ansichten; Herr Mounier
selbst hielt dafür, daß Herr von Talleyrand sich entfernen müsse.
Der Abbé Louis, welcher Jedermann biß, sagte unter dreimaligem
Schütteln seiner Kinnlade zu mir: „An der Stelle des Fürsten
würde ich keine Viertelstunde in Mons bleiben."

Ich antwortete ihm: „Herr Abbé, Sie und ich, wir können
gehen, wohin wir wollen, Niemand wird es bemerken; bei Herrn
von Talleyrand ist dieß jedoch nicht der Fall. „Ich drang fortwährend in den Fürsten und sagte zu ihm: „Wissen Sie, daß der
König seine Reise fortsetzt?" Herr von Talleyrand schien überrascht, dann entgegnete er stolz, wie der Balafré Denen, welche
ihn bereden wollten, gegen die Absichten Heinrich's III auf der
Hut zu sein: „Er wird es nicht wagen!"

Ich kehrte zu dem König zurück, wo ich Herrn von Blacas
fand. Ich sagte Sr. Majestät, um seinen Minister zu entschuldigen, der Letztere wäre krank, werde aber morgen ganz bestimmt
die Ehre haben, dem König seine Aufwartung zu machen.

„Wie ihm beliebt," erwiederte Ludwig XVIII, „ich reise um
drei Uhr ab." Dann fügte er wohlwollend hinzu: „Ich werde
mich von Herrn von Blacas trennen; die Stelle ist also erledigt,
Herr von Chateaubriand."

Mit diesen Worten war das Haus des Königs zu meinen

Füßen gelegt. Ein gescheibter Politiker hätte, ohne sich weiter um Herrn von Talleyrand zu bekümmern, anspannen lassen, um dem König zu folgen oder vorauszueilen. Ich blieb dummerweise in meinem Gasthofe.

Herr von Talleyrand, welcher nicht glauben konnte, daß der König sich fortbegeben werde, hatte sich niedergelegt; um drei Uhr weckt man ihn, um ihm zu sagen, daß der König abreist. Er traut seinen Ohren nicht. „Zum Besten gehalten! verrathen!" ruft er. Man hilft ihm in die Kleider und zum ersten Mal in seinem Leben sieht man ihn um drei Uhr Morgens auf der Straße; er stützte sich auf den Arm des Herrn von Nice. Er kommt vor dem Hotel des Königs an, die beiden ersten Pferde waren schon halb zum Thorweg hinaus. Man gibt dem Postillion ein Zeichen, zu halten, der König fragt, was es gebe; man ruft ihm zu: „Sire, Herr v. Talleyrand." — „Er schläft," sagte Ludwig XVIII. — „Da ist er, Sire." — „Gehen wir!" antwortet der König.

Doch die Pferde machen eine rückgängige Bewegung mit dem Wagen, man öffnet den Schlag, der König steigt aus, schleppt sich, gefolgt von dem hinkenden Minister, in seine Zimmer zurück. Hier beginnt Herr von Talleyrand zornig eine Erklärung; Se. Majestät hört ihn an und antwortet ihm: „Fürst von Benevent, Sie verlassen uns? Die Bäder werden Ihnen wohlthun; geben Sie uns Nachricht von Ihnen." Der König läßt den Fürsten verblüfft stehen, sich zu seiner Berline zurückführen und reist ab.

Herr von Talleyrand schäumte vor Zorn; der Gleichmuth Ludwig's XVIII hatte ihn außer Fassung gebracht. Er, der Herr von Talleyrand, der sich so viel auf seinen Gleichmuth zu gut that, auf seinem eigenen Gebiete geschlagen, hier in Mons wie der unbedeutendste Mensch stehen gelassen werden; er konnte sich nicht erholen! Er bleibt stumm, schaut dem sich entfernenden Wagen nach, faßt dann den Herzog von Levis bei einem Knopfe seines Wammses und bricht endlich in die Worte aus: „Gehen Sie, Herr Herzog, sagen Sie, wie man mich behandelt: Ich habe dem König die Krone wieder auf das Haupt gesetzt (er kam immer auf diese Krone zurück) und gehe nun nach Deutschland, um die neue Emigration zu beginnen."

Herr von Levis, der ihm bloß in der Zerstreuung zugehört hatte, stellte sich auf die Zehenspitze und sagte: „Fürst, ich reise ab; es muß wenigstens ein großer Herr in der Umgebung des Königs sein."

Herr von Levis warf sich in ein gemiethetes Carriol, das den Kanzler von Frankreich trug; die beiden Großen der Capet'schen Monarchie folgten ihr neben einander auf gemeinsame Kosten in einer merovingischen Benne auf dem Fuße nach.

Ich hatte Herrn von Duras gebeten, an der Aussöhnung zu arbeiten und mir die ersten Nachrichten darüber zukommen zu lassen. „Wie!" sagte Herr von Duras zu mir, „Sie bleiben nach dem, was Ihnen der König gesagt hat!" Herr von Blacas, der ebenfalls von Mons abreiste, dankte mir für die ihm bewiesene Theilnahme.

Ich fand Herrn von Talleyrand in Verlegenheit; er bereute, meinen Rath nicht befolgt und wie ein störrischer Unterlieutenant sich geweigert zu haben, im Laufe des Abends noch zum König zu gehen. Er fürchtete, die Anordnungen möchten ohne ihn stattgefunden haben und er die politische Macht nicht theilen und aus den Geldmuckmackeleien, die sich bereiteten, keinen Nutzen ziehen können.

Ich sagte ihm, daß, obwohl meine Ansichten von den seinigen abwichen, ich nichts desto weniger zu ihm halten werde, wie ein Gesandter zu seinem Minister; daß ich zudem Freunde in der Umgebung des Königs hätte und hoffte, bald etwas Gutes zu erfahren. Herr von Talleyrand war die Zärtlichkeit selbst, er lehnte sich auf meine Schulter; unstreitig hielt er mich in diesem Augenblick für einen sehr großen Mann.

Es stand nicht lange an, so empfing ich ein Billet von Herrn von Duras, worin er mir von Cambrai aus schrieb, daß die

Angelegenheit in Ordnung sei und Herrn von Talleyrand den Befehl erhalten werde, sich auf den Weg zu begeben. Dießmal ermangelte der Fürst nicht, zu gehorchen.

Was für ein Teufel leitete mein Benehmen? Ich war dem König nicht gefolgt, der mir so zu sagen das Ministerium seines Hauses angeboten oder vielmehr übertragen hatte und durch meine Halsstarrigkeit, in Mons zu bleiben, verletzt ward. Ich brach mir den Hals wegen Herrn von Talleyrand, den ich kaum kannte, den ich nicht achtete, nicht bewunderte; wegen Herrn von Talleyrand, der im Begriff stand, sich in Verbindungen einzulassen, die mir keineswegs zusagten, der in einer Atmosphäre der Verderbniß lebte, in welcher ich nicht athmen konnte!

Mitten unter allen seinen Verlegenheiten in Mons, schickte der Fürst von Benevent Herrn Duperey nach Neapel, um dort die Millionen für einen der in Wien von ihm abgeschlossenen Mäckeleien zu erheben. Zu gleicher Zeit wanderte Herr von Blacas mit einem Gesandtschaftsdiplom in der Tasche und andern Millionen, welche der großmüthige Exilirte von Gent ihm in Mons gegeben hatte, nach Neapel. Ich hatte mich in gutem Vernehmen zu Herrn von Blacas erhalten, gerade weil Jedermann ihn haßte; ich hatte die Freundschaft des Herrn von Talleyrand erworben, weil ich ihm bei einer von seiner übeln Laune eingegebenen Grille treu blieb; Ludwig XVIII hatte mich positiv in seine nächste Umgebung berufen und ich zog die Schande eines charakter- und gewissenlosen Menschen der Gunst des Königs vor; es war nur zu billig, daß ich den Lohn für meine Dummheit erhielt, daß ich von Allen im Stich gelassen wurde, weil ich Allen dienen wollte. Ich kehrte nach Frankreich zurück, ohne nur die Unkosten der Reise bestreiten zu können, während es Schätze auf die in Ungnade Gefallenen regnete. Diese Züchtigung verdiente ich. Man kann wohl als armer Ritter fechten, wenn alle Welt mit Gold gepanzert ist; aber auch dann muß man keine so ungeheuern Fehler begehen. Wäre ich bei dem König geblieben, so müßte die Vereinigung des

Ministeriums Talleyrand und Fouché fast zur Unmöglichkeit geworden sein. Die Restauration begann mit einem moralischen und ehrenwerthen Ministerium, alle Berechnungen der Zukunft konnten sich umgestalten. Die Gleichgültigkeit, die ich gegen meine Person hegte, täuschte mich über die Wichtigkeit der Thatsachen. Die meisten Menschen haben den Fehler, sich zu hoch anzuschlagen; ich habe den, mich zu gering anzuschlagen; ich hüllte mich in die gewöhnliche Geringschätzung meines Glückes, ich hätte sehen sollen, daß das Glück Frankreichs in diesem Augenblick an das meines unbedeutenden Geschickes geknüpft war. Es sind dieß ziemlich gewöhnliche, historische Verwicklungen.

Von Mons nach Gonesse. — Ich widersetze mich mit dem Grafen Beugnot der Ernennung Fouché's zum Minister. — Meine Gründe dafür. — Der Herzog von Wellington trägt den Sieg davon. — Arnouville. — Saint-Denis. — Letzte Unterhaltung mit dem König.

Nachdem ich endlich Mons verlassen, kam ich nach Chateau-Cambresis, wo Herr von Talleyrand zu mir stieß. Wir sahen aus, als wollten wir hier den Friedensvertrag vom Jahr 1559 zwischen Heinrich II von Frankreich und Philipp II von Spanien noch einmal schließen.

In Cambrai fand es sich, daß der Marquis de la Suze, schon zur Zeit Fenelon's Hausmarschall, über die Quartierbillete der Frau von Lewis, der Frau von Chateaubriand und über das meine verfügt hatte. Wir blieben somit auf der Straße, inmitten der Freudenfeuer, der uns umwogenden Menge und der Bewohner, die Es lebe der König! riefen. Ein Student, welcher meine Anwesenheit vernommen hatte, führte uns in das Haus seiner Mutter.

Die Freunde der verschiedenen französischen Monarchien

begannen zu erscheinen; sie kamen nicht der Liga gegen Venedig wegen nach Cambrai, sondern um sich gegen die neuen Constitutionen zu verbinden; sie eilten herbei, um ihre successive Treue und ihren Haß gegen die Charte dem König zu Füßen zu legen, als ein Reisepaß, den sie bei Monsieur für nothwendig erachteten. Ich und zwei bis drei vernünftige Gilles, wir rochen schon den Jacobinismus.

Am 23. Juni erschien die Erklärung von Cambrai. Der König sagte darin: „Ich will von meiner Person nur diejenigen Männer entfernen, deren Ruf ein Gegenstand des Schmerzes für Frankreich und des Schreckens für Europa ist." Nun seht, Fouché's Name wurde vom Pavillon Marsan mit Dank ausgesprochen! Der König lachte über die neue Leidenschaft seines Bruders und sagte: „Er hat sie nicht durch göttliche Eingebung bekommen." Ich habe schon erzählt, daß, als ich nach den hundert Tagen durch Cambrai kam, ich vergeblich meine Wohnung aus der Zeit des Regiments von Navarra und das Kaffeehaus suchte, in das ich mich so häufig mit La Martinière begab, Alles war mit meiner Jugend verschwunden.

Nach Cambrai übernachteten wir in Roye; die Wirthin hielt Frau von Chateaubriand für die Frau Dauphine; sie wurde im Triumph in einen Saal getragen, wo eine Tafel mit dreißig Gedecken in Bereitschaft stand; in dem durch Wachskerzen, Lichter und ein großes Feuer erhellten Saale herrschte eine erstickende Hitze. Die Wirthin wollte keine Bezahlung annehmen, indem sie sagte: „Ich sehe mich scheel an, daß ich nicht im Stande war, mich für unsere Könige guillotiniren zu lassen." Letzter Funken eines Feuers, das die Franzosen so manche Jahrhunderte durch beseelt hatte!

Der General Lamothe, Schwager des Herrn Laborie, kam von den Behörden der Hauptstadt gesandt, uns zu benachrichtigen, daß wir uns ohne die dreifarbige Kokarde unmöglich in Paris zeigen könnten. Herr von Lafayette und andere Commissäre, die überdieß von den Verbündeten sehr schlecht empfangen wurden, wanderten von Generalstab zu Generalstab und erbettelten bei den Fremden irgend einen Herrn für Frankreich; jeder König nach der Wahl der Kosacken wäre trefflich, vorausgesetzt, daß er nicht vom heiligen Ludwig und Ludwig XVI abstamme.

In Roye wurde Rath gehalten. Herr von Talleyrand ließ zwei Schindmähren an seine Kutsche spannen und begab sich zu Sr. Majestät. Seine Equipage nahm die Breite des Platzes vom Gasthof des Ministers bis zu der Thür des königlichen Hotels ein. Er stieg mit einem Memorial aus dem Wagen, das er uns vorlas und in welchem er das Benehmen, das man bei der Ankunft zu befolgen hätte, in's Auge faßte; er wagte einige Worte über die Nothwendigkeit, beim Austheilen der Plätze ohne Unterschied Jedermann zuzulassen; er gab zu verstehen, daß man dieß großmüthig sogar auf die Richter Ludwig's XVI ausdehnen könnte. Se. Majestät erröthete und rief, mit den Fäusten auf die Lehnen seines Armstuhls schlagend: „Nie!" Ein Nie, das vierundzwanzig Stunden dauerte!

In Senlis führten wir uns bei einem Kanonikus ein; seine Magd empfing uns wie Hunde; der Kanonikus, der nicht St. Rieul, der Schutzpatron der Stadt, war, wollte uns nicht einmal sehen. Seine Haushälterin hatte Befehl, uns keinen andern Dienst zu erzeigen, als uns für unser Geld das benöthigte Essen zu kaufen; der Geist des Christenthums trug mir hier Nichts ein. Und doch hätten wir in Senlis auf eine gute Aufnahme rechnen sollen, denn in dieser Stadt entkam Heinrich IV im Jahre 1576 den Händen seiner Kerkermeister. „Ich vermisse nur Zweierlei, was ich in Paris zurücklassen mußte," rief auf der Flucht der König, der Landsmann Montaigne's, „die Messe und meine Frau."

Von Senlis begaben wir uns zu der Wiege Philipp August's nach Gonesse. Als wir uns dem Dorfe näherten, gewahrten wir zwei Personen, die auf uns zu kamen. Es war der Marschall Macdonald und mein treuer Freund Hyde von Neuville. Sie

ließen unsern Wagen halten und fragten nach Herrn von Talley=
rand. Ohne Umstände zu machen, theilten sie mir mit, daß sie
ihn aufsuchten, damit er den König benachrichtigen möge, daß
Se. Majestät nicht daran denken solle, die Barrière zu über=
schreiten, bevor er Fouché zum Minister ernannt habe. Ich ge=
rieth in Unruhe, denn trotz der Art und Weise, wie Ludwig XVIII
sich in Roye ausgesprochen hatte, war ich meiner Sache nicht
ganz gewiß. Ich stellte verschiedene Fragen an den Marschall
und sagte: „Wie, Herr Marschall, können wir wirklich nur unter
so harten Bedingungen wieder zurückkehren?" „Meiner Treu,
Herr Vicomte", antwortete mir der Marschall, „ich bin nicht sehr
davon überzeugt."

Der König hielt zwei Stunden in Gonesse. Ich ließ Frau
von Chateaubriand mitten auf der Landstraße in ihrem Wagen
sitzen und begab mich auf die Mairie in den Rath. Hier wurde
eine Maßregel berathen, von welcher das künftige Schicksal der
Monarchie abhängen sollte. Es entspann sich eine Discussion, ich
vertheidigte mit Herrn Beugnot allein die Ansicht, daß Ludwig XVIII
in keinem Falle Herrn Fouché in seinen Rath zulassen solle. Der
König hörte zu, ich sah, daß er sein in Roye gegebenes Wort
gern gehalten hätte; er ward jedoch von Monsieur übermannt und
von dem Herzog von Wellington zur Annahme gedrängt.

In einem Kapitel der Monarchie nach der Charte habe
ich den Hauptinhalt der Gründe zusammengestellt, die ich in Go=
nesse geltend machte. Ich war ergriffen; das zu einer Macht
gesprochene Wort scheint matter, wenn es geschrieben ist.

„Ueberall wo eine Tribüne eröffnet ist", sagte ich in diesem
Kapitel, „kann eine Person, der Vorwürfe einer gewissen Natur
unterstellt werden können, nicht an die Spitze der Regierung gesetzt
werden. Es gibt Reden, Worte, welche einen solchen Minister
nöthigen würden, sobald er sich aus der Kammer entfernt hat,
seine Entlassung einzureichen. Diese aus dem freien Princip der
Repräsentativ=Regierungen entspringende Unmöglichkeit fühlte man

nicht, als alle Illusionen sich vereinigten, um trotz der allzu=
gegründeten Abneigung der Krone einen berüchtigten Mann in's
Ministerium zu bringen. Die Erhebung dieses Mannes mußte
Eines von Beiden herbeiführen, entweder die Abschaffung der
Charte oder den Sturz des Ministeriums bei Eröffnung der
Sitzung. Man stelle sich den Minister vor, von dem ich reden
will, der in der Deputirtenkammer die Discussion über den 21. Ja=
nuar anhört, jeden Augenblick von irgend einem Deputirten von
Lyon einen Verweis erhalten kann und immer mit dem furchtba=
ren Tu es ille vir! bedroht ist! Männer dieses Schlages können
offenbar nur bei den Stummen von Bajezet's Serail oder 'den
Stummen von Bonaparte's gesetzgebendem Körper angestellt wer=
den. Was muß aus einem Minister werden, wenn ein Deputirter
mit einem Moniteur in der Hand die Tribüne besteigt und den
Bericht des Convents vom 9. August 1795 verliest, wenn er, kraft
dieses Berichtes, der Fouché verjagt, seine Entfernung als die
eines Unwürdigen verlangt, ihn, Fouché (ich führe die Stelle
wörtlich an), als einen Dieb und Terroristen verjagt, dessen grau=
sames und verbrecherisches Verfahren über jede Gesellschaft, deren
Mitglied er werden würde, Unehre und Schmach brächte?!

Das ist's, was man vergessen hat!

Und konnte man im Grunde genommen so unglücklich sein,
zu glauben, ein Mensch dieses Schlages könnte je nützlich werden?
Man hätte ihn hinter dem Vorhang lassen, die an ihm gemachten
traurigen Erfahrungen in Erwägung ziehen sollen; aber der Krone
und der öffentlichen Meinung Gewalt anthun, ungescheut einen
solchen Minister an die Geschäfte berufen, einen Mann, den Bo=
naparte in dem nämlichen Augenblick als einen Schurken behan=
delte, hieß das nicht erklären, daß man auf Freiheit und Tugend
verzichte? Ist eine Krone ein solches Opfer werth? Man durfte
Niemand mehr entfernen. Wen konnte man ausschließen, nachdem
man Fouché angenommen hatte?

Die Parteien handelten, ohne an die angenommene Regierungs=
form zu denken; Jedermann sprach von der Constitution, von
Freiheit, Gleichheit, Volksrechten, und Niemand wollte sich dazu
hergeben; bloßes Modegeschwätz! Man fragte, ohne daran zu
denken, nach den Aussichten der Charte, während man hoffte, daß
sie bald zum Kukuk gehen werde. Liberale und Royalisten neigten
sich der durch die Sitten verbesserten absoluten Regierungsform
zu; das ist Frankreichs Art und Temperament. Die materiellen
Interessen waren vorherrschend; man wollte auf das, was man,
wie man sagte, während der Revolution gethan, nicht verzichten;
Jeder hatte mit seinem eigenen Leben zu schaffen und wollte dem
Nachbar damit beschwerlich fallen; das Uebel, versicherte man, sei
zum Volkselement geworden, welches sich künftig mit den Regie=
rungen vereinigen und sich als Lebensprincip in die Gesellschaft
einführen müsse.

Mein närrischer Einfall bezüglich einer Charte, welche durch
religiöse und moralische Wirkungen sich geltend machen sollte,
wurde die Ursache, daß ich mir das Uebelwollen gewisser Parteien
zuzog. In den Augen der Royalisten liebte ich die Freiheit zu
stark, in denen der Revolutionäre verachtete ich die Verbrechen zu
sehr. Hätte ich mich nicht zu meinem großen Nachtheil anwesend
befunden, um mich zum Schulmeister des Constitutionalismus
aufzuwerfen, so würden die Ultras und die Jakobiner schon in
den ersten Tagen die Charte in die Tasche ihrer lilienbesetzten
Fräcke oder ihrer Carmagnole à la Cassius gesteckt haben.

Herr von Talleyrand war kein Freund Fouché's; Herr Fouché
verabscheute und, was das Auffallendste ist, verachtete Herrn von
Talleyrand; es hielt schwer, zu diesem Erfolg zu gelangen. Herr
von Talleyrand, welcher Anfangs froh gewesen wäre, nicht mit
Herrn Fouché gepaart zu werden, fühlte, daß dieser unvermeidlich
sei und reichte die Hand zu dem Plane; er sah nicht ein, daß mit
der Charte (besonders bei einer Zusammenstellung seiner Person

mit dem Kartätschenmanne von Lyon) er kaum möglicher sei, als Fouché.

Was ich verkündigt hatte, bestätigte sich rasch. Man erntete keinen Vortheil von der Zulassung des Herzogs von Otranto, sondern nur die Schmach davon; der Schatten der herannahenden Kammern reichte hin, um die Minister, welche dem Freimuth der Tribüne zu sehr ausgesetzt waren, verschwinden zu lassen.

Meine Opposition war vergeblich; der König hob nach Art der schwachen Charaktere die Sitzung auf, ohne etwas zu beschlie ßen; die Verordnung sollte erst im Schloß von Arnouville festge= setzt werden.

In dieser letzteren Residenz wurde kein ordentlicher Rath ge= halten; nur die Vertrauten und die in das Geheimniß Eingeweihten waren versammelt. Herr von Talleyrand, der uns vorausgeeilt war, nahm mit seinen Freunden Rücksprache. Der Herzog von Wellington kam an, ich sah ihn in seiner Kalesche vorbeifahren; die Federn seines Hutes wiegten sich in der Luft; er hatte Frank= reich so eben Herrn Fouché und Herrn von Talleyrand als dop= peltes Geschenk octroyirt, das der Sieg bei Waterloo unserm Vaterlande machte. Als man ihm vorstellte, daß der Königsmord des Herrn Herzogs von Otranto vielleicht Schwierigkeiten bereiten könnte, antwortete er: „Das ist dummes Zeug." Ein pro= testantischer Irländer, ein englischer General, dem unsere Sitten und unsere Geschichte fremd waren, ein Geist, der im französischen Jahre 1793 nur den Nachkommen des englischen Jahres 1649 sah, war bestimmt, unsere Geschicke zu leiten. Bonaparte's Ehr= geiz hatte uns in dieses Elend gestürzt.

Ich machte abgesonderte Streifereien in den Gärten, von wo aus der General=Controleur Machault sich im dreiundneunzigsten Jahre nach Madesonnettes begeben hatte, um dort zu erlöschen; denn damals vergaß der Tod bei seiner großen Musterung Nie= mand. Ich wurde nicht mehr gerufen, die Vertraulichkeiten des gemeinsamen Unglücks zwischen dem Monarchen und dem Unterthan hatten aufgehört; der König schickte sich an, in seinen Palast, ich, in meine Einsiedelei zurückzukehren. Sobald die Monarchen wieder zur Macht gelangen, bildet sich auch wieder eine Leere um sie herum. Selten kam ich durch die stillen und unbewohnten Säle der Tuilerien, die mich in das Cabinet des Königs führten, ohne ernsthafte Betrachtungen anzustellen; für mich waren sie auf andere Weise veröbet, waren sie unendliche Einsamkeiten, in welchen selbst die Welten vor Gott, dem einzigen wirklichen Wesen, verschwinden.

In Arnouville mangelte es an Brob; ohne einen Offizier, Namens Dubourg, der wie wir sein Nest in Gent verlassen hatte, hätten wir fasten müssen. Herr Dubourg ging auf Beute aus *) und brachte uns einen halben Hammel in die Wohnung des auf der Flucht begriffenen Maire. Hätte die Magb dieses Maire, eine Heldin von Beauvais, welche allein zurückgeblieben war, Waffen gehabt, so würde sie uns wie Jeanne Hachette empfangen haben.

Wir begaben uns nach Saint-Denis; zu beiden Seiten der Landstraße zogen sich die Bivouacs der Preußen und Engländer hin; in der Ferne konnte man die Thurmspitzen der Abtei wahrnehmen, in deren Fundamente Dagobert seine Kleinodien warf und in deren unterirdische Gewölbe die nachfolgenden Geschlechter ihre Könige und ihre großen Männer begruben. Vor vier Monaten hatten wir hier die Gebeine Ludwig's XVI beigesetzt, um die Stelle der andern Staubgewordenen zu vertreten. Als ich im Jahr 1800 aus meinem ersten Exil zurückkehrte, kam ich über eben diese Ebene von Saint-Denis. Dazumal campirten nur Napoleon's Soldaten hier und Franzosen ersetzten noch die alten Banden des Connetable von Montmorency.

Ein Bäcker beherbergte uns. Gegen neun Uhr Abends machte

*) Wir werden meinen Freund, den General Dubourg, in den Julitagen wiederfinden.

Chateaubriand's Memoiren. IV.   17

ich dem König meine Aufwartung. Seine Majestät wohnte in
den Gebäuden der Abtei; nur mit aller erdenklicher Mühe konnte
man die kleinen Mädchen der Ehrenlegion verhindern, zu rufen:
Es lebe Napoleon! Ich trat zuerst in die Kirche ein. Eine mit
dem Kloster in Verbindung stehende Mauer war eingestürzt; das
alte Chor war nur durch eine Lampe erhellt. Am Eingange der
Gruft, in welche ich Ludwig XVI versenken sah, sagte ich ein
Gebet. Voller Befürchtung für die Zukunft weiß ich nicht, ob je
mein Herz in tieferer und religiöserer Traurigkeit schwamm.
Dann begab ich mich zu Sr. Majestät. Ich ward in eines der
Vorgemächer zu des Königs Zimmern geführt, wo ich mich allein
befand. Ich setzte mich in eine Ecke und wartete. Plötzlich öffnet
sich eine Thüre und schweigend tritt das Laster, auf den Arm des
Verbrechens gelehnt, ein, nämlich Herr von Talleyrand, unterstützt
durch Herrn Fouché. Die höllische Vision zieht langsam an mir
vorbei, geht in das Cabinet des Königs und verschwindet. Fouché
kam, um seinem Herrn zu huldigen und Treue zu schwören; auf
seinen Knieen legte der getreue Königsmörder die Hände, welche
das Haupt Ludwig's XVI abschlugen, in die Hände des Bruders
des königlichen Märtyrers; der abtrünnige Bischof war Zeuge
des Eides.

Am folgenden Tage langte die Vorstadt Saint-Germain an;
Alles mischte sich in die schon erlangte Ernennung Fouché's, die
Religion wie die Gottlosigkeit, die Tugend wie das Laster, der
Royalist wie der Revolutionär, der Fremde wie der Franzose; von
allen Seiten schrie man: „Ohne Fouché keine Sicherheit für den
König, ohne Fouché kein Heil für Frankreich; er allein hat
schon das Vaterland gerettet, er allein kann sein Werk vollenden."

Eine der lautesten vornehmen Damen bei dem Hymnus war
die Herzogin von Duras; der Balley von Crussol, einer der noch
lebenden Malthefer, stimmte in den Chorus ein und erklärte, daß
er den Kopf nur noch auf seinen Schultern trage, weil Herr
Fouché es erlaubt habe. Die Furchtsamen hatten einen solchen

Schrecken vor Bonaparte, daß sie den Schlächter von Lyon für
einen Titus hielten. Mehr als drei Monate lang betrachteten mich
die Salons der Vorstadt Saint=Germain wie einen Ungläubigen,
weil ich die Ernennung ihrer Minister mißbilligte. Die armen
Leute, sie knieten vor Emporkömmlingen, machten aber nichts=
destoweniger großen Lärm aus ihrem Adel, ihrem Haß gegen die
Revolutionäre, ihrer erprobten Treue, der Unwandelbarkeit ihrer
Grundsätze und .... beteten Fouché an.

Fouché hatte die Unvereinbarkeit seiner ministeriellen Existenz
mit dem Spiel der Repräsentativ=Monarchie gefühlt; da er sich
mit den Elementen einer legalen Regierung nicht zu vereinbaren
vermochte, so versuchte er, die politischen Elemente seiner eigenen
Natur anzupassen. Er hatte einen erkünstelten Schrecken geschaf=
fen; indem er eingebildete Gefahren voraussetzte, wollte er die
Krone zwingen, die beiden Kammern Bonaparte's anzuerkennen
und die Erklärung der Rechte anzunehmen, die zu vollenden man
sich beeilt hatte; man munkelte sogar etwas von der Nothwendig=
keit, Monsieur und seine Söhne zu exiliren; es wäre allerdings
ein Meisterstück gewesen, den König zu isoliren.

Man wurde fort und fort zum Besten gehalten; vergeblich
schritt die Nationalgarde über die Mauern von Paris und fand
sich ein, um ihre Ergebung zu betheuern; man versicherte, diese
Garde sei schlecht gestimmt. Die Faction hatte die Barrièren
schließen lassen, um das Herbeieilen der während der hundert Tage
royalistisch gebliebenen Bevölkerung zu verhindern, und man gab
vor, dieses Volk drohe, Ludwig XVIII auf seinem Wege zu erwür=
gen. Man befand sich in einer merkwürdigen Verblendung, denn
die französische Armee zog sich an die Loire zurück, hundertfünfzig=
tausend Verbündete hielten die äußeren Posten der Hauptstadt
besetzt und man behauptete immer, der König sei nicht stark genug,
um in eine Stadt einzuziehen, in welcher sich nicht ein Soldat,
sondern nur noch Bürger befanden, die wohl im Stande waren,
eine Handvoll Föderirte, denen es etwa einfallen möchte, Unruhe

17*

zu ſtiften, im Zaum zu halten. Zufolge einer Reihe unſeliger Zuſammentreffen ſchien unglücklicherweiſe der König das Haupt der Engländer und der Preußen; er glaubte ſich von Befreiern umgeben und war von Feinden begleitet; er ſchien von einem Ehrengeleite umgeben und in Wirklichkeit beſtand dieſes Geleite nur aus den Gendarmen, welche ihn aus ſeinem Königreiche führten; er zog nur in Geſellſchaft der Fremden in Paris ein, deren Andenken eines Tages als Vorwand zur Verbannung ſeines Namens dienen ſollte.

Die proviſoriſche Regierung, welche ſich bei Bonaparte's Abdankung gebildet hatte, wurde in Folge einer Art von Anklageact gegen die Krone aufgelöst; ein Grundſtein, auf welchen man eines Tages eine neue Revolution zu bauen hoffte.

Bei der erſten Reſtauration war ich der Meinung, man ſolle die dreifarbige Kokarde beibehalten; ſie ſtrahlte damals in all ihrem Ruhm und die weiße Kokarde war vergeſſen. Indem man Farben beibehielt, welche durch ſo viele Triumphe gerechtfertigt waren, hielt man keineswegs ein Feldzeichen für eine vorausſichtliche Revolution bereit. Die weiße Kokarde nicht annehmen, wäre vernünftig geweſen, ſie aufzugeben, nachdem ſie ſelbſt von Bonaparte's Grenadieren getragen worden, war eine Feigheit; man geht nicht ungeſtraft unter dem caudiniſchen Joch durch; was entehrt, iſt bedauerlich; eine Ohrfeige fügt nur phyſiſch kein Uebel zu und doch tödtet ſie uns.

Bevor man Saint-Denis verließ, ward ich von dem König empfangen und hatte folgende Unterredung mit ihm:

„Nun?“ ſagte Ludwig XVIII zu mir, indem er das Geſpräch mit dieſem Ausruf eröffnete.

„Nun, Sire, Sie nehmen den Herzog von Otranto.“

„Ich mußte wohl. Von meinem Bruder an bis zum Balley von Cruſſol (und dieſer iſt nicht verdächtig) ſagten Alle, wir könnten nichts Anderes thun; was halten Sie davon?“

„Sire, die Sache ist geschehen; ich bitte Ew. Majestät um Erlaubniß, zu schweigen."

„Nein, nein, reden Sie, Sie wissen, wie ich von Gent aus immer Widerstand geleistet habe."

„Sire, ich gehorche nur Ihren Befehlen; verzeihen Sie meiner Treuherzigkeit, aber ich glaube, mit der Monarchie ist's aus."

Der König schwieg; ich begann meiner Kühnheit wegen zu zittern, als Se. Majestät entgegnete:

„Wohlan, Herr von Chateaubriand, ich glaube es auch."

Diese Unterredung soll den Schluß meiner Erzählung der hundert Tage bilden.

Durchgesehen im December 1840.

Bonaparte in Malmaison. — Gänzliche Verlassenheit.

Wenn ein Mensch aus den lärmendsten Scenen des Lebens plötzlich an das stille Ufer des Eismeers versetzt würde, müßte er empfinden, was ich bei Napoleon's Grab empfinde, denn jetzt stehen wir plötzlich am Rande dieses Grabes.

Napoleon, welcher Paris am 29. Juni verließ, wartete in Malmaison den Augenblick seiner Abreise aus Frankreich ab. Ich kehre zu ihm zurück, werde noch einen Blick auf die verflossenen Tage werfen, den künftigen Zeiten vorgreifen und ihn erst nach seinem Tode wieder verlassen.

Malmaison, wo der Kaiser ruhte, stand leer. Josephine war todt, Bonaparte befand sich an diesem Zufluchtsort allein. Hier hatte sein Glück begonnen, hier war er glücklich gewesen, hier hatte er sich in dem Weihrauch der Welt berauscht, von hier, dem Schooße seines Grabes, gingen die Befehle aus, welche die Erde beunruhigten. In diesen Gärten, in welchen ehemals die Füße

der Menge die besandeten Alleen harkten, grünte jetzt Gras und
wucherten Brombeerstauden; ich hatte mich auf einem Spazier-
gange in denselben davon überzeugt. Schon siechten aus Mangel
an Pflege die fremden Baumarten hin, die schwarzen Schwäne
aus Oceanien schwammen nicht mehr in den Kanälen, der Vogel-
bauer beherbergte keine Gefangenen der Tropenländer mehr; sie
waren entflogen, um ihren Wirth in ihrem Vaterlande zu erwarten.

Bonaparte hätte indessen einen Gegenstand des Trostes finden
können, wenn er den Blick auf seine ersten Tage gewendet hätte;
die gefallenen Könige kränken sich hauptsächlich, weil sie aufwärts
steigend von ihrem Falle nur einen ererbten Glanz und den Prunk
ihrer Wiege sehen; aber was nahm Napoleon vor seiner Glücks-
periode wahr? .... Die Krippe, in der er in einem Dorfe Corsika's geboren war. Er hätte sich größer gezeigt, wenn er beim
Abwerfen des Purpurmantels stolz den Hirtenstab wieder ergriffen
hätte, allein die Menschen vermögen sich nicht zu ihrer Abkunft
zurückzuversetzen, wenn diese eine niedere war; es ist, als ob der
ungerechte Himmel sie ihres Erbguts beraube, wenn sie in der
Schicksalslotterie bloß verlieren, was sie gewonnen hatten, und
nichtsdestoweniger rührt Napoleon's Größe daher, daß er aus sich
selbst hervorging; Keiner von seinem Blute war ihm vorher-
gegangen und hatte seiner Macht den Weg gebahnt.

Beim Anblick dieser verlassenen Gärten, dieser unbewohnten
Zimmer, dieser durch die Feste verblichenen Galerieen, dieser Säle,
in welchen Gesänge und Musik verstummt waren, konnte Napoleon
seine Laufbahn durchgehen; er konnte sich fragen, ob er sich bei
etwas mehr Mäßigung sein Glück nicht bewahrt hätte. Jetzt verbannten ihn nicht die Fremden, die Feinde; er ging nicht beinahe
als Sieger von dannen, indem er nach dem merkwürdigen Feldzuge noch die Bewunderung der Nationen besaß; er zog sich geschlagen zurück. Franzosen, Freunde, forderten seine unmittelbare
Abdankung, drangen auf seine Abreise, wollten ihn nicht einmal

mehr als General, sandten Couriere auf Couriere an ihn ab, um ihn zu nöthigen, den Boden zu verlassen, über den er eben so viel Ruhm als Plagen gebracht hatte.

Mit dieser so harten Lection verbanden sich andere Mahnungen; die Preußen streiften in der Umgegend von Malmaison umher; von Wein benebelt und taumelnd befahl Blücher, den Eroberer, welcher den Fuß auf den Nacken der Könige gesetzt hatte, zu ergreifen und aufzuhängen. Der schnelle Glückswechsel, die Gemeinheit der Sitten, das rasche Steigen und Fallen der neueren Persönlichkeiten wird, fürchte ich, der Geschichte einen Theil ihres Adels rauben. Rom und Griechenland haben nie davon gesprochen, Alexander und Cäsar zu hängen.

Die Scenen, welche im Jahr 1814 stattgefunden hatten, erneuerten sich im Jahr 1815, nur noch etwas verletzender, weil die Undankbaren durch die Furcht aufgehetzt waren. Man mußte sich Napoleon's schnell entledigen; die Verbündeten langten an; Alexander war im ersten Augenblick nicht da, um den Triumph zu mäßigen und den Uebermuth des Glücks im Zaum zu halten; Paris war nicht mehr mit seiner geweihten Unverletzlichkeit geziert, ein erster Einfall hatte schon das Heiligthum befleckt; nicht mehr der Zorn Gottes, sondern die Verachtung des Himmels fiel auf uns; der Blitz war erloschen.

Durch die hundert Tage hatten alle Niederträchtigkeiten einen neuen Grad von Bösartigkeit erlangt. Indem man sich stellte, als erhöbe man sich aus Liebe zum Vaterlande über alle persönliche Anhänglichkeit, schrie man, Bonaparte sei schon deßhalb sehr strafbar, daß er die Verträge von 1814 verletzt habe. Waren aber die wahren Schuldigen nicht die, welche seine Absichten begünstigten? Hätten sie ihm im Jahr 1815, statt ihm Armeen zu bilden, nachdem sie ihn einmal im Stich gelassen hatten, um ihn wieder im Stich zu lassen, gesagt, als er in den Tuilerien abstieg: „Ihr Genie hat Sie irre geleitet; die öffentliche Meinung ist nicht mehr für Sie, haben Sie Mitleid mit Frankreich! Ziehen Sie sich nach diesem letzten Besuche auf dem Festlande in das Vaterland Washington's zurück. Wer weiß, ob die Bourbonen keine Fehler begehen werden? Wer weiß, ob Frankreich nicht eines Tages seine Blicke wieder auf Sie richten wird, wenn Sie in der Schule der Freiheit Achtung vor den Gesetzen gelernt haben? Sie werden dann zurückkehren, aber nicht als Räuber, der sich auf seine Beute stürzt, sondern als großer Bürger, der seinem Vaterlande Frieden bringt."

Sie redeten keineswegs diese Sprache mit ihm, sie richteten sich nach den Leidenschaften ihres zurückgekehrten Oberhauptes, sie trugen zu seiner Verblendung bei, überzeugt seinen Sieg oder seine Niederlage zu nützen. Der Soldat allein starb mit bewunderungswürdiger Treue für Napoleon; die Uebrigen waren nur eine weidende Heerde, die sich nach rechts und links hin sett fraß. Wenn sich die Bezire des ausgeplünderten Kalifen nur noch begnügt hätten, ihm den Rücken zu wenden; aber nein! Sie machten sich seine letzten Augenblicke zu Nutze, sie überhäuften ihn mit ihren schmutzigen Bitten, Alle wollten Geld aus seiner Armuth ziehen.

Nie befand sich Jemand in vollständigerer Verlassenheit. Bonaparte hatte selbst Anlaß dazu gegeben; unempfindlich für die Leiden Anderer, vergalt ihm die Welt Gleichgültigkeit mit Gleichgültigkeit. Wie die meisten Despoten, war er gegen sein Hausgesinde gut, im Grunde hing er aber an Nichts. Als seltener Mensch, genügte er sich selbst; das Unglück gab ihn nur der Einsamkeit seines Lebens zurück.

Wenn ich meine Erinnerungen sammle, wenn ich mich denke, daß ich Washington in seinem kleinen Hause in Philadelphia und Bonaparte in seinen Palästen gesehen habe, so dünkt mich, Washington müsse in der Zurückgezogenheit seines Landgutes in Virginien nicht die Gewissensangst Bonaparte's empfunden haben, der in seinen Gärten von Malmaison das Exil erwartete. Im Leben des Ersteren hatte sich Nichts verändert, er fiel in seine

---

bescheidenen Gewohnheiten zurück; er hatte sich nicht über das Glück der von ihm befreiten Bauern erhoben. Im Leben des Andern war dagegen Alles umgestürzt worden.

Abreise von Malmaison. — Rambouillet. — Rochefort.

Napoleon verließ Malmaison in Begleitung der Generale Bertrand, Rovigo und Becker, welch' Letzterer ihm in der Eigenschaft eines Aufsehers oder Commissärs beigegeben war. Unterwegs bekam er Lust, sich in Rambouillet aufzuhalten. Von hier reiste er ab, um sich zu Rochefort einzuschiffen, wie sich Karl X zu Cherbourg einschiffte. Rambouillet ist ein ruhmloser Zufluchtsort, wo sich das Geschick Mancher, die von hoher Abstammung oder als Mensch groß waren, verfinsterte; der verhängnißvolle Ort, wo Franz I starb, wo der den Barricaden entronnene Heinrich III sich auf der Durchreise in den Stiefeln zu Bette legte, wo Ludwig XVI seinen Schatten hinterließ! Glücklich Ludwig, Napoleon und Karl, wenn sie nur die unbekannten Hüter der Heerden von Rambouillet gewesen wären!

In Rochefort angekommen, wollte Napoleon zögern. Die Executiv-Commission schickte gebieterische Befehle. „Die Garnisonen von Rochefort und La Rochelle", lauteten die Depeschen, „sollen mit bewaffneter Mannschaft die Einschiffung Napoleon's betreiben .... Wendet Gewalt an .... macht, daß er abreist .... seine Dienste können nicht angenommen werden."

Napoleon's Dienste konnten nicht angenommen werden! Und hattet ihr nicht seine Wohlthaten und seine Fesseln angenommen? Napoleon ging nicht von selbst; er ward verjagt und von wem?

Bonaparte hatte nur an das Glück geglaubt und dem Unglück weder Feuer noch Wasser gewährt; er hatte zum Voraus die Undankbaren unschuldig gesprochen; eine gerechte Wiedervergeltung ließ ihn vor seinem System wie vor einem Richter erscheinen. Als das Gelingen aufhörte, seine Person zu begünstigen, und auf ein anderes Individuum überging, verließen die Schüler den Meister um der Schule willen. Hätte ich, der ich an die Legitimität der Wohlthaten und die Souveränität des Unglücks glaube, Bonaparte je gedient, so würde ich ihn nie verlassen, sondern ihm durch meine Treue das Falsche seiner politischen Grundsätze bewiesen haben; ich hätte seine Mißgeschicke getheilt und dadurch seine unfruchtbaren Doctrinen und den geringen Werth der Rechte des Wohlergehens Lügen gestraft.

Seit dem 1. Juli erwarteten ihn Fregatten auf der Rhede von Rochefort; Hoffnungen, die nie ersterben, Erinnerungen, die von einem letzten Lebewohl unzertrennlich sind, hielten ihn auf. Wie mußte er sich in die Tage seiner Kindheit zurückwünschen, wo seine reinen Augen noch nicht den ersten Regen fallen gesehen!

Er ließ der englischen Flotte Zeit, heranzukommen. Noch hätte er sich auf zwei Luggern einschiffen können, welche auf dem hohen Meere zu einem dänischen Fahrzeug stoßen sollten (sein Bruder Joseph ergriff dieses Auskunftsmittel); allein es gebrach ihm an Kraft zu diesem Entschlusse, wenn seine Blicke auf Frankreichs Ufer fielen. Er hegte Abneigung gegen die Republiken, die Freiheit und Gleichheit der Vereinigten Staaten war ihm zuwider. Er neigte sich zu dem Vorsatze hin, die Engländer um ein Asyl zu bitten. „Was für Nachtheile fürchten Sie von diesem Entschlusse?" fragte er die, welche er darüber zu Rathe zog. „Den Nachtheil, daß Sie sich entehren", antwortete ihm ein Marineoffizier, „Sie sollen nicht einmal todt in die Hände der Engländer fallen. Diese würden Sie ausstopfen, um Sie für einen Schilling à Person zeigen zu lassen."

Bonaparte wählt die englische Flotte als Zufluchtsort. — Er
schreibt an den Prinz Regenten.

Ungeachtet dieser Bemerkungen beschloß der Kaiser, sich seinen
Ueberwindern auszuliefern. Ludwig XVIII befand sich schon seit
fünf Tagen in Paris, als Napoleon dem Capitän des englischen
Schiffes Bellerophon folgenden Brief für den Prinz Regenten
zustellen ließ:

„Königliche Hoheit! Den Parteien, welche mein Land spalten,
und den Feindseligkeiten der größten europäischen Mächte in be-
drohlicher Weise ausgesetzt, habe ich meine politische Laufbahn
beschlossen und komme, mich, wie Themistokles, am Herde des briti-
schen Volkes niederzulassen. Ich stelle mich unter den Schutz seiner
Gesetze, um den ich Ew. Königliche Hoheit, als den mächtigsten,
beständigsten und edelmüthigsten meiner Feinde ersuche.

„Rochefort, am 13. Juli 1815.“

Würde Bonaparte nicht zwanzig Jahre hindurch das englische
Volk, dessen Regierung, dessen König und den Erben dieses Königs
mit Schmähungen überhäuft haben, so hätte man den Ton dieses
Briefes einigermaßen anständig finden können; aber woher kam
es, daß diese von Napoleon so schwer verhöhnte, so sehr verachtete Königliche Hoheit plötzlich der mächtigste, bestän-
digste, edelmüthigste seiner Feinde wurde? . . . Aus dem
einfachen Grunde, daß sie siegreich war. Was er sagte, konnte
nicht seine Ueberzeugung sein; nun ist aber die Sprache, die keine
wahre ist, auch nie eine beredte. Das die Thatsache darstellende
Wort einer gefallenen Größe, die sich an einen Feind wendet, ist
schön; das abgegriffene Beispiel von Themistokles ist überflüssig.

In Bonaparte's Schritt liegt aber noch etwas Schlimmeres,
als ein Mangel an Aufrichtigkeit, das Vergessen Frankreichs; der
Kaiser beschäftigt sich nur mit seinem individuellen Unfall; nach
erfolgtem Sturze hatte er keinen Sinn mehr für uns. Ohne zu

bedenken, daß, wenn er England den Vorzug vor Amerika gäbe,
seine Wahl ein Schimpf oder Schmerz für das Vaterland sein
müßte, suchte er bei der Regierung, die seit zwanzig Jahren Europa
gegen uns besoldete, um ein Asyl nach, bei der Regierung, deren
Commissär bei der russischen Armee, General Wilson, während
des Rückzuges von Moskau Kutusoff bestürmte, uns vollends auf=
zureiben, bei den Engländern, die nun nach dem für sie glücklichen
Ausgang der letzten Schlacht im Walde von Boulogne campirten.

So geh denn, o Themistokles, und laß dich ruhig am brit=
tischen Herde nieder, während die Erde das für dich bei Waterloo
vergossene französische Blut noch nicht vollends getrunken hat!
Welche Rolle hätte der vielleicht gefeierte Flüchtling dem von Fein=
den überschwemmten Frankreich gegenüber, Wellington gegenüber,
der im Louvre Dictator geworden war, an den Ufern der Themse
gespielt? Napoleon's besonderes Glück meinte es besser mit ihm;
indem sich die Engländer von ihrem Grolle und einer engherzigen
Politik hinreißen ließen, verdarben sie sich ihren letzten Triumph.
Statt den Bittsteller zu Grunde zu richten, indem sie ihm Zutritt
in ihre Schlösser oder zu ihren Festen gewährten, verursachten sie,
daß die Krone, die sie ihm geraubt zu haben glaubten, bei der
Nachwelt nur in hellerem Glanze strahlte. Seine Gefangenschaft
steigerte die ungeheure Angst der Mächte! Vergeblich fesselte ihn
der Ocean, das bewaffnete Europa campirte am Ufer und heftete
die Blicke beständig auf das Meer.

Bonaparte auf dem Bellerophon. — Corbay. — Beschluß, welcher
Bonaparte auf die Insel St. Helena verweist. — Er geht
auf den Northumberland über und segelt ab.

Am 15. Juli brachte der Epervier Bonaparte auf den
Bellerophon. Das französische Fahrzeug war so klein, daß
man vom Bord des englischen Schiffes aus den auf den Wogen

einherziehenden Riesen nicht bemerkte. Als der Kaiser vor den
Capitän Maitland trat, redete er ihn mit den Worten an: „Ich
komme, mich unter den Schutz der englischen Gesetze zu stellen."
So erkannte denn der Verächter der Gesetze wenigstens einmal
ihre Autorität an!

Die Flotte steuerte nach Torbay; eine Menge Barken dräng=
ten sich um den Bellerophon her; das Gleiche fand bei Plymouth
statt. Am 30. Juli stellte Lord Keith dem Bittsteller den Beschluß
zu, welcher ihn auf St. Helena verwies. „Das ist schlimmer,
als der Käfig, in welchen Tamerlan den besiegten Bajazet sperrte,"
äußerte sich Napoleon darüber.

Diese Verletzung der Menschenrechte und der Achtung vor der
Gastfreundschaft war empörend. Wer auf irgend einem Schiffe,
wenn es unter Segel ist, zur Welt kommt, wird als gebore=
ner Engländer anerkannt; alten Gebräuchen von London zufolge
werden die Wellen für Albions Boden angesehen. Und ein
englisches Schiff war für einen Bittenden nicht ein unverletzlicher
Altar, es stellte den großen Mann, welcher sich dem Bellerophon
in die Arme warf, nicht unter den Schutz des brittischen Dreizacks.

Bonaparte protestirte, er berief sich auf die Gesetze, sprach
von Verrath und Niederträchtigkeit, forderte die Zukunft zum Rich=
ter auf. Stand ihm das wohl an? Hatte er nicht die Gerechtig=
keit verlacht? Hatte er nicht in den Zeiten seiner Macht das Hei=
lige, dessen Schutz er jetzt anrief mit Füßen getreten? Hatte er
nicht Toussaint=Louverture und den König von Spanien gefangen
genommen? Hatte er nicht die englischen Reisenden, die sich im
Augenblicke des Bruches des Vertrags von Amiens in Frankreich
befanden, verhaften und Jahre lang als Gefangene festhalten
lassen? Es war daher der Krämerin England erlaubt, seine
eigenen Thaten nachzuahmen und eine unedle Wiedervergeltung
zu üben; allein man hätte anders handeln können.

Die Herzensgröße Napoleon's entsprach keineswegs seiner Gei=
steskraft; seine Händel mit den Engländern sind erbärmlich; sie

empören Lord Byron. Warum geruhte er, seine Kerkermeister auch nur eines Wortes zu würdigen? Man sieht es mit Schmerz an, wie er sich mit Lord Keith. in Torbay, mit Sir Hudson-Lowe auf Helena zu Wortklaubereien erniedrigt, Facta veröffentligt, weil man das ihm gegebene Wort nicht hält, die Leute eines Titels etwas mehr oder weniger Goldes oder Ehrenbezeugungen wegen chikanirt. Auf sich selbst angewiesen, war Bonaparte auf seinen Ruhm angewiesen und das hätte ihm genügen sollen. Er brauchte von den Menschen Nichts zu verlangen, er behandelte das Miß- geschick nicht despotisch genug; man würde ihm verziehen haben, wenn er das Unglück zu seinem letzten Sklaven gemacht hätte. Ich finde in seiner Protestation gegen die Verletzung der Gast- freundschaft nichts Bemerkenswerthes, als das Datum und die Unterschrift dieser Protestation! „An Bord des Bellerophon, auf dem Meere. Napoleon." Das sind Harmonien von Unermeßlichkeit!

Vom Bellerophon ging Napoleon auf den Northumberland über. Zwei mit der künftigen Garnison von St. Helena beladene Fregatten begleiteten ihn. Einige Offiziere dieser Garnison hatten bei Waterloo gefochten. Man erlaubte diesem Ausbeuter der Welt- kugel, Herrn und Madame Bertrand, die Herren von Montholon, Gourgaud und Las Cases, freiwillige und großmüthige Passagiere seines gescheiterten Schiffes, in seiner Umgebung zu behalten. Laut einem Artikel der dem Capitän ertheilten Instructionen sollte Bonaparte entwaffnet werden. Napoleon, allein, Gefan- gener auf einem Schiffe, mitten auf dem Ocean, entwaffnet! Welche großartige Furcht vor seiner Macht! Aber auch welche Lection des Himmels für Menschen, die das Schwert miß- brauchen. Die stupide Admiralität behandelte den Verbrecher am Menschengeschlecht wie einen nach Botany-Bay Verurtheilten. Ließ der schwarze Prinz König Johann entwaffnen?

Das Geschwader lichtete die Anker. Seit jener Barke, welche Cäsar trug, war kein Schiff mehr mit einem solchen Schicksal beladen gewesen. Bonaparte näherte sich jenem Meer der Wunder, durch welches der Araber des Sinai ihn ziehen gesehen hatte. Der letzte Fleck Frankreichs, den Napoleon sah, war das Cap Hogue, eine weitere Trophäe der Engländer.

Der Kaiser hatte sich in der Theilnahme, die man seinem Andenken zollen werde, getäuscht als er in Europa zu bleiben gewünscht hatte; er wäre bald nur noch ein gewöhnlicher oder beschimpfter Gefangener gewesen; seine alte Rolle war ausgespielt. Jenseits dieser Rolle aber brachte ihm eine neue Stellung einen neuen, verjüngten Ruf. Kein Mensch von weltumfassendem Rufe hat ein solches Ende wie Napoleon gehabt. Man erkannte ihn nicht, wie bei seinem ersten Sturze, zum Alleinherrscher über einige Eisen- und Marmorwerke, deren eine ihm einen Degen, die anderen eine Statue liefern konnten; als einem Adler gab man ihm einen Felsen, auf dessen Spitze er sich bis zu seinem Tode sonnte und von wo aus er der ganzen Erde im Gesichtskreis blieb.

Urtheil über Bonaparte.

In dem Augenblick, wo Bonaparte Europa verläßt, wo er sein Leben aufgibt, um sein Schicksal im Tode zu suchen, ist es passend, diesen Mann mit den zwei Existenzen einer näheren Betrachtung zu unterwerfen, den falschen und den wahren Napoleon zu schildern. Sie verschmelzen sich und bilden aus der Mischung ihrer Wirklichkeit und ihrer Lüge ein Ganzes.

Aus der Vereinigung dieser Bemerkungen geht hervor, daß Bonaparte ein Poet im Handeln, ein unermeßliches Genie im Kriege, ein unermüdlicher, gewandter und im Administrationsfache ausgezeichneter Geist, ein thätiger und vernünftiger Gesetzgeber war. Deßhalb gewann er so viel Boden in der Einbildungskraft der Völker und vermochte er so viel über das Urtheil der positiven

Menschen. Als Politiker wird er jedoch immer eine mangelhafte
Person in den Augen der Staatsmänner sein. Diese den meisten
seiner Lobredner entschlüpfte Bemerkung dürfte, ich bin es über=
zeugt, die Hauptansicht bleiben, die sich von ihm erhalten wird;
sie wird den Contrast seiner an Wunder gränzenden Thaten und
ihrer erbärmlichen Resultate erklären. Auf St. Helena hat er
selbst mit Strenge sein politisches Verfahren in zwei Punkten ver=
dammt, nämlich den Krieg mit Spanien und den mit Rußland;
er hätte seine Bekenntnisse noch auf andere Sündenschulden aus=
dehnen dürfen. Sogar seine begeisterten Verehrer werden vielleicht
nicht behaupten, daß er bei seinem Tadel über sich selbst im Irr=
thum gestanden sei. Recapituliren wir.

Ohne von Neuem über das Abscheuliche der That selbst zu
sprechen, handelte Bonaparte gegen alle Klugheit, als er den Her=
zog von Enghien tödtete; er band sich dadurch einen Gewichtstein
an die Füße. Trotz aller der kindischen Vertheidigungen war die=
ser Tod, wie wir gesehen haben, die geheime Triebfeder zu den
Zerwürfnissen, welche in der Folge zwischen Alexander und Napo=
leon, wie zwischen Preußen und Frankreich ausgebrochen waren.

Das Unternehmen auf Spanien war durchaus widerrechtlich,
die Halbinsel gehörte dem Kaiser, er konnte alle erdenklichen Vor=
theile daraus ziehen, statt dessen machte er eine Schule für die
englischen Soldaten daraus und brach durch die Erhebung eines
Volkes dem Princip seiner eigenen Zerstörung Bahn.

Die Gefangennehmung des Papstes und die Vereinigung des
Kirchenstaats mit Frankreich war nur eine Laune der Tyrannei,
durch welche er den Vortheil verlor, für den Wiederhersteller der
Religion zu gelten.

Bonaparte hielt nicht inne, wie er hätte thun sollen, als er
die Tochter der Cäsaren geheirathet hatte. Rußland und England
riefen ihm Dank zu.

Er ließ keinen Auferstehungsmorgen für Polen anbrechen, als

von der Wiederherstellung dieses Königreichs das Heil Europa's abhing.

Er stürzte sich auf Rußland trotz aller Gegenvorstellungen seiner Generäle und Räthe.

Nachdem die Thorheit einmal begonnen war, ging er über Smolensk hinaus; Alles sagte ihm, er müsse vorderhand nicht weiter gehen, sein erster Feldzug im Norden sei beendigt und der zweite (er fühlte es selbst) werde ihn zum Herrn des Czarenreichs machen.

Er wußte weder die Tage zu berechnen, noch die Wirkung des Klima's vorauszusehen, was Jedermann in Moskau berechnete und voraussah. Man sehe nach, was ich seiner Zeit über die Continentalsperre und den Rheinbund gesagt habe, über das Erstere, als einen Riesengedanken, aber ein zweifelhaftes Unternehmen, über das Zweite, als ein wichtiges, in der Ausführung aber durch den Soldaten = und Fiscalgeist verdorbenes Werk. Napoleon erhielt die alte französische Monarchie zum Geschenk, wie die Jahrhunderte und eine ununterbrochene Folge großer Männer sie gestaltet, wie die Majestät Ludwig's XIV und die Bündnisse Ludwig's XV sie gelassen, wie die Republik sie vergrößert hatte. Er setzte sich auf dieses prachtvolle Fußgestell, streckte die Arme aus, bemächtigte sich der Völker und sammelte sie um sich; trotz seiner wunderbaren militärischen Gaben brachte er uns die Verbündeten zweimal nach Paris. Er hatte die Welt zu seinen Füßen und gewann dadurch für sich nur ein Gefängniß, für seine Familie ein Exil und den Verlust aller seiner Eroberungen und eines Theils des alten französischen Bodens.

Das ist die durch die Thatsachen bewiesene Geschichte, die Niemand wird leugnen können. Woraus entsprangen die so eben angedeuteten Fehler, denen eine so rasche und so unheilvolle Entwicklung folgte? Sie entsprangen aus Bonaparte's Unvollkommenheit im Fache der Politik.

Bei seinen Bedürfnissen fesselte er die Regierungen nur durch die Gebietsverleihungen, deren Grenzen er bald abänderte. Indem er unabläßig den Hintergedanken zeigte, wieder zu nehmen, was er gegeben hatte, immer den Unterdrücker fühlen ließ, vollbrachte er in keiner seiner Eroberungen eine neue Organisation, ausgenommen in Italien. Statt nach jedem Schritte still zu stehen, um hinter sich das Niedergetretene unter einer neuen Gestalt aufzustellen, mäßigte er seine unter Ruinen fortschreitende Bewegung nie und schritt so schnell fort, daß er auf seinem Wege kaum Zeit zum Athmen hatte. Hätte er durch eine Art westphälischen Frieden die Existenz der Staaten in Deutschland, Preußen und Polen regulirt und gesichert, so hätte er sich auf seinem ersten rückgängigen Marsche an befriedigte Völker anlehnen können und Zufluchtsstätten gefunden. Allein sein poetisches Siegesgebäude, das aller festen Grundlage ermangelte und durch sein Genie in die Luft gebaut war, stürzte zusammen, als dieses Genie zu weichen begann. Der Macedonier gründete in unaufhaltsamem Laufe Reiche, Bonaparte wußte sie in seinem unaufhaltsamen Laufe nur zu zerstören; sein einziges Ziel war, persönlich der Herr der Welt zu sein, ohne sich um die Mittel zur Erhaltung dieser Herrschaft zu kümmern.

Man wollte aus Bonaparte ein vollkommenes Wesen, einen Typus von Gefühl, Zartsinn, Moral und Gerechtigkeit, einen Schriftsteller gleich Cäsar und Thucydides, einen Redner und Historiker gleich Demosthenes und Tacitus machen. Die öffentlichen Reden Napoleon's, seine Phrasen im Zelte oder im Rathe sind um so weniger von prophetischem Hauche beseelt, als die von ihnen angekündigten Katastrophen nicht eintraten, während der Jesaias des Schwertes selbst verschwunden ist; Worte aus Ninive, welche nach Staaten haschen, ohne sie einzuholen und zu zerstören, sind kindisch, statt erhaben zu sein. Sechszehn Jahre lang war Bonaparte wirklich das Schicksal; das Schicksal ist stumm und Bonaparte hätte es auch sein sollen. Bonaparte war nicht Cäsar; seine Erziehung war weder eine gelehrte, noch ausgezeichnete; als halber Frembling waren ihm die ersten Regeln unserer Sprache unbekannt. Und was liegt eigentlich daran, wenn auch sein Wort grammatifalisch unrichtig war? Er richtete an das Weltall Befehlshaberworte. Seine Bülletins tragen die beredte Sprache des Sieges. Im Siegesrausche heftete man sie zuweilen auf eine Trommel; mitten unter dumpfen Klagetönen brach dann plötzlich ein ärgerliches Gelächter aus. Ich habe aufmerksam durchgelesen, was Bonaparte geschrieben hat, die ersten Manuscripte aus seiner Kindheit, seine Romane, dann seine in Buttafuoco verfaßten Brochüren, das Abendessen in Beaucaire, seine Privatbriefe an Josephine, die fünf Bände seiner Reden, seiner Befehle und seiner Bülletins, seine nicht zum Druck beförderten und durch die Redactionsbureaux des Herrn von Talleyrand verstümmelten Depeschen. Ich verstehe mich darauf; ich habe nur in einer schlechten auf der Insel Elba zurückgelassenen Handschrift folgende Gedanken gefunden, welche der Natur des großen Inselbewohners gemäß sind:

„Mein Herz ist für gemeine Freuden wie für gewöhnlichen Schmerz stumpf."

* * *

„Da ich mir das Leben nicht gegeben habe, so werde ich es mir auch nicht nehmen, so lange es Etwas von mir will."

* * *

„Mein böser Genius erschien mir und verkündete mir mein Ende, das ich in Leipzig fand."

* * *

„Ich habe den furchtbaren Geist der Neuheit, welcher die Welt durchzog, beschworen."

* * *

Hierin finden wir gewiß den wahren Bonaparte!

Wenn die Bülletins, die Reden, die Ansprachen, die Procla-

18 *

mationen Bonaparte's sich durch Energie auszeichnen, so gehörte diese Energie ihm doch nicht ganz allein, sie gehörte seiner Zeit an und entsprang aus der revolutionären Begeisterung, die in Bonaparte erkaltete, weil er im umgekehrten Sinne dieser Begeisterung vorwärts schritt. Danton sagte: „Das Metall kocht; wenn ihr den Ofen nicht bewacht, so werdet ihr Alle verbrennen." Saint Just sagte: „Wagt!"

Dieses Wort schließt die ganze Politik unserer Revolution in sich; die, welche Revolutionen bloß halb machen, graben sich nur ihr Grab.

Kommen Bonaparte's Bülletins dieser stolzen Sprache nahe?

Was die zahlreichen Bände anbetrifft, welche unter dem Titel: Memoiren von St. Helena, Napoleon im Exil u. f. w. u. f. w. veröffentlicht wurden, so enthalten diese aus Bonaparte's Munde gesammelten oder von ihm verschiedenen Personen dictirten Documente einige schöne Stellen über Kriegsthaten, einige merkwürdige Urtheile über gewisse Männer; im Ganzen aber zeigt sich Napoleon nur bemüht, eine Vertheidigungsschrift zu verfassen, seine Vergangenheit zu rechtfertigen, auf abgegriffene Ideen, geschehene Ereignisse Dinge zu bauen, an die er im Verlauf dieser Ereignisse nie gedacht hatte. In dieser Zusammenstoppelung, wo das Für und das Wider unmittelbar auf einander folgen, wo jede Meinung eine günstige Aufnahme und schließlich eine Widerlegung findet, ist es schwierig, auszusondern, was Napoleon oder seinen Secretären angehört. Es ist wahrscheinlich, daß er für Jeden von ihnen eine verschiedene Version hatte, damit die Leser nach ihrem Geschmack wählen und sich in Zukunft Napoleone nach ihrer Weise schaffen könnten. Er dictirte seine Geschichte, wie er sie hinterlassen wollte; er war ein Autor, der Artikel über sein eigenes Werk schrieb. Nichts ist daher abgeschmackter, als über Sachregister von allerlei Händen in Entzücken zu gerathen, die nicht wie Cäsar's Commentare ein kurzes, aus einem großen Kopfe entsprungenes und von einem ausgezeichneten Schriftsteller abgefaßtes Werk find, und doch nach Afinius Pollio's Anficht weder genau, noch getreu waren. Das Memorial von St. Helena ift gut und durchgängig mit Offenherzigkeit und bewunderungs= würdiger Einfachheit gehalten.

Etwas, das am meiften beitrug, Napoleon bei feinen Lebzeiten verhaßt zu machen, war fein Hang, Alles herabzuwürdigen; fo paarte er in einer brennenden Stadt Decrete über die Wieder= anftellung einiger Komödianten mit Urtheilen, welche Monarchen abfetzten. Eine Parodie der Allmacht Gottes, welche das Schickfal der Welt und einer Ameife leitet! Mit dem Sturz von Reichen vermifchte er Befchimpfungen gegen Frauen; er fand Gefallen an der Erniedrigung deffen, was er zu Boden gefchmettert hatte; er verleumdete und verwundete befonders, was gewagt hatte, ihm Widerftand zu leiften. Seine Anmaßung kam feinem Glücke gleich; er glaubte um fo größer zu erfcheinen, je mehr er die Anderen erniedrigte. Eiferfüchtig auf feine Generäle, gab er ihnen feine eigenen Fehler Schuld, denn er felbft konnte nie gefehlt haben. Ein Verächter aller Verdienfte, tadelte er ihre Irrthümer hart. Er hätte nach dem Unglück bei Ramillies nie gefagt, wie Lud= wig XIV zum Marfchall von Villeroi fagte: „Herr Marfchall, in unferm Alter ift man nicht glücklich." Eine rührende Hochherzig= keit, die Napoleon fremd war! Das Jahrhundert Ludwig's XIV wurde durch Ludwig den Großen gemacht; Napoleon hat fein Jahrhundert gemacht.

Die Gefchichte des Kaifers, welche durch falfche Ueberlieferun= gen fchon Veränderungen erlitten hat, wird noch durch den Zu= ftand der Gefellfchaft während der Kaiferepoche verfälfcht. Jede unter Preßfreiheit gefchriebene Revolutionsgefchichte kann das Auge auf den Grund der Dinge bringen laffen, weil ein Jeder fie be= richtet, wie er fie gefehen hat. Die Regierung Cromwell's ift be= kannt, denn man fagte dem Protector, was man von feinen Hand= lungen und feiner Perfon hielt. In Frankreich drang felbft unter der Republik trotz der unerbittlichen Cenfur des Henkers die Wahr=

heit durch; die triumphirende Partei war nicht immer dieselbe; sie unterlag schnell und die nachfolgende Partei brachte bald an den Tag, was ihre Vorgängerin verborgen hatte; von einem Schaffot zum andern, zwischen zwei abgeschlagenen Köpfen war Freiheit. Als aber Bonaparte die Macht zur Hand nahm, ward der Gedanke geknebelt, hörte man nur noch die Stimme eines Despotismus, der bloß sprach, um sich zu loben, und nicht erlaubte, von etwas Anderem, als von ihm zu sprechen, und da verschwand die Wahrheit.

Die sogenannten authentischen Documente dieser Zeit sind verfälscht; weder Bücher, noch Journale, Nichts durfte ohne Erlaubniß des Herrschers veröffentlicht werden. Bonaparte überwachte die Artikel des Moniteur; seine Präfecten der verschiedenen Departements schickten ihm Berichte, Gratulationen, Beglückwünschungen, wie die Behörden von Paris sie dictirt und ihnen als den Ausdruck der öffentlichen Meinung, die zwar von der wirklichen Meinung ganz verschieden war, zugesandt hatten. Man schreibe eine Geschichte nach solchen Documenten! Führt zum Beweise eurer unparteiischen Studien die authentischen Quellen an, aus denen ihr geschöpft habt; ihr werdet nur eine Lüge zur Unterstützung einer Lüge citiren.

Wenn man diesen Universalbetrug in Zweifel ziehen könnte, wenn Männer, welche die Tage des Kaiserreichs nicht gesehen haben, beharrlich für wahr halten würden, was sie in den gedruckten Documenten finden, oder was sie etwa aus gewissen Ministermappen heraussischen, so wäre es hinreichend, sich auf ein unverwerfliches Zeugniß, auf den Erhaltungssenat zu berufen. Hier haben wir in dem weiter oben angeführten Decrete als dessen eigene Worte die Stelle gefunden: „In Betracht, daß die Freiheit der Presse beständig der willkürlichen Censur seiner Polizei unterworfen war und er sich zugleich immer der Presse bedient hat, um Frankreich und Europa mit erfundenen That-

sachen und falschen Maximen zu erfüllen; daß Acten
und Berichte, welche vom Senate angehört wurden, bei deren
Veröffentlichung Veränderungen erlitten haben, u. s. f."

Ist auf diese Erklärung noch Etwas zu antworten?

Bonaparte's Leben war eine unbestreitbare Wahrheit, mit
deren Beschreibung der Betrug sich befaßt hatte.

Bonaparte's Charakter.

Ein ungeheurer Stolz und ein immerwährend erfünsteltes
Wesen beeinträchtigen Napoleon's Charakter. Was brauchte er
zur Zeit seiner Herrschaft seine Natur zu vergrößern, da der Gott
der Schlachten ihm jenen Wagen mit lebendigen Rädern
geliefert hatte?

Er hatte italienisches Blut in den Adern, seine Natur war
eine complicirte. Die großen Männer, deren Familie auf Erden
sehr klein ist, finden leider Niemand als sich selbst zur Nachahmung.
Modell und Copie zugleich, die wirkliche Person und der Schau-
spieler, welcher diese Person vorstellte, war Napoleon sein eigener
Mimiker; er würde sich nicht für einen Helden gehalten haben,
wenn er sich nicht in das Costüm eines Helden gehüllt hätte.
Diese seltsame Schwäche verleiht seinen erstaunenswerthen wirklichen
Eigenschaften etwas Falsches und Zweideutiges; man fürchtet, den
König der Könige für Roscius, oder Roscius für den König der
Könige zu halten.

Napoleon's Eigenschaften sind in Zeitungen, Brochüren, Ver-
sen und sogar in Liedern, deren sich der Imperialismus bemächtigt hat, so verfälscht worden, daß diese Eigenschaften völlig un-
kenntlich sind. Alles, was man Bonaparte Rührendes über die
Gefangenen, die Todten, die Soldaten sagen läßt, ist

albernes Geschwätz, das durch die Handlungen seines Lebens Lügen
gestraft wird. *)

Die Großmutter meines berühmten Freundes Beranger
ist nur ein bewunderungswürdiger Pont=neuf; Bonaparte hatte
keine Aehnlichkeit mit dem guten Manne. Die personifiirte Herr=
schaft, war er trocken; diese Kälte war ein Gegengift für seine
glühende Einbildungskraft; er fand kein Wort, sondern nur eine
That in sich, eine That, die immer bereit war, sich über die ge=
ringste Unabhängigkeit zu erzürnen; eine Mücke, die nicht auf
seinen Befehl flog, war in seinen Augen ein empörerisches Insect.

Nicht genug, die Ohren zu belügen, mußten auch die Augen
belogen werden; hier sieht man auf einem Kupferstiche Bonaparte,
welcher vor den verwundeten Oestreichern den Hut abzieht; dort
ist er abgebildet, wie ihm ein kleiner Tourlourou den Weg
versperrt, wieder, wie Napoleon die Pestkranken zu Jaffa berührt,
die er nie berührt hat; wie er auf einem wilden Pferde unter
Schneegestöber den St. Bernhard überschreitet, und sein Uebergang
fand beim schönsten Wetter der Welt statt.

Und will man nicht sogar den Kaiser heutzutage zu einem
Römer aus den ersten Tagen des Aventinischen Berges, zu einem
Missionär der Freiheit, zu einem Bürger machen, welcher die Skla=
verei nur aus Liebe zu ihrem Gegensatze, zur Tugend, einführte?
Man beurtheile den großen Gründer der Gleichheit nach folgenden
zwei Zügen: Er befahl, die Heirath seines Bruders Jerome mit
Fräulein Paterson für ungültig zu erklären, weil Napoleon's Bru=
der sich nur mit fürstlichem Blute verbinden könnte; später, als
er von der Insel Elba zurückgekehrt war, belehnt er die neue
demokratische Constitution mit einer Pairie und die Krone mit
dem Zusatzartikel.

Ich will nicht bestreiten, daß Bonaparte als der Fortpflanzer

*) Man sehe oben Bonaparte's Handlungen in ihrer chrono=
logischen Ordnung.

285

der glücklichen Erfolge der Republik überall Grundsätze der Unab=
hängigkeit säete, daß seine Siege zur Lockerung der Bande zwi=
schen den Völkern und den Königen behülflich waren, diese Völker
der Macht der alten Sitten und der alten Ideen entrissen, und
daß er in diesem Sinne zur socialen Befreiung beigetragen habe;
daß er aber aus eigenem Willen geschickt an der politischen und
bürgerlichen Befreiung der Nationen gearbeitet, daß er den eng=
herzigsten Despotismus in der Absicht eingeführt habe, Europa
und besonders Frankreich eine Constitution auf der breitesten Grund=
lage zu geben, daß er ein als Tyrann verkleideter Tribun gewesen
sei, dieser Annahme kann ich unmöglich beipflichten.

Bonaparte hat, wie alle Fürsten, nur die Macht gewollt und
gesucht, wenn er auch durch die Freiheit dazu gelangte, weil er
im Jahr 1793 auf der Bühne der Welt debütirte. Die Revo=
lution, welche Napoleon's Amme war, erschien ihm bald als eine
Feindin, die er unablässig schlug. Uebrigens kannte der Kaiser das
Böse recht gut, wenn das Böse nicht unmittelbar von dem Kaiser
herrührte, denn es fehlte ihm nicht an moralischem Sinn. Der
in den Vordergrund gestellte Sophismus hinsichtlich Bonaparte's
Liebe zur Freiheit beweist nur Etwas, den Mißbrauch nämlich,
den man mit der Vernunft treiben kann; heutzutage gibt sie sich
zu Allem her. Ist nicht die Behauptung aufgestellt worden, daß
die Schreckenszeit eine Zeit der Humanität war? Und verlangte
man in der That nicht die Abschaffung der Todesstrafe, als man
so viele Leute tödtete? Haben die großen Civilisatoren, wie man
sie nennt, nicht immer Menschen hingeopfert, und war nicht
deßhalb, wie man beweisen will, Robespierre der Fortseter des
Werkes Christi?

Der Kaiser mischte sich in Alles, sein Geist ruhte nie; er be=
fand sich beständig in einer Art Ideenfieber. Statt frei und stätig
seinen Gang zu gehen, trieb ihn der Ungestüm seiner Natur und
sein hochfahrender Kopf in Sprüngen vorwärts; er warf sich auf
das Weltall und versetzte ihm Stöße; er wollte Nichts mit diesem

Weltall zu schaffen haben, wenn er warten mußte. Unbegreifliches Wesen, welches das Geheimniß besaß, durch Geringschätzung seine hervorragendsten Thaten zu verkleinern, und das seine unbedeutendsten Handlungen bis zu seiner Höhe emporhob! Ungeduldig im Willen, geduldig von Charakter, unvollkommen und gleichsam unvollendet, hatte Napoleon's Genie Lücken; sein Verstand glich dem Himmel jener andern Hemisphäre, unter welchem er sterben sollte, jenem Himmel, dessen Sterne durch leere Räume getrennt sind.

Man fragt sich, durch welchen Zauber der so aristokratische und gegen das Volk so feindlich gestimmte Bonaparte zu der Popularität gelangen konnte, deren er genoß; denn gewiß ist, daß dieser Schmid von Jochen bei einer Nation, die sich rühmte, der Freiheit und Gleichheit Altäre errichtet zu haben, populär geblieben ist. Die Lösung des Räthsels ist folgende:

Die tägliche Erfahrung zeigt, daß die Franzosen instinctmäßig der Macht huldigen; sie lieben die Freiheit nicht, nur die Gleichheit ist ihr Idol. Nun stehen aber die Gleichheit und der Despotismus in geheimem Zusammenhange. In diesen zwei Beziehungen hatte Napoleon seine Quelle im Herzen der Franzosen, deren Militärgeist sich zur Macht hinneigt, während ihr demokratischer Sinn in die Gleichheit verliebt ist. Als er den Thron bestiegen, ließ er das Volk seinen Sitz neben ihm einnehmen; ein Proletarierkönig, demüthigte er die Könige und den Adel in seinen Vorzimmern; er hob den Unterschied des Ranges nicht durch Erniedrigung des höheren, sondern durch Erhöhung des niedrigeren auf; die Herabsetzung des hohen Ranges hätte dem Plebejerneid größere Freude bereitet; die Höherstellung des niedrigen hat seinem Stolze mehr geschmeichelt. Die französische Eitelkeit blähte sich auch mit der Ueberlegenheit, welche Bonaparte uns über das übrige Europa verschaffte; eine weitere Ursache der Popularität Napoleon's liegt in der Trübsal seiner letzten Tage. Als man nach seinem Tode erfuhr, was er auf St. Helena gelitten hatte, ward man gerührt; man vergaß seine Tyrannei, um sich zu erinnern, daß, nachdem er zuerst unsere Feinde besiegt und sie dann nach Frankreich gezogen, er uns gegen sie vertheidigt hatte; wir bilden uns ein, er würde uns heutzutage von der Schmach, die auf uns liegt, erlösen. Sein Ruf wurde uns durch sein Mißgeschick zurückgebracht; sein Ruhm gewann durch sein Unglück.

Endlich haben die Wunder seiner Waffen die Jugend behert, indem sie uns die rohe Macht anbeten lehren. Sein unerhörtes Glück hat der Vermessenheit jedes Ehrgeizes die Hoffnung gelassen, es ebenso weit zu bringen, als er es gebracht hat.

Und doch war dieser Mann, der durch die Last, welche er über Frankreich gewälzt hatte, so populär geworden war, der Todfeind der Gleichheit und der größte Organisator der Aristokratie in der Demokratie.

Ich kann nicht in das falsche Lob einstimmen, mit dem man Bonaparte beschimpft, indem man Alles in seinem Betragen rechtfertigen will; ich kann nicht meine Vernunft wegwerfen und über Etwas, das Abscheu oder Mitleid bei mir erregt, in Entzücken gerathen.

Wenn mir die Schilderung dessen, was ich gefühlt habe, hier gelungen ist, so habe ich ein getreues Bild einer der ersten geschichtlichen Gestalten geliefert; ich habe jedoch Nichts von jenem phantastischen Geschöpfe darin aufgenommen, das aus Lügen zusammengesetzt ist, aus Lügen, deren Entstehung ich sah, die, Anfangs für das, was sie waren, gehalten, mit der Zeit durch thörichtes Vorurtheil und die dumme menschliche Leichtgläubigkeit sich als Wahrheit geltend zu machen wußten. Ich will kein dummer Gimpel sein und von der Sucht der Bewunderung befallen werden. Ich lasse mir angelegen sein, die Personen gewissenhaft zu schildern, ohne ihnen zu nehmen, was sie haben, und ohne ihnen zu geben, was sie nicht haben. Wenn das Glück für Unschuld gehalten, wenn es sogar die Nachwelt verführen und sie mit seinen Fesseln beladen würde, wenn diese verleitete Nachwelt, eine künftige Sklavin, von einer sklavischen Vergangenheit erzeugt, die Mitschuldige eines jeden Siegers würde, wo wäre das Recht, wo wäre der Preis der Opfer? Da das Gute und das Böse dann nur noch relativ wären, so würde jede Moral aus den menschlichen Handlungen entschwinden.

Diese Verlegenheit bereitet dem unparteiischen Schriftsteller ein glänzender Ruf; er schiebt ihn, so viel er kann, auf die Seite, um die nackte Wahrheit darzustellen; allein der Ruhm zieht wie ein strahlender Dunst einher und bedeckt augenblicklich das Gemälde.

———

Ob Bonaparte uns an Ruhm ersetzt, was er uns an Kraft geraubt hat.

Um die Verringerung an Gebiet und Macht, die wir Bonaparte verdanken, nicht gestehen zu müssen, tröstet sich die gegenwärtige Generation durch die Einbildung, daß er uns an Berühmtheit ersetzt, um was er uns an Kraft gebracht hat. „Sind wir nicht,“ sagt sie, „fortan an allen Enden der Welt berühmt? Wird ein Franzose nicht in jedem Lande gefürchtet, mit Auszeichnung behandelt, aufgesucht?“

Waren wir aber zwischen diese zwei Bedingungen gestellt: entweder Unsterblichkeit ohne Macht, oder Macht ohne Unsterblichkeit? Alexander machte den Namen der Griechen weltbekannt und hinterließ ihnen nichtsdestoweniger vier Reiche in Asien; die Sprache und die Civilisation der Helenen erstreckten sich vom Nil bis Babylon und von Babylon bis an den Indus. Bei seinem Tode hatte sein ererbtes Königreich Macedonien, statt sich verkleinert, an Stärke hundertfach gewonnen. Bonaparte hat uns überall bekannt gemacht; unter seinem Befehl warfen die Franzosen Europa so tief unter ihre Füße, daß Frankreichs Name noch jetzt über den andern steht und der Triumphbogen de l'Etoile sich erheben kann, ohne eine kindische Trophäe zu scheinen; doch vor unseren Mißgeschicken wäre dieses Monument ein Zeuge statt eine bloße Chronik gewesen. Hatte indeß nicht Dumouriez mit Conscribirten dem Ausland die ersten Lectionen gegeben, Jordan die Schlacht von Fleurus gewonnen, Pichegru Belgien und Holland erobert, Hoche den Rhein überschritten, Massena bei Zürich, Moreau bei Hohenlinden triumphirt; Alles äußerst schwierige Heldenthaten, welche den andern vorarbeiteten? Bonaparte hat diesen zerstreuten Siegen einen Mittelpunkt gegeben; er hat sie fortgesetzt, er hat diesen Siegen Glanz verliehen; hätte er aber ohne diese ersten Wunder die letzteren verlangt? Er überragte nur Alles, wenn die Vernunft die Eingebungen des Poeten ausführte.

Die Berühmtheit unseres Oberherrn hat uns jährlich nur zwei- bis dreimal hundert tausend Mann gekostet, wir haben sie nur mit drei Millionen unserer Soldaten bezahlt; unsere Mitbürger haben sie nur durch Leiden und den fünfzehnjährigen Verlust ihrer Freiheiten erkauft. Können solche Kleinigkeiten in Anschlag gebracht werden? Strahlen die nachherigen Generationen nicht in desto schönerem Glanze? Um so schlimmer für die, welche verschwunden sind! Die Trübsale unter der Republik werden Allen zum Heile dienen; unser Unglück unter dem Kaiserreiche hat weit mehr bewirkt, es hat Bonaparte vergöttert! Das genügt uns.

Mir genügt es nicht, ich werde mich nicht erniedrigen; meine Nation hinter Bonaparte zu verbergen; er hat Frankreich nicht gemacht, Frankreich hat ihn gemacht. Nie wird mich ein Talent, ein überlegener Geist zur Einwilligung in die Macht bringen, welche mich durch ein einziges Wort meiner Unabhängigkeit, meines Herdes, meiner Freunde berauben kann; wenn ich nicht sage, meines Vermögens und meiner Ehre, so geschieht es nur, weil das Vermögen mir nicht der Mühe werth scheint, daß man es vertheidige. Was aber die Ehre betrifft, so entschlüpft sie der Tyrannei, sie ist die Seele der Märtyrer; wohl umschlingen sie Bande, doch sie vermögen sie nicht zu fesseln; sie dringt aus Kerkergewölben und nimmt den ganzen Menschen mit sich.

Das Unrecht, welches die wahre Philosophie Bonaparte nicht

verzeihen wird, ist, die Gesellschaft an passiven Gehorsam gewöhnt, die Menschheit in die Zeiten moralischen Verfalls zurückgestoßen und die Charaktere vielleicht so verdorben zu haben, daß man unmöglich sagen kann, wann die Herzen wieder beginnen werden, in edeln Regungen zu schlagen. Die Schwäche, in die wir uns selbst und Europa gegenüber versunken sind, und unsere jetzige Erniedrigung sind die Folge der Napoleonischen Tyrannei; nur die Gaben des Jochs sind uns geblieben. Bonaparte's Störungen greifen bis in die Zukunft hinein; es würde mich nicht wundern, wenn wir uns in der Unbehaglichkeit unserer Ohnmacht verschlechtern, wenn wir uns gegen Europa verbarricadiren, statt gegen dasselbe ziehen würden, wenn wir unsere Freiheiten im Innern aufgeben würden, um uns Außen von einem eingebildeten Schrecken zu befreien, wenn wir uns von einer unwürdigen Vorsicht, welche unserm Geiste und den vierzehn Jahrhunderten, die unsere Nationalsitten gebildet haben, widerstreben, irre leiten ließen. Der Despotismus, den Bonaparte in der Luft zurückgelassen hat, wird in Gestalt von Festungswerken auf uns herniedersteigen.

Es ist heutzutage Mode, die Freiheit mit einem sardonischen Lächeln aufzunehmen, sie als einen mit der Ehre zugleich in Verfall gerathenen alten Kram zu betrachten. Ich mache diese Mode nicht mit; ich denke, ohne die Freiheit sei die Welt Nichts, sie verleiht dem Leben Werth; müßte ich der Letzte bleiben, der sie vertheidigt, so werde ich nicht aufhören, ihre Rechte zu verkünden. Napoleon in vergangenen Dingen angreifen, ihn mit todten Ideen anfallen, heißt ihm neue Triumphe bereiten. Man kann ihn nur mit etwas Größerem, als er ist, bekämpfen, mit der Freiheit; er hat sich an der Freiheit und demzufolge an dem Menschengeschlecht vergangen.

Nutzlosigkeit der oben auseinandergesetzten Wahrheiten.

Vergebliche Worte! Ich fühle ihre Nutzlosigkeit besser als irgend Jemand. Jede Bemerkung, so gemäßigt sie auch sein mag, wird als Entweihung angesehen, man muß Muth haben, um zu wagen, dem Geschrei der Menge zu trotzen, um nicht zu fürchten, aus dem einzigen Grunde, daß man bei aller lebhaften und wahren Bewunderung, die man für Napoleon hegt, dennoch nicht allen seinen Unvollkommenheiten Weihrauch streuen kann, als ein beschränkter Kopf behandelt zu werden, der unfähig sei, Bonaparte's Genie zu verstehen und aufzufassen. Die Welt gehört Bonaparte; was der Verheerer nicht vollends erobern konnte, usurpirt sein Ruf; bei seinen Lebzeiten ist ihm die Welt entgangen, todt besitzt er sie. Welche Einwendungen man auch mache, die Generationen gehen darüber weg, ohne ihnen Gehör zu schenken. Das Alterthum läßt den Schatten von Priam's Sohn sagen: „Beurtheile Hektor nicht nach seinem kleinen Grabe; die Ilias, Homer, die fliehenden Griechen, das ist meine Gruft; unter diesen großen Thaten liege ich begraben."

Bonaparte ist nicht mehr der wirkliche Bonaparte; er ist die Person einer aus närrischen Einfällen der Poeten, Soldatengeschwätz und Volksgeschichten zusammengesetzten Legende; wie wir ihn heutzutage sehen, ist er der große Karl und der Alexander der Heldengedichte des Mittelalters. Dieser phantastische Held wird die wirkliche Persönlichkeit bleiben; die andern Bilder von ihm werden verschwinden. Die unumschränkte Herrschaft ist so mit Napoleon verwachsen, daß, nachdem wir den Despotismus seiner Person erduldet, wir nun auch den Despotismus seines Andenkens erdulden müssen. Dieser letztere Despotismus ist noch mächtiger als der erstere, denn wenn man Napoleon, als er auf dem Throne saß, zuweilen bekämpfte, so zeigt sich jetzt die ganze Welt einverstanden, die Fesseln zu tragen, die er als todt uns noch anlegt. Er ist ein

Hinderniß für künftige Ereignisse, wie könnte eine aus Schlacht=
feldern hervorgegangene Macht neben ihm auffommen? Hat er
nicht jeden militärischen Ruhm durch seine Unübertrefflichkeit ge=
töbtet? Wie fonnte eine freie Regierung entstehen, da er den
Grundsatz aller Freiheit in den Herzen verdorben hat? Keine
rechtmäßige Macht vermag aus dem Geist des Menschen das
Usurpatorgespenst zu verjagen; der Soldat wie der Bürger, der
Republikaner wie der Anhänger der Monarchie, der Reiche wie
der Arme führen die Büsten und Bildnisse Napoleon's an ihrem
Herde, in ihren Palästen oder in ihren Hütten ein; die ehemali=
gen Besiegten stimmen mit den ehemaligen Besiegern überein;
man kann keinen Schritt in Italien thun, ohne ihn zu finden;
man betritt kaum den deutschen Boden, so begegnet man ihm,
denn in Deutschland ist die junge Generation, die ihn zurückstieß,
verschwunden. Gewöhnlich setzen sich die Jahrhunderte vor das
Portrait eines großen Mannes und vollenden es durch lange und
anhaltende Arbeit. Dießmal hat das Menschengeschlecht nicht
warten wollen, vielleicht hat es sich zu sehr beeilt, ein Pastell=
gemälde zu liefern. Es ist Zeit, die vollendete Partie zur Ver=
gleichung mit der mangelhaften Partie des Idols aufzustellen.

Bonaparte ist nicht groß durch seine Worte, seine Reden,
seine Schriften, durch die Liebe zur Freiheit, die er nie besaß und
nie gründen wollte; er ist groß, weil er eine geordnete und mäch=
tige Regierung, ein in verschiedenen Ländern angenommenes
Gesetzbuch, Gerichtshöfe, Schulen, eine starke, thätige und weise
Administration geschaffen hat, unter der wir noch leben; er ist
groß, weil er Italien zu neuem Leben erweckt, aufgeklärt und
ausgezeichnet verwaltet hat; er ist groß, weil er in Frankreich
aus dem Schooße des Chaos wieder Ordnung erstehen ließ, weil er
die Altäre wieder hergestellt, weil er wüthende Demagogen, hoch=
müthige Gelehrte, anarchische Literaten, Voltaire'sche Atheisten,
Gassenredner, die Bürger in den Gefängnissen und Straßen, die
Schwätzer auf Tribünen, in Clubs und bei Schaffoten, weil er

diese Alle dahin gebracht hat, unter ihm zu dienen; er ist groß, weil er einen anarchischen Haufen gefesselt hat; er ist groß, weil er den Vertraulichkeiten eines gemeinsamen Glücks ein Ende machte, weil er Soldaten, Seinesgleichen, Feldherren, seine Oberen oder seine Nebenbuhler, gezwungen hatte, sich seinem Willen zu beugen; er ist groß besonders, weil er aus sich selbst entstanden ist, weil er ohne eine andere Macht, als die seines Genies, sich zu einer Zeit, wo keine Illusion die Throne umgab, von sechsunddreißig Millionen Unterthanen Gehorsam zu verschaffen wußte; er ist groß, weil er alle Könige, seine Gegner, gestürzt, weil er alle Armeen, wie verschieden sie auch in Disciplin und Tapferkeit waren, geschlagen hat, weil er sich bei wilden wie civilisirten Völkern einen Namen machte, weil er alle ihm vorangegangenen Sieger übertroffen, weil er zehn Jahre lang so große Wunder gethan hat, daß man sie heutzutage kaum zu fassen vermag.

Der berühmte und triumphirende fragliche Delinquent ist nicht mehr; die wenigen Menschen, welche sich noch edler Gesinnungen befleißen, können dem Ruhme huldigen, ohne ihn zu fürchten, aber auch ohne zu bereuen, daß sie dargelegt haben, was dieser Ruhm Unheilvolles hatte, ohne den Zerstörer der Freiheiten als den Vater der Emancipationen anzuerkennen. Napoleon hat nicht nöthig, daß man ihm Verdienste leihe, er wurde bei seiner Geburt begabt genug.

Da nun, losgerissen von seiner Zeit, seine Geschichte beendigt ist und sein Heldengedicht beginnt, so wollen wir ihn an sein Sterbebette begleiten. Europa verlassen und ihm unter den Himmel seiner Apotheose folgen! An der Stelle, wo seine Schiffe die Segel strichen, weist uns das Rauschen der Meere den Ort seines Verschwindens. „Am äußersten Ende unserer Hemisphäre", sagt Tacitus, „hört man das Geräusch, das die Sonne im Untertauchen macht, sonum insuper immergentis audiri."

Insel St. Helena. — Bonaparte durchschifft das Atlantische Meer.

Im Jahre 1502 hatte sich Johann von Noya, ein portugie= sischer Schiffer, in den Gewässern verirrt, welche Afrika von Ame= rika trennen; am 18. August, als dem Feste der heiligen Helena, der Mutter des ersten christlichen Kaisers, traf er unter dem 16. Grade südlicher Breite und dem 11. Längengrade eine Insel an. Er landete und gab ihr den Namen des Tages ihrer Ent= deckung.

Nachdem die Portugiesen diese Insel einige Jahre fleißig be= sucht hatten, vernachlässigten sie dieselben wieder; nun ließen sich die Holländer daselbst nieder, gaben sie aber später für das Cap der guten Hoffnung auf, worauf die englisch=ostindische Gesellschaft sich derselben bemächtigte; die Holländer nahmen sie zwar wieder weg, allein die Engländer rissen sie von Neuem an sich und setzten sich daselbst fest.

Als Johann von Noya auf St. Helena landete, war das Innere der unbewohnten Insel bloß Wald. Fernand Lopez, ein portugiesischer und auf diese Oase deportirter Renegat, bevölkerte sie mit Kühen, Ziegen, Hühnern, Perlhühnern und Vögeln aus allen vier Welttheilen. Allmälig führte man, wie in die Arche, alle Thiere der Schöpfung ein.

Die Bevölkerung der Insel besteht aus fünfhundert Weißen, fünfzehnhundert mit Mulatten, Japanesen und Chinesen vermisch= ten Negern. Die Stadt und zugleich der Hafen der Insel heißt Jamestown. Bevor die Engländer Herren vom Cap der guten Hoffnung waren, gingen die Flotten der ostindischen Compagnie auf der Rückkehr aus Indien in Jamestown vor Anker. Die Matrosen kramten am Fuße der Palmbäume ihre Waaren aus; ein stummer und einsamer Wald verwandelte sich jährlich einmal in einen lärmenden und bevölkerten Markt.

Das Klima der Insel ist gesund, aber regnerisch; diese Burg

Neptun's, die nur sieben bis acht Stunden im Umkreise hat, zieht die Dünste des Oceans an. Zur Mittagszeit verscheucht die Sonne des Aequators Alles, was athmet, nöthigt bis auf die Mücken hinab Alles zum Schweigen und zur Ruhe, und Menschen und Thiere, sich zu verstecken. Nachts erglänzen die Wellen in dem sogenannten Meeresleuchten, ein durch Myriaden von Insecten hervorgebrachtes Leuchten, die in ihrer durch die Stürme elektrisirten Brunst auf der Oberfläche des gähnenden Abgrundes die Illuminationen für ihre allgemeine Hochzeitnacht veranstalten. Der Schatten der Insel ruht dunkel und fest mitten auf einer beweglichen Diamantenebene. Einen eben so prachtvollen Anblick bietet nach den Schilderungen meines gelehrten und berühmten Freundes, Herrn von Humboldt,[*]) der Himmel. „Man empfindet," sagt er, „ein unerklärliches, unbekanntes Gefühl, wenn man sich dem Aequator nähert und besonders, wenn man von einer Hemisphäre in die andere übergeht und die Sterne, die man von der ersten Kindheit auf kannte, in rascher Folge untergehen und endlich ganz verschwinden sieht. Man fühlt, daß man nicht in Europa ist, wenn man am Horizonte das ungeheure Sternbild des Schiffes oder die phosphorescirenden Wolken des Magellans sieht.

„Wir sahen", fährt er fort, „erst in der Nacht vom 4. auf den 5. Juli, bei 16 Grad Breite zum ersten Mal das Kreuz des Südens deutlich.

„Ich erinnerte mich der erhabenen Stelle in Dante, welche die berühmtesten Commentatoren auf dieses Bild angewendet haben:
„Jo mi volsi à man destra, etc.

„Bei den Portugiesen und den Spaniern knüpft sich ein religiöses Gefühl an ein Sternbild, dessen Form sie an jenes Zeichen des Glaubens erinnert, das durch ihre Vorfahren in die Einöden der neuen Welt aufgepflanzt wurde."

Die Poeten Frankreichs und Lusitaniens haben die Scenen

*) Reisen in die Aequinoctialgegenden.

19*

der Elegie an die Ufer von Melinda und der benachbarten Inseln
versetzt. Diese erdichteten Schmerzen sind himmelweit entfernt von
den wirklichen Qualen Napoleon's unter diesen von dem Sänger
Beatrice's verherrlichten Gestirnen und in diesen Meeren Eleonorens
und Virginie's. Kümmerten sich die auf Inseln Griechenlands
verwiesenen Großen Roms um die Reize jener Gestade und um
die Gottheiten von Kreta und Naxos? Was Vasco de Gama
und Camoens entzückte, konnte Bonaparte nicht rühren; im Hin=
tertheil des Schiffes gelagert, bemerkte er nicht, daß über seinem
Haupte unbekannte Sternbilder funkelten, deren Strahlen sein
Blick zum ersten Mal begegnete. Was galten ihm diese Gestirne,
die er nie von seinen Bivouacs aus gesehen, die nicht über seinem
Reiche geleuchtet hatten? Und doch war seinem Schicksal kein
Stern untreu; das halbe Firmament leuchtete über seiner Wiege;
das andere war zum Prunke seines Grabes vorbehalten.

Das Meer, welches Napoleon durchschiffte, war nicht jenes
befreundete Meer, das ihn aus den Häfen Corsika's, von den san=
digen Gestaden von Abukir, von den Felsen der Insel Elba an
die Ufer der Provence brachte; es war jener feindliche Ocean, der,
nachdem er ihn in Deutschland, Frankreich, Portugal und Spanien
eingeschlossen, sich nur auf seinem Wege vor ihm öffnete, um sich
wieder hinter ihm zu schließen. Wahrscheinlich stellte er über seine
Katastrophe nicht die Betrachtungen an, die sie mir einflößt, als
er sah, wie sein Schiff die Wogen durchschnitt und der beständige
Hauch der Passatwinde es immer weiterer Ferne zutrieb. Jeder
Mensch empfindet sein Leben nach seiner Weise; der, welcher der
Welt ein großes Schauspiel gibt, ist weniger gerührt und weniger
ergriffen, als der Zuschauer. Mit der Vergangenheit beschäftigt,
als ob sie wieder erstehen könnte, in seinen Erinnerungen noch
hoffend, bemerkte Bonaparte kaum, daß er die Linie überschritt,
und fragte nicht, welche Hand diese Kreise zeichnete, innerhalb
deren die Welten gleich Gefangenen ihren ewigen Gang gehen
müssen.

Am 15. August feierte die irrende Colonie das St. Napoleons=
fest an Bord des Schiffes, welches Napoleon nach seinem letzten
Halt brachte. Am 15. October befand sich der Northumberland
auf der Höhe von St. Helena. Der Passagier stieg auf das Ver=
deck; mit Mühe vermochte er in der blauen Unermeßlichkeit einen
kaum bemerkbaren schwarzen Punkt zu entdecken; er nahm ein
Fernrohr und recognoscirte dieses Fleckchen Land, wie er ehemals
eine mitten in einem See gelegene Festung recognoscirt hätte.
Er nahm den zwischen steilen Felsen eingekeilten Flecken Saint=
James wahr; auf jedem Vorsprung dieser dürren Façade war
eine Kanone aufgepflanzt; man schien den Gefangenen seinem
Genie gemäß empfangen zu wollen.

Am 16. October 1815 landete Bonaparte auf der Klippe,
seinem Mausoleum, wie am 12. October 1429 Christoph Columbus
in der neuen Welt, seinem Monumente. „Da, beim Eingang in
den indischen Ocean", sagt Walter Scott, „war Bonaparte der
Mittel zu einem zweiten avatar oder einer zweiten Menschwerdung
auf Erden beraubt."

────────

Napoleon betritt den Boden von St. Helena. — Seine Nieder-
lassung in Longwood. — Sein Leben daselbst.

Bevor Bonaparte nach Longwood transportirt wurde, bewohnte
er eine Negerhütte in Briars, bei Balcomb's cottage. Am
9. December empfing Longwood, das in der Eile durch die Zim=
merleute der englischen Flotte noch vergrößert worden war, seinen
Gast. Das auf einem Gebirgsplateau gelegene Haus bestand aus
einem Salon, einem Speisesaal, einer Bibliothek, einem Studir=
cabinet und einem Schlafzimmer. Das war wenig Platz; doch
hatten die, welche in den Thurm des Temple und in den Donjon
von Vincennes verwiesen waren, eine noch weit geringere Woh=

nung, nur besaß man allerdings die Aufmerksamkeit, ihren Auf=
enthalt abzukürzen. Der General Gourgaud, Herr und Frau von
Montholon mit ihren Kindern, Herr von Lascases und sein Sohn
campirten provisorisch unter Gezelten; Herr und Madame Bertrand
nahmen ihre Wohnung in Hut'sgate, einem an der Grenze des
Stadtkreises von Longwood gelegenen Gehöft.

Zum Spazierplatz war Bonaparte eine Strecke von zwölf
Meilen angewiesen; innerhalb des ganzen Raumes befanden sich
Schildwachen und ebenso waren Wachen auf den höchsten Klippen
aufgestellt. Der Löwe konnte seine Wanderungen zwar weiter
ausdehnen, mußte sich dann aber durch einen englischen Thier=
wärter bewachen lassen. Zwei Lager vertheidigten den in Bann
gethanen Raum; Abends zog sich der Kreis der Wache stehenden
Soldaten um Longwood zusammen. Um neun Uhr konnte der
consignirte Napoleon nicht mehr ausgehen; die Patrouillen mach=
ten die Runde; Reiterwachen, da und dort aufgestelltes Fußvolk
hielten die kleinen natürlichen Seehäfen und die zum Gestade sich
hinabziehenden Schluchten besetzt. Zwei bewaffnete Briggs kreuz=
ten, die eine unter dem Wind, die andere vor dem Wind der
Insel. Welche Vorsichtsmaßregeln, um einen einzigen Mann
mitten in den Meeren zu bewachen! Nach Sonnenuntergang
konnte keine Schaluppe mehr in's Meer stechen, die Schifferbarken
waren gezählt und blieben Nachts unter der Verantwortlichkeit
eines Marinelieutenants im Hafen. Der Generalissimus der Monar=
chen, welcher die Welt vor seine Füße citirt hatte, sollte täglich
zweimal beim Aufrufe vor einem Subalternoffizier erscheinen.
Bonaparte unterzog sich diesem Appell nicht; wenn er aus Zufall
die Blicke des dienstthuenden Offiziers nicht vermeiden konnte, so
hätte dieser Offizier nicht sagen dürfen, wo und wie er ihn gesehen
hätte, dessen Abwesenheit der Welt schwerer darzuthun war, als
der Beweis seiner Anwesenheit.

Sir George Cockburn, der Urheber dieser strengen Aufsichts=
maßregeln, wurde durch Sir Hudson Lowe ersetzt. Von da an

begannen die kleinlichen Streitigkeiten, von denen alle Memoiren uns unterhalten haben. Würde man diesen Memoiren glauben, so wäre der neue Gouverneur aus der Familie der ungeheuren Spinnen von St. Helena und das Gewürm jener Wälder gewesen, in welchen die Schlangen unbekannt sind. England ließ es an Edelmuth, Napoleon an Würde fehlen. Um den Anforderungen der Etikette ein Ende zu machen, schien Bonaparte zuweilen ent= schlossen, sich wie ein Monarch im Auslande, in einen falschen Namen zu hüllen. Er kam auf den rührenden Gedanken, den Namen einer seiner in der Schlacht von Arcole getödteten Adju= tanten anzunehmen. Frankreich, Oesterreich, Rußland ernannten Commiffäre, welche auf St. Helena ihren Sitz nehmen mußten. Der Gefangene pflegte die Gesandten der beiden letztern Mächte zu empfangen; die Legitimität, welche Napoleon nicht als Kaiser anerkannt hatte, würde edler gehandelt haben, wenn sie Napoleon auch nicht als Gefangenen anerkannt hätte.

Ein großes hölzernes, in London erbautes Haus wurde nach St. Helena geschickt; Napoleon befand sich jedoch schon nicht mehr wohl genug, um es zu beziehen. Seine Lebensweise in Longwood hatte er folgendermaßen eingerichtet: Er stand zu unbestimmter Zeit auf; Herr Marchand, sein Kammerdiener, las ihm vor, so lange er sich im Bette befand; stand er früh auf, so dictirte er den Generälen Montholon und Gourgaud und dem Sohn des Herrn von Lascases. Um zehn Uhr frühstückte er, machte dann einen Spaziergang zu Pferde oder im Wagen bis gegen drei Uhr, kehrte um sechs Uhr nach Hause zurück und legte sich um elf Uhr nieder. Er kleidete sich mit Vorliebe, wie er in dem Portrait von Isabey abgezeichnet ist; am Morgen hüllte er sich in einen Caftan und schlang ein indisches Tuch um seinen Kopf.

Besuche.

St. Helena liegt zwischen den beiden Polen. Die Schiffer, welche von da und dorther kommen, begrüßen diese erste Station, wo Land den vom Anblick des Oceans ermüdeten Blicken eine Erholung gewährt und den vom Salz erhitzten Gaumen Früchte und frisches Süßwasser bietet. Die Anwesenheit Bonaparte's hatte diese gelobte Insel in einen verpesteten Felsen umgewandelt; die fremden Schiffe landeten nicht mehr; sobald sie in einer Entfernung von zwanzig Meilen signalisirt wurden, segelte ihnen ein Kreuzer entgegen, um sie zu recognosciren, und bedeutete sie, das Weite zu suchen. Ausgenommen bei Sturm ließ man nur die Schiffe der brittischen Marine bei der Insel vor Anker gehen.

Einige der englischen Reisenden, welche die Wunder des Ganges sehen wollten oder von dorther kamen, besuchten auf ihrem Wege ein anderes Wunder. Das an die Eroberer gewöhnte Indien hatte einen solchen an seine Thore gefesselt.

Napoleon ließ sich nur mit Mühe zur Annahme solcher Besuche bewegen. Er empfing Lord Amherst auf der Rückkehr von seiner Gesandtschaftsreise nach China. Der Admiral Sir Pultney-Malcolm gefiel ihm. Eines Tages sagte er zu ihm:

„Hegt Ihre Regierung wohl die Absicht, mich bis zu meinem Tode auf diesem Felsen gefangen zu halten?"

Der Admiral antwortete, er befürchte es.

„Dann wird mich der Tod bald ereilen."

„Ich hoffe nicht, mein Herr; Sie werden noch lange genug leben, um Ihre großen Thaten zu schreiben: und diese sind so zahlreich, daß eine solche Aufgabe Ihnen ein langes Leben sichert."

Napoleon nahm an der einfachen Betitelung mein Herr keinen Anstoß; er erkannte sich in diesem Augenblick in seiner wahren Größe. Zum Glück für ihn hat er sein Leben nicht beschrieben, er hätte sich nur darin verkleinert. Menschen solcher Art müssen jener unbekannten Stimme, die Niemandem angehört und von Völkern und Jahrhunderten ausgeht, die Erzählung ihrer Memoiren überlassen. Nur uns, dem gewöhnlichen Volk, ist es erlaubt, von uns selbst zu sprechen, weil sonst Niemand von uns reden würde.

Der Capitän Basil Hall fand sich ebenfalls in Longwood ein; Bonaparte erinnerte sich, den Vater des Capitäns in Brienne gesehen zu haben.

„Ihr Vater", sagte er zu ihm, „war der erste Engländer, den ich je gesehen hatte; deßhalb ist er mir mein ganzes Leben durch im Andenken geblieben."

Er unterhielt sich mit dem Capitän von der kurz zuvor statt-gefundenen Entdeckung der Insel Lu-Tschu.

„Die Bewohner haben keine Waffen", sagte der Capitän.

„Keine Waffen!" rief Bonaparte.

„Weder Kanonen noch Flinten."

„Doch wenigstens Lanzen, Bogen und Pfeile?"

„Nichts von alledem."

„Auch keine Dolche?"

„Keine Dolche."

„Aber wie schlägt man sich?"

„Alles, was in der Welt vorgeht, ist ihnen fremd; sie wissen nicht, daß es ein Frankreich, ein England gibt; sie haben nie von Ew. Majestät reden hören."

Bonaparte lächelte auf eine Weise, die dem Capitän auffiel; je ernster das Gesicht, desto schöner ist das Lächeln.

Alle die verschiedenen Reisenden bemerkten nie eine Spur von Farbe auf Bonaparte's Antlitz; sein Kopf glich einer Marmor-büste, deren Weiß durch die Zeit einen leichten gelblichen Anflug bekommen hatte. Weder auf Stirn noch Wangen zeigte sich die geringste Furche; seine Seele schien heiter. Diese scheinbare Ruhe veranlaßte den Glauben, die Flamme seines Genies sei

298

erloſchen. Er ſprach langſam; fein Ausbruck war wohlwollend und beinahe zärtlich; zuweilen ſchoß er blendende Blicke, doch dieſer Zuſtand ging ſchnell·vorüber und feine Augen verhüllten ſich und wurden traurig.

Ach, an dieſen Geſtaden waren ehemals andere, Napoleon bekannte Reiſende erſchienen!

. Nach der Erploſion der Höllenmaſchine ſprach am 5. Januar 1801 ein Senats-Conſult ohne Urtheil als bloße Polizeimaßregel die überſeeiſche Verbannung von hundertunddreißig Republikanern aus. Auf der Fregatte la Chiffonne und der Corvette la Flèche eingeſchifft, wurden ſie auf die Sechelleninſeln gebracht und kurze Zeit darauf in dem Archipel der Comoren, zwiſchen Afrika und Madagascar zerſtreut, wo beinahe Alle ſtarben. Zwei der Deportirten, Lefranc und Saunois, denen es gelungen war, auf einem amerikaniſchen Schiffe zu entfliehen, berührten auf ihrer Fahrt im Jahr 1803 St. Helena, wohin zwölf Jahre ſpäter die Vorſehung ihren großen Unterdrücker verſetzen ſollte.

Der nur zu berühmte General Roſſignol, ihr Unglücksgefährte, rief eine Viertelſtunde bevor er den letzten Seufzer ausſtieß: „Ich ſterbe unter den ſchrecklichſten Schmerzen, allein ich würde zufrieden ſterben, wenn ich denken dürfte, daß der Tyrann meines Vaterlandes einſt die gleichen Qualen erbulden muß."

So erwarteten alſo den, der die Freiheit verrieth, ſelbſt in der andern Hemiſphäre die Verwünſchungen ihrer Anhänger!

303

Manzoni. — Bonaparte's Krankheit. — Offian. — Napoleon's
Träumereien beim Anblick des Meeres. — Entführungspläne. — Letzte Beschäftigung Bonaparte's. — Er legt sich
nieder und steht nicht mehr auf. — Er diktirt sein Testament. — Religiöse Gefühle Napoleon's. — Der Almosenier
Vignali. — Napoleon redet mit Antomarchi, seinem Arzte.
— Er empfängt die Sterbesacramente. — Er stirbt.

Das durch Napoleon seinem langen Schlafe entrissene Italien
richtete seine Augen auf das erlauchte Kind, welches dasselbe wieder zu Ruhm bringen sollte und mit dem es unter das Joch
zurückgefallen war. Die Söhne der Musen, die edelsten und er-
kenntlichsten der Menschen, wenn sie nicht die schlechtesten und
undankbarsten sind, schauten nach St. Helena hin. Der letzte
Poet des Vaterlandes Virgil's besang den letzten Krieger des
Vaterlandes Cäsar's:

> Tutto ei provo, la gloria
> Maggior dopo il periglio,
> La fuga e la vittoria,
> La reggia e il triste esiglio;
> Due volte nella polvere.
> Due volte sugli altar.
>
> Ei si nomo; due secoli
> L'un contro l'altro armato,
> Sommes si a lui si vulsero,
> Come aspettando il fato:
> Ei fè silenzio ed arbitro
> S'assise in mezzo a lor. *)

> Alles erfuhr er — wie der Ruhm
> Süßer nach bangster Spannung,
> Die Angst der Flucht, des Sieges Rausch,
> Die Herrschaft, die Verbannung,
> Er, der zweimal im Staube lag,
> Zweimal auf dem Altar!

Bonaparte nahte seinem Ende; von einer innerlichen Wunde verzehrt, durch den Kummer vergiftet, hatte er diese Wunde im Schooße des Glückes empfangen. Sie war das einzige Erbgut, das er von seinem Vater erhalten hatte, das Uebrige verdankte er der Freigebigkeit Gottes.

Schon zählte er sechs Jahre der Verbannung; er hatte weniger Zeit zur Eroberung Europa's gebraucht. Er hielt sich fast immer eingeschlossen und las Ossian in der italienischen Ueberssetzung von Cesarotti. Alles stimmte ihn düster unter einem Himmel, wo das Leben kürzer schien, da die Sonne in dieser Hemisphäre drei Tage weniger bleibt, als in der unsern. Zu Spaziergängen wählte Bonaparte holperige Fußwege, längs deren Aloen und wohlriechender Ginster wucherten. Er wandelte unter den selten blühenden Gummibäumen, welche die großmüthigen Winde nach seiner Seite hin beugten, oder verbarg sich in den dichten, am Boden einher sich wälzenden Wolken. Man sah ihn am Fuß des Pic der Diana, des Flay Staff, des Leader Hill sitzen und zwischen den getrennten Bergspitzen hindurch das Meer betrachten. Vor ihm rollte sich jener Ocean auf, welcher auf der einen Seite die Küsten Afrika's, auf der andern die amerikanischen Ufer bespült und sich wie ein uferloser Fluß in den australischen Meeren verliert. Das nächste civilisirte Land ist das Cap der Stürme. Wer könnte die - Gedanken dieses lebendig vom Tode verzehrten Prometheus schildern, wenn er, die Hand auf die schmerzdurchzuckte Brust gelegt, seine Blicke über die Wellen schweifen ließ? Christus wurde auf den Gipfel eines Berges geführt, von wo aus er die Königreiche der Welt überblickte; aber in Bezug auf Christus war

---

Auf trat er! Zwei Jahrhunderte
Feindlich, von Waffen starrend,
Beugten zu seinen Füßen sich,
Des Schicksalspruches harrend;
Schweigen gebot er; richtend nahm
Er zwischen ihnen Platz.

dem Verführer der Menschen verheißen: „Du wirst den Sohn Gottes nicht in Versuchung setzen."

Einen seiner schon erwähnten Gedanken (da ich mir das Leben nicht gegeben habe, so werd: ich es mir auch nicht nehmen) vergessend, sprach er davon, sich zu tödten; eben so erinnerte er sich seines bei Anlaß des Selbstmords einer seiner Soldaten erlassenen Tagesbefehls nicht mehr. Er hoffte so viel von der Anhänglichkeit seiner Gefangenschaftsgefährten, daß er glauben konnte, sie würden sich dazu hergeben, sich mit ihm im Kohlendampfe zu ersticken; das war eine große Täuschung. So weit kommt man durch die Berauschung einer langen Herrschaft; allein bei Napoleon's Ungeduld muß man immer wieder den Grad der Leiden in Anschlag bringen, zu dem er gelangt war. Herr von Lascases, der, den Verordnungen zuwiderhandelnd, auf einem Stückchen weißen Seidenzeug an Lucian geschrieben hatte, empfing den Befehl, St. Helena zu verlassen; seine Abwesenheit vermehrte die Leere in der Umgebung des Verbannten.

Am 18. Mai 1817 stellte Lord Holland im Oberhaus einen Antrag in Bezug auf die durch den General Montholon nach England berichteten Klagen. „Die Nachwelt," sagte er, „wird nicht untersuchen, ob Napoleon die gerechte Strafe für seine Verbrechen erduldete, sondern ob England den Edelmuth bewiesen hat, der einer großen Nation ziemte." Lord Bathurst bekämpfte die Motion.

Der Cardinal Fesch sandte seinem Neffen zwei Priester aus Italien. Die Fürstin Borghese suchte um die Erlaubniß nach, ihren Aufenthalt bei ihrem Bruder zu nehmen. „Nein," sagte Napoleon, „sie soll nicht Zeuge meiner Erniedrigung und der Beschimpfung sein, denen ich ausgesetzt bin."

Diese geliebte Schwester, germana Jovis, durchschiffte die Meere nicht, sondern starb da, wo Napoleon seinen Ruf zurückgelassen hatte.

Man schmiedete Entführungspläne. Ein Oberst Latapie, der

ſich an der Spitze einer Bande amerikaniſcher Abenteurer befand,
ging mit einer Landung auf St. Helena um. Johnſton, ein kühner
Schleichhändler, gedachte Bonaparte mittelſt eines unterſeeiſchen
Schiffes wegzubringen. Auf dieſe Pläne ließen ſich ſogar junge
Lords ein; man conſpirirte, um die Feſſeln des Bedrückers zu
brechen; den Befreier des Menſchengeſchlechts aber hätte man,
ohne daran zu denken, in Feſſeln hinſchmachten laſſen.

Bonaparte hoffte von den politiſchen Bewegungen Europa's
ſeine Erlöſung. Wenn er bis zum Jahr 1830 gelebt hätte, ſo
hätten wir ihn vielleicht wieder bei uns geſehen; aber was würde
er bei uns gethan haben? Er wäre mitten unter den neuen
Ideen altersſchwach und hinter der Zeit zurückgeblieben erſchienen.
Ehemals ſchien ſeine Tyrannei unſerer Knechtſchaft Freiheit; jetzt
würde ſeine Größe unſerer Nichtigkeit Despotismus ſcheinen. Bei
einer neuen Epoche iſt in einem Tage Alles abgelebt und alt;
wer zu lange lebt, ſtirbt lebendig. Mit dem vorrückenden Alter
laſſen wir drei bis vier von einander verſchiedene Bilder von uns
zurück; wir ſehen ſie dann wie Bildniſſe aus unſeren verſchiedenen
Lebensaltern im Nebel der Vergangenheit wieder.

Bonaparte wurde immer ſchwächer und beſchäftigte ſich nur
noch wie ein Kind; er ergötzte ſich, in ſeinem Garten ein kleines
Becken zu graben, das er mit einigen Fiſchen bevölkerte; da aber
der Steinkitt des Beckens Kupfer enthielt, ſo ſtarben die Fiſche.
Bonaparte ſagte: „Alles, was mich anzieht, trifft der Fluch.“

Gegen Ende des Februars 1821 mußte ſich Napoleon nieder=
legen, um nicht wieder aufzuſtehen. „Bin ich geſunken genug!“
murmelte er; „ich bewegte die Welt und kann nun nicht einmal
meine Augenlider aufſchlagen.“ Auf die Arzneikunde hielt er nicht
viel und widerſetzte ſich einer Berathung Antomarchi's mit Aerzten
von Jamestown. Doch geſtattete er dem Doctor Arnold Zutritt
an ſein Sterbebette. Vom 15. bis zum 25. April dictirte er ſein
Teſtament; am 28. verordnete er, daß man nach ſeinem Tode ſein
Herz Maria Luiſen ſchicke; er verbot, daß irgend ein engliſcher

Chirurg nach seinem Hinscheiden Hand an ihn lege. Ueberzeugt,
daß er der Krankheit unterliegen werde, an der auch sein Vater
starb, befahl er, dem Herzog von Reichstadt das Protokoll über
den Leichenbefund zuzustellen. Die väterliche Anweisung ist unnö=
thig geworden, Napoleon II hat sich mit Napoleon I vereinigt.

In seiner letzten Stunde erwachte das religiöse Gefühl, von
dem Bonaparte immer durchdrungen gewesen war. In seinen
Memoiren über das Consulat erzählt Thibaudeau bei An=
laß der Wiederherstellung des Cultus, daß der erste Consul gesagt
hatte:

„Letzten Sonntag spazirte ich unter dem feierlichen Schweigen
der Natur in diesen Gärten (in Malmaison); plötzlich schlug der
Ton der Glocke von Rueil an mein Ohr und erneuerte alle die
Eindrücke meiner Jugend in mir; ich wurde ergriffen, so stark ist
die Macht der ersten Gewohnheiten, und sagte zu mir: „Wenn ich
dieser Herrschaft unterliege, welche Wirkung müssen solche Erinne=
rungen nicht bei einfachen und gläubigen Menschen hervorbringen?
Eure Philosophen sollen das beantworten! . . . .
. . . . und die Hände zum
Himmel erhebend, rief ich aus: Wer ist Der, der das Alles ge=
macht hat?"

Durch seine im Jahr 1797 in Macerata erlassene Proclama=
tion gestattet Bonaparte den in die päpstlichen Staaten geflüchteten
französischen Priestern wieder den Aufenthalt in ihrem Vaterlande,
verbietet, sie zu beunruhigen, befiehlt den Klöstern, sie zu ernähren,
und weist ihnen eine Besoldung an Geld an.

Sein verändertes Benehmen in Egypten, sein Unwille gegen
die Kirche, deren Wiederhersteller er war, zeigen, daß ihn mitten
in seinen Verirrungen ein Instinkt von Spiritualismus beherrschte,
denn sein Fallen und seine Reizbarkeit sind nicht philosophischer
Natur und tragen den Stempel des religiösen Charakters.

Als Bonaparte Vignali das Nähere in Bezug auf das Trauer=
gerüste mittheilte, auf das er seine Hülle gelegt wissen wollte, glaubte

er wahrzunehmen, daß seine Anordnung Automarchi mißfiel und erklärte sich dann gegen den Doctor mit folgenden Worten:

„Sie sind über solche Schwächen erhaben; aber was wollen Sie, ich bin weder Philosoph noch Arzt; ich glaube an Gott und halte zu der Religion meines Vaters. Nicht ein Jeder, der möchte, kann Atheist sein.

„ . . . . Können Sie denn wirklich nicht an Gott glauben, während doch Alles sein Dasein verkündet und die größten Geister an ihn geglaubt haben . . . . Sie sind Arzt . . . . dieses Volk hält sich nur an die Materie; es glaubt nie Etwas."

Freigeister der Zeit, laßt Eure Bewunderung Napoleon's fahren; ihr habt nichts mit diesem armen Menschen zu schaffen; bildete er sich doch ein, ein Komet hole ihn ab, wie ein solcher einst Cäsar mit sich nahm. Zudem glaubte er an Gott, er hielt zu der Religion seines Vaters, er war nicht Philosoph, er war nicht Atheist; er hatte nicht, wie ihr, dem Ewigen eine Schlacht geliefert, obwohl er eine schöne Zahl von Königen besiegt hatte; er meinte, Alles verkünde das Dasein des höchsten Wesens; er erklärte, die größten Geister hätten an dieses Dasein geglaubt, und er wollte glauben, wie seine Väter. Und endlich, wie abscheulich! dieser erste Mann der neueren Zeiten, dieser Mann aller Jahrhunderte, war im neunzehnten Jahrhundert Christ! Sein Testament beginnt mit folgendem Artikel:

„Ich sterbe in der apostolisch-römischen Religion, im Schooße welcher ich vor mehr als fünfzig Jahren geboren wurde."

Im dritten Paragraphen des Testamentes Ludwig's XVI liest man:

„Ich sterbe als ein Glied unserer heiligen katholischen, apostolisch-römischen Mutterkirche."

Die Revolution hat uns viele Lehren gegeben; ist aber eine mit dieser hier vergleichbar? Napoleon und Ludwig XVI legten

das gleiche Glaubensbekenntniß ab! Wollt ihr den Werth des
Kreuzes kennen lernen? Sucht in der ganzen Welt, was die
Tugend im Unglück oder den sterbenden Mann von Genie am
meisten anspricht.

Am 3. Mai ließ sich Napoleon die letzte Oelung geben und
empfing das heilige Abendmahl. Die Stille im Zimmer war nur
durch das Röcheln des Todes und das regelmäßige Picken des
Perpendikels einer Wanduhr unterbrochen; bevor der Schatten
auf dem Zifferblatt stillstand, machte er noch einigemal die Runde;
das Gestirn, das ihn zeichnete, konnte nur mit Mühe erlöschen.
Am 4. erhob sich ein Sturm wie bei Cromwell's Sterben; fast
alle Bäume von Longwood wurden entwurzelt. Am 5. endlich,
um sechs Uhr weniger eilf Minuten Abends, hauchte Bonaparte
unter Sturm, Regen und der donnernden Brandung der Wogen
den mächtigsten Odem, der je den menschlichen Thon belebt hatte,
in Gottes Schooß aus. Die letzten den Lippen des Eroberers ent-
nommenen Worte waren: „Tête... armée, oder tête d'armée.“*)
Sein Gedanke irrte noch unter Schlachten. Als er auf immer die
Augen schloß, lag sein mit ihm abgeschiedener Degen zu seiner
Linken, auf seiner Brust ruhte ein Crucifix. Das auf Napoleon's
Herz gelegte Friedenssymbol beschwichtigte die Schläge dieses
Herzens, wie ein Strahl vom Himmel die Woge glättet.

Begräbniß.

Bonaparte wünschte zuerst, in der Kathedrale von Ajaccio
beigesetzt zu werden; in einem vom 16. April 1821 datirten Codicill
aber vermachte er seine Gebeine Frankreich. Der Himmel meinte

---

*) Haupt... Armee, oder Spitze der Armee.

es beffer mit ihm, sein wirkliches Mausoleum ist der Felsen, auf welchem er starb; man möge meine Erzählung vom Tode des Herzogs von Enghien nachlesen. Als Napoleon dann voraussah, daß die brittische Regierung sich der Vollstreckung seines letzten Willens widersetzen würde, wählte er eventuell eine Begräbnißstätte auf St. Helena.

In einem engen Thale, das Geraniumthal oder das Thal der Slane, jetzt das des Grabes genannt, fließt eine Quelle. Die chinesischen Diener Napoleon's, treu wie Camoens' Javanese, pflegten die Amphora's dort zu füllen. Zwei Trauer= weiden neigen sich über den Brunnen hin; ringsum wächst saftiges, mit Tschampas besäetes Gras. „Trotz seines Glanzes und seines Duftes ist der Tschampas keine beliebte Pflanze, weil sie auf den Gräbern blüht," sagen die alten Sanskrit=Poeten. An den Ab= hängen der unbewaldeten Felsen vegetiren kümmerlich bittere Citronenbäume, Cocosnußbäume, Lärchenbäume und Conifen, deren am Bart der Ziegen sich anhängender Gummi gesammelt wird.

Bonaparte liebte den Platz unter den Trauerweiden des Brunnens, er suchte Frieden im Thale der Slane, wie der verbannte Dante Frieden im Kloster von Corvo suchte. Aus Erkenntlichkeit für die zeitweise Ruhe, welche er in den letzten Tagen seines Lebens dort genoß, bezeichnete er dieses Thal zu seiner ewigen Ruhestätte. Von der Quelle sprechend, äußerte er sich: „Sollte Gottes Wille mich wieder genesen lassen, so ließe ich an dem Orte, wo sie spru= delt, ein Monument errichten." Dieses Monument war sein Grab. Noch zu Plutarch's Zeiten sah man an den Ufern des Strymon an einem den Nymphen geweihten Orte einen steinernen Sitz, auf welchem Alexander gesessen war.

Im Tode wurde Napoleon, in der Uniform eines Garbeobersten mit Stiefel und Sporen und mit dem Kreuz der Ehrenlegion geschmückt, auf seiner eisernen Bettstelle ausgestellt. Die Seele hatte im Entfliehen auf diesem Antlitz, das nie Verwunderung zeigte, eine erhabene Bestürzung hinterlassen. Die Flaschner und

Schreiner lötheten und nagelten Bonaparte in einen vierfachen Sarg von Mahagoni, von Blei, wieder von Mahagoni und von Sturzblech ein; man schien zu fürchten, er könne nie eingekerkert genug sein. Der Mantel, welchen der einstige Sieger an dem großen Begräbnißtage von Marengo trug, diente als Bahrtuch.

Das Leichenbegängniß fand am 28. Mai statt. Das Wetter war schön; vier von Stallknechten zu Fuß geführte Pferde zogen den Trauerwagen: vierundzwanzig unbewaffnete englische Grenadiere gingen ihm zur Seite, dann kam Napoleon's Pferd. Dem an Schluchten sich hinziehenden Wege entlang war die Garnison der Insel aufgestellt, drei Schwadronen Dragoner ritten dem Zuge voran, das 20. Infanterieregiment, die Marinesoldaten, die Freiwilligen von St. Helena, die königliche Artillerie mit fünfzehn Stück Kanonen schlossen denselben. Gruppen von Musikern, die von Strecke zu Strecke auf Felsen aufgestellt waren, spielten Trauermärsche. Bei einem Engpaß hielt der Wagen an, die vierundzwanzig unbewaffneten Grenadiere nahmen den Sarg auf die Schultern und hatten die Ehre, ihn bis zur Begräbnißstätte zu tragen. Drei Artilleriesalven salutirten die Ueberreste Napoleon's in dem Augenblicke, wo sie in die Gruft gesenkt wurden; all' der Lärm, den er auf dieser Erde gemacht hatte, drang nicht sechs Fuß unterhalb dieselbe. Ein Stein, welcher zum Bau eines neuen Hauses für den Verbannten verwendet werden sollte, wird gleichsam als Fallthür seines letzten Kerkers auf seinen Sarg niedergelassen.

Man sagte die Verse des 88. Psalms her: „Ich bin elend und in Ohnmacht von Jugend auf; ich erleide Deine Schrecken und bin verzagt. Dein grimmiger Zorn ist über mich ausgegangen . . ." Jede Minute löste das Admiralschiff einen Kanonenschuß. Diese in der Unermeßlichkeit des Oceans sich verlierenden Kriegsharmonien entsprachen dem requiescat in pace. Der von seinen Besiegern bei Waterloo begrabene Kaiser hatte den letzten Kanonenschuß jener Schlacht gehört; den letzten Schuß, mit welchem

20*

England seinen Schlaf auf St. Helena störte und ehrte, hörte er nicht. Beim Auseinandergehen nahm Jedermann einen Weidenzweig mit sich, wie man sie am Palmsonntag trägt.

Lord Byron glaubte, der Dictator der Könige habe mit seinem Schwert auch seinen Ruhm abgelegt und werde in Vergessenheit erlöschen. Der Poet hätte wissen sollen, daß Napoleon's Schicksal eine Muse war wie alle andern Geschicke. Diese Muse wußte einer gescheiterten Entwicklung einen Ausgang zu geben, der ihren Helden zu neuem Leben rief. Die Einsamkeit von Napoleon's Exil und Grab hat noch eine Art von Zauber über ein glänzendes Andenken verbreitet. Alexander starb nicht unter den Augen Griechenlands; er verschwand in den prachtvollen Fernen Babylons. Bonaparte ist nicht unter den Augen Frankreichs gestorben: er hat sich in dem herrlichen Himmelsstriche der heißen Zone verloren. Er schläft wie ein Eremit oder wie ein Paria in einem Thale, an einem verlassenen Fußwege. Die Größe des Schweigens, das auf ihm liegt, kommt dem ungeheuren Lärm gleich, der ihn umgab. Die Nationen sind abwesend, die Menge hat sich verlaufen. Der, wie Büffon sich ausdrückt, an den Sonnenwagen gespannte Vogel der Tropenländer stürzt sich vom Tagesgestirn herab; wo ruht er jetzt? Er ruht auf der Asche, deren Gewicht den Erdball zum Wanken brachte.

Zerfall der Napoleon'schen Welt.

Imposuerunt omnes sibi diademata post mortem ejus.... et multiplicata sunt mala in terra. (Maccab.)

Sie Alle *) setzten sich nach seinem Tode Diademe auf..... und das Unheil nahm zu in der Welt.

---

*) Die Generale Alexander's des Großen.

Anm. d. Uebers.

Diese Worte des ersten Buchs der Maccabäer über Alexander den Großen scheinen ausdrücklich zur Anwendung auf Napoleon bestimmt zu sein. Die Diademe wurden von ihm genommen und die Uebel vermehrten sich auf der Erde. Seit dem Tode Bonaparte's sind kaum zwanzig Jahre verflossen und schon existirt die französische, schon existirt die spanische Monarchie nicht mehr. Die Karte der Welt hat sich verändert; man brauchte eine neue Geographie; von ihren legitimen Souveränen getrennt, fielen die Völker an Souveräne des Zufalls. Berühmte Schauspieler haben die Bühne verlassen, namenlose haben dieselbe bestiegen. Die Adler sind von dem Gipfel der hohen in's Meer gestürzten Pinie davongeflogen, während zerbrechliches Muschelwerk sich an die Seiten des immer noch Schutz verleihenden Baumstumpfs anklebt. Wie einem letzten Resultat eilt Alles seinem Ende zu. Der furchtbare Geist des Neuen durchzieht die Welt, sagte der Kaiser. Dieser Geist, dem er die Schranke seines Genies entgegengestellt, nimmt seinen Lauf wieder auf. Die Institutionen des Eroberers zerfallen. Er wird wohl die letzte der großen individuellen Existenzen gewesen sein. Keiner wird ferner über die abgeschwächte und nivellirte Gesellschaft hervorragen. Der Schatten Napoleon's allein wird am Ende der alten Welt bei ihrer Zerstörung sich erheben wie das Schreckgespenst der Sündfluth am Rande ihres Abgrunds. Die ferne Nachwelt wird diesen Schatten erblicken über dem ungeheuern Schlund, in welchen unbekannte Jahrhunderte fallen werden, bis der Tag der socialen Wiedergeburt gekommen sein wird.

Meine letztrn Beziehungen zu Napoleon.

Weil ich mein eigenes Leben beschreibe, indem ich mit dem Leben Anderer, Großer ober Kleiner, mich beschäftige, sehe ich mich genöthigt, dieses mein Leben mit Dingen und Menschen in Verbindung zu bringen, wie der Zufall es gerade will. Konnte ich denn eine Strecke Weges zurücklegen, ohne anzuhalten bei der Erinnerung an den Deportirten, welcher in seinem Meergefängniß den Vollzug des Beschlusses Gottes erwartete? Nein.

Den Frieden, welchen er mit den Königen, seinen Kerker= meistern, nicht geschlossen, hatte Napoleon mit mir gemacht. Ich war ein Sohn des Meeres wie er, meine Wiege stand auf einem Felsen wie die seinige. Ich schmeichle mir, Napoleon besser ge= kannt zu haben, als die ihn kannten, welche ihn oft sahen und in seiner Nähe lebten.

Napoleon's Zorn gegen mich erlosch auf Sanct Helena und er gab seine Feindschaft auf. Ich meinerseits war gerechter gegen ihn geworden und schrieb in den Conservateur folgenden Artikel:

„Die Völker haben Bonaparte eine Geißel Gottes genannt. Aber die Gottesgeißeln haben Etwas von der Ewigkeit und der Größe des göttlichen Grimmes an sich, dessen Emanation sie sind. Ossa arida... dabo vobis spiritum et viveris, dürre Gebeine, ich will euch meinen Geist einhauchen und ihr werdet leben. Geboren auf einer Insel, um auf einer an den Grenzen dreier Welttheile gelegenen Insel zu sterben, mitten in Meere geschleudert, auf welchen Camoens sein Kommen gleichsam prophezeite, indem er den Sitz des Geistes der Stürme dahin verlegte, kann sich Bona= parte auf seinem Felsen nicht rühren, ohne daß wir eine Erschüt= terung empfänden. Jeder Schritt des neuen Adamastor *) auf den

---

*) Camoens schildert in seinen „Lusiaden" (Gesang 5) diesen Hüter des Vorgebirgs der guten Hoffnung also:

anbern Pol macht sich auf dem unsrigen fühlbar. Wenn Napo=
leon, seinen Kerkermeistern, entrinnend, in die Vereinigten Staaten
sich rettete, so würde schon sein auf den Ocean gerichteter Blick
hinreichen, die Völker der alten Welt in Verwirrung zu bringen.
Seine Anwesenheit auf dem westlichen Ufer des atlantischen Mee=
res an und für sich würde Europa zwingen, auf dem östlichen sich
zu lagern."

Dieser Artikel kam Bonaparte auf St. Helena zu Handen.

Eine Hand, von der er glaubte, sie gehöre einem Feinde an,
träufelte den letzten Balsam in seine Wunden.

Er sagte zu Herrn von Montholon:

„Wenn in den Jahren 1814 und 1815 das königliche Ver=
trauen nicht Leuten geschenkt worden wäre, welche entweder dem
Drang der Verhältnisse in keiner Weise gewachsen waren oder
welche, Verräther an ihrem Vaterlande, das Heil und den Ruhm
des Thrones ihres Herrn einzig und allein in dem Joch der hei=
ligen Allianz erblickten; wenn der Herzog von Richelieu, dessen
Ehrgeiz die Gegenwart fremder Bajonnette in seinem Lande nicht

---

   — — — — In mächtiger Entfaltung
Ein Riesenleib erschien im Lüftereich,
Von häßlicher, gigantischer Gestaltung:
Rauh war sein Bart, sein Antlitz kummerbleich,
Die Augen tief und hohl, furchtbar die Haltung,
Die Farbe blaß und fahl, der Erde gleich,
Die Haare voll von Erde, kraus und häßlich,
Die Lippen schwarz, die Zähne gelb und gräßlich.
So groß an Gliedern war er, traun! und ohne
Zu dichten darf ich sagen, daß er leicht
Den rhodischen Coloß, diese Krone
Der sieben Wunder einst, an Höh' erreicht.
Er sprach zu mir mit grausem, dumpfem Tone,
Der, also schien's, aus tiefem Meere steigt;
Das Blut erstarrt uns und die Haar' empören
Sich mir und Allen, die das seh'n und hören.

              Anm. d. Uebers.

gebuldet hätte, wenn Chateaubriand, der zu Gent so ausgezeichnete
Dienste leistete, mit der Leitung der öffentlichen Angelegenheiten
betraut worden wären: so würde Frankreich aus diesen beiden
nationalen Krisen mächtig und gefürchtet hervorgegangen sein.
Chateaubriand hat von der Natur das heilige Feuer empfangen.
Seine Werke bezeugen dieß.   Sein Styl ist nicht der Styl Ra=
cine's, aber es ist der Styl eines Propheten. Wenn Chateaubriand
jemals an's Staatsruder gelangt, so ist es möglich, daß er auf
Irrwege geräth; sind doch schon so Viele dabei zu Grunde gegan=
gen! Aber das steht fest: Alles, was groß und national ist, ent=
spricht seinem Geiste, und sicherlich würde er mit Entrüstung die
schmählichen Maßregeln des dermaligen Regiments von sich gewie=
fen haben." (Denkwürdigkeiten zur Geschichte Frankreichs unter
Napoleon von Montholon, Bd. 4, S. 243.)

Dieß sind meine letzten Beziehungen zu Napoleon.

Warum sollte ich nicht eingestehen, daß das angeführte Ur=
theil die stolze Schwäche meines Herzens kitzelte? Kleine
Menschen, denen ich große Dienste geleistet, haben mich nicht so
wohlwollend beurtheilt wie der Riese, dessen Gewalt ich anzugrei=
fen gewagt hatte.

Sanct Helena seit dem Tode Napoleon's.

Während die Napoleon'sche Welt verschwand, interessirte mich
der Ort, wo Napoleon selbst verschwunden war. Das Grab auf
Sanct Helena hat schon eine seiner Trauerweiden eingebüßt, der
verkümmerte und gestürzte Baum wurde täglich von Pilgern ver=
stümmelt. Ein gußeisernes Gitter faßt die Gruft ein, drei quer=
gelegte Steinplatten decken das Grab, einige Schwertlilien sprießen
zu Füßen und Häupten desselben, die Quelle des Thales fließt noch
da, wo ein so wundervolles Leben versiegte. Reisende, die der
Sturm an die Insel verschlägt, glauben sich ihre Richtigkeit von

einem so großen Grabe bezeugen lassen zu müssen. Eine alte
Frau hat sich nebenan eingerichtet und lebt von dem Schatten
einer Erinnerung; ein Invalide steht in einem Schilderhaus Wache.

Das alte Longwood, von dem neuen kaum zweihundert
Schritte entfernt, ist verödet. Einen mit Unrath angefüllten Raum
durchschreitend, gelangt man zu einem Stall. Er diente dem
Kaiser zum Schlafzimmer. Ein Neger zeigt euch eine Art Nische,
welche jetzt von einer Handmühle eingenommen wird, und sagt
euch: „There he head!" (hier starb er.) Das Gemach, in wel=
chem Napoleon geboren wurde, war wahrscheinlich weder größer
noch zierlicher.

Im Hause des Gouverneurs zu Neu=Longwood (Plantation=
House) sieht man ein Bild des Herzogs von Wellington und Ab=
bildungen seiner Schlachten. Ein Glasschrank enthält ein Stück
von dem Baume, neben welchem der englische General bei Water=
loo stand. Dieser Reliquie zur Seite befindet sich ein Oliven=
zweig aus dem Oelgarten bei Jerusalem und verschiedene Zier=
rathen der Wilden des Südmeers. Bizarre Zusammenstellung!
Aber vergeblich will sich der Sieger (Wellington) unter dem Schutze
eines Zweiges aus dem heiligen Lande und eines Andenkens von
Cook an den Platz des Besiegten (Napoleon) stellen: man sucht
und will auf Sanct Helena nur finden die Einsamkeit, den Ocean
und Napoleon.

Wenn man die Geschichte der Umbildung der durch ihre Grä=
ber, ihre Wiegen, ihre Paläste berühmten Orte auffände, welch'
ein mannigfaltiges Schauspiel von Dingen und Geschicken würde
sich da bieten, welche seltsamen Metamorphosen würden sich bewerk=
stelligen in den obscuren Behausungen, an welche unsere armselige
Existenz gefesselt ist! In welcher Hütte wurde Chlodwig geboren?
Auf was für einem Fuhrwerk erblickte Attila das Licht? Welcher
Strom rollt seine Fluten über Alarich's Grab? Welcher Schakal
bewohnt jetzt die Höhlung, welche den goldenen oder krystallenen
Sarg Alexander's barg? Wie oft wohl hat dieser Staub, haben

diese Gebeine ihren Platz verändert? Wem gehören jetzt alle die Mausoleen Aegyptens und Indiens? Gott allein kennt die Ursache dieser mit den Geheimnissen der Zukunft eng verbundenen Veränderungen. Es gibt Wahrheiten, die, dem Menschen verhüllt, in der Tiefe der Zeiten schlummern. Nur mit Hülfe der Jahrhunderte enthüllen sie sich, gerade wie es Sterne gibt, die von der Erde so weit entfernt sind, daß ihr Licht noch nicht bis zu uns gedrungen ist.

Heimholung der Asche Bonaparte's.

Aber während ich dieses schrieb, ist die Zeit fortgeschritten und hat ein Ereigniß gebracht, welches etwas Großes an sich hätte, wenn nicht heutzutage die Ereignisse in den Koth fielen.

Man reclamirte zu London die Asche Bonaparte's. Das Verlangen wurde erfüllt. Was lag den Engländern an ein paar alten Knochen? Sie werden uns so viele Geschenke des Todes machen, als wir haben wollen. Die Gebeine Napoleon's kamen in einem Augenblick unserer Demüthigung zu uns zurück. Sie hätten sich eigentlich dem von den Engländern beanspruchten Recht der Durchsuchung unterziehen müssen — (bei Lebzeiten hätte sich der Kaiser nicht so bereitwillig visitiren lassen) — allein England war artig: es gab dem Leichnam einen Freipaß.

Die Heimholung der Ueberreste Napoleon's ist ein Verbrechen gegen den Ruhm. Eine Gruft zu Paris wiegt niemals das Thal der Slane auf. Wer möchte den Pompejus anders sehen, als auf dem Ufersand emporgehalten von einem armen Freigelassenen, unterstützt durch einen alten Legionär? Was sollen uns inmitten unseres Elends große Reliquien? Vermag der härteste Granit die Ewigkeit der Thaten Bonaparte's zu repräsentiren? Ja, wenn wir wenigstens einen Michel Angelo besäßen, um die düstere Statue zu meißeln! Welche Form wird man dem Monument geben?

Kleinen Menschen Mausoleen, großen einen Stein und einen Namen. Hätte man wenigstens den Sarg Napoleon's in der Krone des Triumphbogens beigesetzt, damit die Nationen schon von Weitem ihren Herrn erblicken konnten, getragen von den Schultern seiner Siege! War die Urne Trajans zu Rom nicht im Knaufe seiner Säule aufgestellt? Mitten unter uns wird sich Napoleon in dem Schwarm der Todten verlieren, die sich im Schweigen geborgen. Gott wolle nur, daß er der veränderlichen Stimmung unserer politischen Umwälzungen nicht ausgesetzt sei, daß er sicher ruhe unter dem Schutze Ludwig's XIV, Vauban's und Turenne's! Habt Acht auf die in unserem Vaterlande so häufigen Entweihungen der Gräber! Laßt eine gewisse Seite der Revolution triumphiren und die Asche des Eroberers könnte gar leicht das Schicksal jener Gebeine haben, welche unsere Leidenschaften ausgewühlt und zerstreut haben; *) man wird den Besieger der Völker vergessen und sich nur des Unterdrückers der Freiheit erinnern. Die Gebeine Napoleon's werden sein Genie nicht reproduciren, aber sie könnten leicht einem mittelmäßigen Soldaten seinen Despotismus lehren.

Wie dem auch sei, eine Fregatte ward einem der Söhne Louis Philipp's übergeben. Ein von unsern alten Seesiegen her theurer Name schützte sie auf den Wogen. Von Toulon, wo sich Bonaparte in den Tagen seines Glanzes zu seinen Siegen in Aegypten eingeschifft hatte, absegelnd fuhr die neue Argo nach Sanct Helena, um ein Nichts zurückzufordern. Das Grab mit seinem Schweigen erhob sich noch immer unbeweglich in dem Thale der Slane. Von den zwei Trauerweiden, die es beschattet hatten,

---

*) Chateaubriand spielt hier auf die Zerstörung der Königsgräber zu Saint-Denis während der Revolution an. Lamartine hat in seiner Geschichte der Girondisten (Buch 52, Kap. 23) diese Scene mit dramatischer Lebendigkeit beschrieben.
                                        Anm. d. Uebers.

war die eine gestürzt. Lady Dallas, die Frau eines Gouverneurs der Insel, hatte an die Stelle des gestürzten Baumes achtzehn junge Weiden und vierunddreißig Cypressen gepflanzt. Die Quelle murmelte noch immer, wie sie gemurmelt, als Napoleon daraus trank. Eine ganze Nacht hindurch arbeitete man unter Beisein eines englischen Capitains, Namens Alexander, an der Erbrechung des Grabmals. Die vier in einander geschobenen Särge, einer von Mahagoniholz, ein bleierner, abermals ein mahagonihölzer- ner, endlich einer von Weißblech, wurden unversehrt gefunden. Man schritt unter einem Zelte, in einem Kreise von Offizieren, deren mehrere Bonaparte gekannt hatten, zur Besichtigung des mumienhaften Inhalts der Särge.

Als der Deckel des letzten Sarges abgenommen worden war, tauchten sich die Blicke in denselben. „Sie hafteten," erzählt der Abbé Coquereau, „zuerst auf einer weißlichen Masse, welche den Körper seiner ganzen Länge nach bedeckte. Der Doctor Gaillard berührte diese Masse und fand, daß es ein Pfühl von weißem Atlas war, womit ursprünglich die zu Häupten des Todten befind- liche Wand des Sarges gepolstert war; der Atlas hatte sich aber verschoben und hüllte den Leichnam ein wie ein Leichentuch. Der ganze Körper schien mit leichtem Staub bedeckt und man hätte sagen können, daß wir den Todten durch eine leichte Wolke hin- durch wahrnahmen. Das war sein Kopf. Das eine Ohr stand etwas hervor. Seine breite Stirne, seine Augen, deren Höhlen sich unter den Lidern abzeichneten, waren noch von einigen Brauen- härchen bekränzt; seine Wangen waren aufgedunsen, seine Nase allein hatte gelitten; sein halboffener Mund ließ drei sehr weiße Zähne sehen; auf seinem Kinn ließ sich der Schatten des Bartes deutlich wahrnehmen; seine beiden Hände schienen einem noch Le- benden anzugehören, so lebhaft waren Farbe und Ton; die eine, die linke, war mehr erhoben, als die rechte; seine Nägel waren nach dem Tode gewachsen und lang und weiß; an einem seiner

Schuhe war die Naht aufgegangen, so daß vier Zehen seines mattweißen Fußes sichtbar waren."

Was ist es, das diese Grabschänder in Erstaunen setzt? Etwa die Eitelkeit der irdischen Dinge? Die Eitelkeit des Menschen? Nein, die Schönheit des Todten. Seine Nägel waren gewachsen, um, wie ich mir vorstelle, den Rest von Freiheit, welcher der Welt geblieben, zu zerfleischen. Seine der Erde zurückgegebenen Füße stützten sich nicht mehr auf ein Polster von Diademen; nackt und bloß ruhten sie in ihrem Staub. Obgleich so gut conservirt, hatte Napoleon doch gerade nur die drei Zähne behalten, wie sie die Kugeln an dem Kiefer des Herzogs von Enghien übrig-gelassen hatten. Die Zeit verschont mit ihren Geschossen auch den Ruhm nicht.

Das auf Sanct Helena untergegangene Gestirn erschien zur großen Freude der Völker noch einmal. Der Erdkreis sah Napo-leon wieder, aber Napoleon sah den Erdkreis nicht wieder. Die-selben Sterne, welche ihn dereinst in's Exil geleiteten, blickten auch jetzt hernieder auf die ruhelosen Gebeine des Eroberers. Bonaparte war durch das Grab hindurchgegangen, wie durch Alles, ohne sich aufzuhalten. In Havre ausgeschifft, kam der Leichnam unter dem Triumphbogen an, einem Thronhimmel, unter welchem die Sonne ihr Antlitz nur an gewissen Tagen des Jahres zeigt. Von dem Bogen bis zum Hotel der Invaliden sah man Nichts als Bohlenschranken, Büsten von Gyps, eine Statue des großen Conbé — trauriges Erinnerungszeichen, welches zu weinen schien! — und Obelisken von Tannenholz, welche an das Leben des Siegers mahnten. Eine heftige Kälte machte die hinter dem Leichenwagen einherschreitenden Generale umsinken, wie einst auf dem Rückzug von Moskau. Nichts war schön, Nichts groß, außer das Todtenschiff, welches Napoleon und ein Crucifir schwei-gend die Seine heraufgetragen hatte.

Seines Felsen-Katafalks beraubt, hat sich Napoleon in den Unrath von Paris begraben. Anstatt der Schiffe, welche den neuen, auf dem Berg Oeta vom Feuer verzehrten Herkules salutirten, werden jetzt nur die Wäscherinnen des Baugirard oder unbekannte Invaliden der großen Armee in seiner Nähe umhergehen. Von dem ärmlichen Vorspiel zu dieser Unmacht, welches kleine Menschen arrangirten, ließ der Regen nach einigen Tagen nur schmutzige Fetzen übrig. Was man auch thun mag, stets wird man das wahre Grab des Triumphators inmitten der Meere erblicken; bei uns der Körper, aber auf Sanct Helena das unsterbliche Leben.

Napoleon hat die Aera der Vergangenheit abgeschlossen. Er hat den Krieg in zu großartiger Weise betrieben, als daß derselbe das menschliche Geschlecht ferner noch interessiren könnte, und das ist vielleicht das einzige Gute, welches von ihm übrig bleiben wird. Er hat die Pforten des Janustempels so heftig hinter sich zugeworfen und so große Haufen von Leichen hinter diesen Pforten aufgethürmt, daß sie sich nie wieder öffnen können.

Mein Besuch zu Cannes.

In Europa besuchte ich die Orte, wo Bonaparte gelandet, nachdem er seine Verbannung auf die Insel Elba gebrochen hatte.

Ich stieg in dem Wirthshaus von Cannes in demselben Augenblick ab, als Kanonendonner ertönte zur Erinnerung an den 29. Juli (1830), eines der Resultate von der Wiederkehr des Kaisers, welches er ohne Zweifel nicht vorausgesehen hatte. Die Nacht war angebrochen, als ich beim Golf Juan ankam. Ich stieg am Rande der Hochstraße bei einem isolirt stehenden Hause ab. Jacquemin, Töpfer und Gastwirth und Eigenthümer dieses Hauses, führte mich an's Meer. Der Weg, den wir einschlugen, lief zwischen den Oliven hin, unter welchen Bonaparte bivouakirt hatte. Jacquemin hatte ihn selbst empfangen und wies mir die Stelle. Zur Linken des Fußpfads erhob sich eine Art von Schoppen;

Napoleon, welcher allein kam, um Frankreich zu erobern, hatte unter diesem Schoppen sein ausgeschifftes Gepäck niedergelegt.

Am Ufer angelangt, sah ich vor mir ein ruhiges Meer, welches nicht der geringste Windhauch kräuselte. Ein kaum wahrnehmbarer Wellenschlag brach sich ohne Geräusch und ohne Schaum auf dem Sand. Ueber mir wölbte sich ein durchsichtiger, ganz von Sternen strahlender Himmel. Die Mondsichel ging bald abwärts und barg sich hinter einem Berge. Im Golf lagen nur eine einzige Barke und zwei Fischernachen vor Anker. Linkshin erblickte man den Leuchtthurm von Antibes, rechts die Lerin'schen Inseln, gerabeaus vor mir öffnete sich die hohe See gegen Süden zu, gegen Rom zu, wohin Bonaparte mich einst geschickt hatte.

Vor Zeiten nahmen die Lerin'schen Inseln, heutzutage die Inseln von Sanct Margaretha geheißen, einige Christen auf, welche vor den Barbaren flohen. Der heilige Honoratus landete, aus Ungarn kommend, an einer ihrer Klippen. Er bestieg einen Palmbaum und machte das Zeichen des Kreuzes und alle Schlangen starben, d. h. das Heidenthum verschwand und eine neue Civilisation entstand im Occident.

Vierzehn Jahrhunderte später schloß Bonaparte diese Civilisation, diese geschichtliche Periode da ab, wo der Heilige sie begonnen hatte. Der letzte Einsiedler dieses mönchischen Aufenthalts war die eiserne Maske, wenn nämlich die eiserne Maske eine Wirklichkeit ist. Aus dem Schweigen des Golfes Juan, aus dem Inselfrieden der alten Anachoreten ging das Getöse von Waterloo hervor, welches über den atlantischen Ocean hinfuhr und auf Sanct Helena erstarb.

Man kann sich vorstellen, was ich fühlte mitten unter den Erinnerungen von zwei Gesellschaften, mitten zwischen einer gestorbenen und einer dem Sterben nahen Welt. Ich verließ das Ufer in einer Art von religiöser Bestürzung, indem ich die Fluth über die Spuren des vorletzten Schrittes von Napoleon hinwogen ließ, ohne daß sie ausgelöscht worden wären.

Geht eine große Epoche zu Ende, so hört man gewöhnlich eine schmerzvolle, die Vergangenheit beklagende Stimme, eine Stimme, welche gleichsam die Löschglocke läutet. So seufzten die, welche Karl den Großen, den heiligen Ludwig, Franz I, Heinrich IV und Ludwig XIV verschwinden sahen. Was könnte nicht meinerseits ich Alles sagen, ich, der ich Augenzeuge war vom Leben von zwei oder drei dahingegangenen Welten? Wenn man, wie ich, mit Washington und Bonaparte zusammengetroffen, was sollte Einem hinter dem Pflug des amerikanischen Cincinnatus und hinter dem Grab von Sanct Helena noch zu sehen übrig bleiben? Warum mußte ich ein Jahrhundert und Menschen überleben, zu welchen ich dem Datum meiner Geburt zufolge gehörte? Warum bin ich nicht untergegangen mit meinen Zeitgenossen, den Nachzüglern einer erschöpften Race? Warum bin ich allein übriggeblieben, um ihre Gebeine in dem Dunkel und dem Staub übervoller Katakomben aufzusuchen? Es macht mich muthlos, das zu ertragen. Ach, wenn ich wenigstens die Sorglosigkeit eines der alten Küsten=Araber besäße, welche ich in Afrika getroffen! Mit gekreuzten Beinen auf kleinen Bastmatten sitzend, den Kopf mit dem Burnus verhüllt, bringen sie ihre letzten Stunden damit zu, in das Azur des Himmels hineinzublicken, welches sich ob den Ruinen Karthago's wölbt; eingezwingt von gedankenlosem Gemurmel, vergessen sie ihr Dasein, singen mit leiser Stimme ein Lied vom Meer und so sterben sie.

——◦❈◦——

Druck:
Customized Business Services GmbH
im Auftrag der KNV-Gruppe
Ferdinand-Jühlke-Str. 7
99095 Erfurt